Huntington Beach

A*

Kem Nunn
Huntington Beach

Traducción de Inés Marcos

Libros del Asteroide

Publicado por Libros del Asteroide S.L.U.
Santaló, 11, 3.° 1.ª
08021 Barcelona
España
www.librosdelasteroide.com

ISBN: 978-84-19089-25-0
Depósito legal: B. 18809-2022
Impreso por Liberdúplex
Impreso en España - Printed in Spain
Diseño de colección: Enric Jardí
Diseño de cubierta: Duró

Este libro ha sido impreso con un papel ahuesado, neutro y satinado
de ochenta gramos, procedente de bosques certificados FSC® bien manejados,
materiales reciclados y otras fuentes controladas, con celulosa 100 % libre de cloro,
y ha sido compaginado con la tipografía Sabon en cuerpo 11.

A mis padres

Primera parte

1

Ike Tucker estaba ajustando la cadena de la Knuckle el día que el forastero vino preguntando por él. Hacía calor y el pedazo de tierra de la parte de atrás de la gasolinera Texaco ardía bajo sus pies. El sol caía a plomo sobre su cabeza y arrancaba destellos brillantes al metal pulido.

—Tienes visita —le anunció Gordon.

Ike dejó la llave inglesa y miró a su tío, que llevaba un mono de trabajo grasiento y una gorra de los Giants. Estaba apoyado en el quicio de la puerta del porche trasero, al otro lado del patio, y lo observaba desde allí.

—¿También te has quedado sordo? —le preguntó. Quería decir sordo además de mudo—. Te he dicho que tienes visita. Alguien quiere hablarte de Ellen.

Ike se limpió las manos en los pantalones, subió el escalón, pasó por delante de Gordon y entró en el local, donde además de la gasolinera había una pequeña tienda. Notaba la presencia de su tío detrás de él, alto y compacto, duro como una roca, que lo seguía mientras cruzaba el local entre los estantes de conservas y a lo largo de la barra, donde media docena de viejos se giraron en sus taburetes y se lo quedaron mirando. Sabía que cuando saliera seguirían así, con sus rostros consumidos vueltos hacia la puerta mosquitera y el destartalado porche, donde un enjambre de moscas se resguardaba del calor.

Un chico lo esperaba en el camino de grava que rodeaba los surtidores, apoyado en el capó de un Camaro blanco. Ike calculó que tendría su misma edad, unos diecisiete o dieciocho años. Ike tenía dieciocho. Cumpliría diecinueve antes de que acabara el verano, aunque la gente a menudo pensaba que era más joven. No era alto, medía poco más de un metro setenta, y estaba muy delgado. Hacía un mes, un agente de tráfico lo había parado camino de King City y le había pedido que le enseñara el carnet. No había salido del desierto desde que era un niño y por lo general los forasteros lo intimidaban. El chico del camino de grava era forastero. Llevaba unos pantalones de pana azul claro y una camisa blanca, y sobre la frente, entre una masa de rizos rubios, descansaban unas gafas de sol que tenían pinta de ser caras. En el techo del Camaro asomaban dos tablas de surf.

Ike cogió un trapo de encima de la pila de periódicos que había junto a la puerta de la tienda y se limpió las manos. El recién llegado ya había congregado a su alrededor una pequeña multitud. Los hijos de Hank, un par de chavales que vivían al otro lado de la calle, estaban examinando el vehículo, y los perros de Gordon, dos mestizos grandes de pelaje rojizo, se habían acercado a olfatear las ruedas. Varios de los viejos de la barra habían salido detrás de Ike y se alineaban ahora en el porche, a su espalda, con la vista clavada en el ardiente exterior.

El chico no parecía cómodo, y cuando Ike bajó los escalones seguido de Gordon, se levantó y se separó del coche.

—Estoy buscando a la familia de Ellen Tucker —dijo.

—La has encontrado. Aquí la tienes, el equipo al completo.

—Fue Gordon el que habló.

Ike oyó las risitas de un par de viejos a sus espaldas. Otro carraspeó y escupió en la grava.

Ike y el chico se miraron. El chaval tenía un incipiente bigote rubio y llevaba una fina cadena de oro al cuello.

—Ellen dijo algo de un hermano.

—Yo soy su hermano —contestó Ike, con el trapo aún entre las manos.

Notaba que las palmas habían empezado a sudarle. Ellen se había marchado hacía casi dos años y desde entonces no había vuelto a saber nada de ella. No era la primera vez que se largaba, pero ahora ya era mayor de edad —tenía un año más que él— y no tenía pinta de que fuera a volver por San Arco.

El chico lo miró como si algo no le cuadrara.

—Dijo que su hermano era un motero y que tenía una chopper.

Gordon soltó una carcajada al oír aquello.

—Tiene una moto —dijo—, justo ahí, en el patio de atrás; la moto más jodidamente reluciente de todo el condado —hizo una pausa para reírse de su propia broma—, pero solo la ha conducido una vez. Venga, cuéntaselo, chaval. —Ahora se dirigía a Ike.

El hermano pequeño de Gordon tenía una tienda de motos en King City y Ike trabajaba allí los fines de semana. Se había montado su moto, una Knucklehead del 36, con sus propias manos, pieza a pieza, pero la única vez que la había conducido había derrapado en la grava y al caer se había clavado la estribera en el tobillo.

Ike ignoró a su tío y siguió observando al chico. Era muy típico de Ellen inventarse historias estúpidas. Nunca contaba las cosas tal y como eran —demasiado aburrido, decía—, pero la verdad era que se le daba bien contar historias. En realidad siempre se le había dado bien casi todo, salvo no meterse en problemas.

—¿Eres su único hermano? —preguntó el chico, que todavía parecía algo desconcertado.

Desvió la vista para observar cómo uno de los perros de Gordon levantaba la pata y orinaba en el neumático trasero de su coche y luego la volvió a fijar en Ike.

—Ya te he dicho que este es todo el equipo —dijo Gordon—. Si tienes algo que decir sobre Ellen Tucker, somos todo oídos.

El chico puso los brazos en jarras y contempló un momento el tramo de carretera que se alejaba del pueblo y conducía a la interestatal. Era la misma dirección en la que había mirado Ike el día que su hermana se había marchado y se volvió hacia allí él también, como si de repente Ellen Tucker fuera a materializarse entre el polvo y el sol con una maleta en la mano, caminando hacia él desde las afueras del pueblo.

—Tu hermana estaba en Huntington Beach —dijo por fin el chico, como si de golpe hubiera tomado una decisión—. El verano pasado se fue a México con un par de tipos de Huntington. Los tipos volvieron. Tu hermana no. Intenté averiguar qué había pasado. —Hizo una pausa y lo miró—. No lo conseguí. Lo que quiero decir es que esos tipos con los que se fue tu hermana son gente con la que no se juega. Y la cosa empezó a darme mal rollo.

—¿A qué te refieres con mal rollo? —preguntó Gordon.

El chico hizo otra pausa, pero no contestó la pregunta de Gordon.

—Me largué —dijo—. Me daba miedo quedarme más tiempo esperando, pero sabía que Ellen tenía familia por aquí. Me había hablado de un hermano que estaba metido en el mundo de las motos y pensé que... —Dejó la frase a medias y se encogió de hombros.

—Joder. —Gordon escupió la palabra en el polvo—. Pensaste que el macarra de su hermano haría algo al respecto. Te has equivocado de sitio, amigo. Igual deberías contarle esa historia a la poli.

El chico negó con la cabeza.

—Ni hablar.

Se bajó las gafas de sol y se dio media vuelta para meterse en el coche. Uno de los perros se irguió sobre sus cuartos traseros y puso las patas sobre la puerta del conductor. El chico lo ahuyentó.

Ike echó a andar por el camino de grava y se acercó al coche. El calor le golpeaba intensamente los hombros y la espalda. Se plantó delante de la ventanilla bajada y se vio reflejado en los cristales oscuros de las gafas de sol del chico.

—¿Eso es todo? —preguntó—. ¿No tienes nada más que decir?

Las gafas se desviaron y el chico clavó la vista en el salpicadero. Luego abrió la guantera y sacó un papel.

—Iba a darle esto a alguien —dijo—. Son los nombres de los tipos con los que se fue. —Echó un vistazo al papel, sacudió la cabeza y se lo entregó a Ike—. Supongo que te lo puedes quedar.

Ike miró el papel. El sol le impedía leerlo bien.

—¿Y cómo voy a encontrar a esta gente?

—Hacen surf cerca del muelle por las mañanas. Pero hombre, sería una locura que fueras tú solo y empezaras a hacer preguntas. Puedes meterte en un lío. Con esos tipos no se juega, ¿me entiendes? Y hagas lo que hagas, no dejes que el viejo ese te convenza para llamar a la policía. No harán una mierda y te arrepentirás. —Se calló, y Ike percibió unas finas líneas de sudor bajo las gafas de sol—. Oye, lo siento. Igual no debería haber venido hasta aquí. Pero como tu hermana dijo que tú... —Su voz se apagó.

—Pensaste que las cosas serían diferentes.

El chico arrancó.

—Quizá es mejor que esperes. A lo mejor aparece.

—¿Tú crees?

—¿Quién sabe? Pero a no ser que puedas conseguir ayuda de verdad... —Volvió a encogerse de hombros y luego aceleró. Ike se quedó allí de pie, en medio de la nube de polvo, mirando cómo la silueta blanca del Camaro desaparecía entre las ondas de calor. Y cuando no quedó más que esa mancha de luz y polvo, el espejismo omnipresente que marcaba los límites del pueblo, dio media vuelta y regresó por el camino de grava hacia la tienda.

Todos los viejos se habían congregado en el porche y susurra-
ban en la sombra mientras se bebían sus Budweisers. Cuando
Ike pasó a su lado, Gordon lo agarró del brazo.

—Siempre supe que pasaría algo así —dijo—. Desde el día en
que aprendió a andar estaba claro que esa chica terminaría mal.
Joder, acuérdate de cómo se largó, haciendo autostop, con esos
vaqueros ceñidos que le marcaban todo el culo. ¿Qué demonios
se podía esperar? No volveremos a verla, chico. Hazte a la idea.

Gordon le soltó el brazo y Ike se apartó bruscamente. Cruzó
la tienda, salió por el porche trasero y se quedó mirando el patio
donde una vez su hermana y él habían grabado sus nombres en
el suelo: trazaron las letras con palos y luego Ellen echó gasolina en los surcos y les prendió fuego. Las llamas se propagaron,
y antes de poder apagarlas quemaron el árbol pimentero de
Gordon y chamuscaron la parte trasera de la tienda. Pero su
hermana había dicho que no pasaba nada, que lo único que
lamentaba era que el fuego no hubiera arrasado la tienda entera
y todo el jodido pueblo. Ike aún podía oírla decir aquello como
si fuera ayer, y cuando cerraba los ojos todavía sentía el calor de
las llamas en la cara. Bajó los escalones hasta la tierra manchada
de grasa y empezó a recoger sus herramientas.

2

Esa misma noche les dijo que se marchaba, que iba a tratar de buscar a Ellen.

—¿Y cómo vas a ir? —le preguntó Gordon—. ¿En la Harley?

Estaban sentados a la mesa de la cocina. Ike escuchó la risa de Gordon y el incesante traqueteo de la nevera Sears Roebuck. El aroma grasiento del pollo frito sobrevolaba su cabeza.

—Alguien tiene que hacerlo —dijo.

Su abuela lo miró por encima de sus gafas tachonadas de brillantes. Era una mujer frágil y menuda. No estaba bien. Cada año que pasaba parecía encogerse un poco más.

—No sé por qué —dijo, dejando claro por el tono que en realidad pensaba otra cosa.

Ike evitó mirarla a los ojos. Se levantó de la silla y se fue a su habitación a contar su dinero.

Tenía casi setecientos dólares embutidos en una lata oxidada de café. ¿De dónde los había sacado? Llevaba tres años trabajando en la tienda de motos y tampoco había muchos sitios donde gastarse el dinero. La librería de King City; el solitario cine, donde dos de cada tres películas se proyectaban en español en lugar de en inglés; la máquina de pinball que Hank había instalado en la Texaco. Y últimamente también había empezado a darle algo a su abuela para el alquiler. Habría podido ahorrar mucho más si no se hubiera fundido tanto en la Harley. Desparramó los billetes sobre la cama y los contó varias veces bajo la tenue luz de su cuarto. Luego llenó una maleta con sus cosas y salió por la puerta de atrás.

Ya había oscurecido. Caminó junto a la valla de alambre que separaba el pueblo del desierto. Desde una de las ventanas abiertas de la casa de Hank le llegó el sonido de la música country filtrándose junto con una cuña de suave luz amarilla. Miró al otro lado de la valla, hacia la oscura silueta de las montañas, pudo oler el verano, esperando, agazapado, en el desierto. Uno de los perros de Gordon salió de debajo de la casa y lo siguió hasta la tienda.

Su plan era beberse unas cervezas, quedarse amodorrado y esperar el autobús que salía de King City. Cogió un pack de seis latas, dejó algo de dinero y una nota junto a la caja registradora y salió al patio trasero. Quitó la lona protectora a la Knuckle, se sentó con la espalda apoyada en la pared de la tienda y contempló el resplandor de la moto bajo la luz de la luna. Gordon podría echarle un ojo hasta que él volviera, se dijo. Dios, no tenía ni la más mínima idea de lo que iba a hacer ni de cuánto tiempo estaría fuera. Si alguien se llevaba a tu hermana hacías algo al respecto, ¿no? Se suponía que para eso estaba la familia. Por desgracia para Ellen, él era su única familia.

El patio trasero estaba tranquilo y el sonido de la música de Hank llegaba amortiguado por la distancia. Cerró los ojos y esperó, y a lo lejos pudo distinguir el traqueteo metálico de un tren de carga remontando la pendiente en dirección a King City. Pensó en todas las veces que Ellen y él se habían sentado en ese mismo lugar, escuchando los mismos sonidos e imaginando que el ruido de aquellos trenes escondía algún tipo de promesa, porque era el ruido del movimiento hacia algún sitio, y se la imaginó sentada junto a él en ese momento, con la cabeza apoyada contra la pared, los ojos entrecerrados y una lata de cerveza apoyada en su pierna delgada. A su abuela siempre le había molestado que Gordon les dejara beber cerveza, pero en realidad a la vieja le molestaba casi todo.

El sonido del tren se desvaneció hasta extinguirse y alguien apagó la música. Entonces solo quedó el silencio, esa clase de silencio tan especial y propio del desierto, y supo que si aguardaba lo suficiente el brillo de las estrellas se debilitaría, una fina franja de luz comenzaría a ascender por el horizonte y el silencio crecería hasta hacerse insoportable, hasta que la propia tierra pareciera a punto de quebrarlo para revelar un secreto íntimo. Recordó la primera vez que había sentido aquello. Era verano, llevaba varios días enfermo y con fiebre en la cama, y una noche, de madrugada, se había levantado, había salido en pijama y zapatillas y había ido hasta la valla de alambre que delimitaba la parcela de Gordon. Buscaba un poco de aire fresco, pero allí fuera no corría ni un soplo de viento. Lo único que había era aquel vacío, la silueta negra y distante de las montañas recortándose, afiladas, contra el cielo oscuro y una quietud abrumadora y sofocante que de pronto se le antojó como algo vivo, algo que lo aplastaba y que pertenecía a la noche y a la tierra, algo de lo que debía huir. Y lo había hecho, había vuelto a la casa, pero en lugar de regresar a su habitación se había ido a la de Ellen, y ella, cuando él trató de explicárselo, se había reído y le había dicho que todo era culpa de la fiebre y que le daban miedo demasiadas cosas: el desierto, la noche, los demás chicos de King City.

En otra ocasión su hermana le había dicho que iba a terminar por pudrirse en el desierto, petrificado allí como un motor oxidado, igual que la vieja, con la nariz pegada a un puñetero libro. Ahora se daba cuenta de que siempre había temido eso, quedarse, pero también le había dado miedo irse, de la misma forma que aún lo atemorizaba esa extraña hora de la noche y aquella voz que nunca había llegado a oír. Dios, él siempre había sido un cagón y ella no. Y que ahora le tocara a él ir a buscarla y no al contrario, era el mundo al revés.

Se bebió tres de las seis latas de cerveza y luego cubrió otra vez la moto con la lona y echó a andar por la carretera en dirección a las afueras del pueblo. Era el mismo camino por donde había visto desvanecerse la estela del Camaro blanco bajo la luz del mediodía, y también a su hermana, engullida para siempre por el polvo y el sol cegador.

Esa noche no lo esperaba ningún espejismo. Lo único que se veía eran los bordes planos y bien delimitados del desierto bajo la luz de la luna y la carretera, una especie de lazo de asfalto bajo sus pies. No había más sonido que el latido de la sangre en los oídos. Luego, un poco después, empezó a distinguir la silueta de alguien que se aproximaba hacia él. Era Gordon. Subía con pesadez por la vieja carretera, y solo pudo verlo durante un momento bajo la luz de las dos últimas farolas del pueblo. Luego quedó oculto en las sombras mientras el ruido de sus pisadas crecía en intensidad, hasta que llegó a su altura y los dos, medio borrachos, se escudriñaron bajo el resplandor de la luna.

Gordon sacó una botella de Jim Beam del bolsillo y la abrió con un giro firme de muñeca, su forma habitual de romper el precinto.

—Así que te vas de verdad.

Ike asintió.

Gordon también hizo un gesto de afirmación con la cabeza, luego lo miró de arriba abajo y a continuación dio un trago a la botella.

—Bien, igual es el momento —dijo—. Has terminado el colegio y has aprendido un oficio. Joder, es más de lo que yo tenía a tu edad. Aunque pensaba que a lo mejor ya no soltabas lo de las motos. Jerry dice que nunca ha visto a nadie manejar las herramientas como tú. ¿Qué le digo?

—Que volveré.

Gordon se rio y dio otro trago. La risa llevaba implícito un «y una mierda vas a volver».

—La última vez que vi a tu madre fue aquí mismo, ¿lo sabías?

—le dijo mientras pisoteaba un pedazo de tierra con la punta de la bota.

Ike asintió y añadió mentalmente a su madre a la lista de personas a las que se las había tragado aquella franja de sol hirviente.

—Sí. Dijo que volvería a buscaros en otoño. Joder, solo con echarle un vistazo al mequetrefe ese con el que se fue supe que era mentira.

Ike tenía cinco años aquel verano. Nunca había conocido a su padre, un tipo con el que su madre había vivido de forma intermitente durante un par de años.

—No soy tu viejo y nunca he pretendido serlo —dijo Gordon—, pero os he dado un techo y aquí seguirá si algún día decides volver. Pero yo que tú no me haría ilusiones con lo de tu hermana. Es una inconsciente, igual que su madre. Puede haberse metido en cualquier cosa, ¿me entiendes? No te la juegues demasiado intentando dar con ella.

Ike se quedó en silencio. No estaba acostumbrado a que Gordon mostrara interés en lo que hacía. En otro tiempo eso era lo que hubiera deseado, pero ¿ahora? Esa época, se dijo, había pasado. Aun así, Gordon había venido hasta allí. El problema era que a Ike no se le ocurría nada que decir. Lo vio dar otro trago y luego desvió la mirada hasta el punto donde las luces de King City apenas eran capaces de proyectar un débil glaseado sobre un pedazo de cielo del desierto.

Pensó en lo que Gordon acababa de decir, que Ellen era una inconsciente igual que su madre, y a continuación pensó en su madre. No recordaba mucho. Conservaba una foto, la única —de eso estaba seguro— en la que aparecían todos juntos. Estaban sentados en los escalones de la casa de su abuela, él a un lado, al otro Ellen con un brazo como un palo apoyado sobre los hombros de su madre y el otro extendido y con el dedo corazón levantado hacia la cámara. Tenían el sol de cara, los ojos entrecerrados, y era muy difícil distinguir bien sus caras. Lo que más recordaba de la foto, aparte de la peineta que Ellen le dirigía a Gordon, era el abundante pelo negro de su madre resplandeciendo al sol. También se acordaba de que solía pasar largos ratos sentada cepillándoselo con pasadas firmes y rítmicas, o arreglándoselo con un par de prendedores tallados en marfil con la forma alargada de dos esbeltos caimanes. Ese mismo verano, antes de marcharse, le había dado los prendedores a Ellen, y esa era la única vez, que él recordara, que su madre les había dado algo a alguno de los dos. A partir de entonces, los prendedores se habían convertido en la posesión más preciada de Ellen, y lo seguían siendo incluso cuando se largó. De hecho, ahora le parecía que ese día también los llevaba puestos, y que los prendedores se habían marchado con ella, perdiéndose entre las ondas de calor. Cerró los ojos tratando de recordar y sintió el mareo provocado por la cerveza. Al instante lamentó haber dejado que lo invadieran los recuerdos. Por lo general aquel era un ejercicio deprimente, lo sabía, y tendría que haberlo evitarlo. Le vinieron otras imágenes a la mente, pero las ahuyentó. Centró su atención en la grava que tenía bajo los pies y esperó a que el zumbido del autobús Greyhound llenara el silencio.

Así seguía cuando se dio cuenta de que otra persona se había unido a ellos. Gordon también debía de haberlo notado, porque se giró una vez y miró por encima del hombro hacia el punto donde la luz de la farola empezaba a languidecer entre los robles. En lugar de colocarse en la zona iluminada, su abuela permaneció oculta entre las sombras, y por algún motivo, verla allí de esa forma le hizo pensar en las tres juntas, como superpuestas: su abuela, su madre, su hermana. En ocasiones le había parecido reconocer a su madre y a su hermana en el rostro de la anciana, ya fuera por un determinado gesto de la cabeza o por el perfil de la mandíbula. Por lo general la sensación de reconocimiento era breve, efímera, como una sombra sobrevolando una tierra estéril. Qué la había convertido en estéril era algo que no podía precisar. Suponía que volverse una persona religiosa no había ayudado mucho.

Su abuela esperó a que la luz de los faros del autobús se abriera paso entre las retorcidas ramas de los árboles antes de avanzar hacia él. Su cuerpo menudo y rígido, como esculpido en un material más duro, parecía tener la misma consistencia que aquellos árboles deformados por el viento y plantados allí para marcar los límites del pueblo. Y su voz, cuando la elevó, sonó como un arma, como el filo dentado de una botella rota. Su sonido cortó con facilidad el aire frío y se impuso sobre el zumbido sordo del motor en marcha. Pero Ike no tenía intención de quedarse allí a escucharla. Subió rápidamente al autobús y avanzó hacia el fondo del vehículo por el estrecho pasillo, inhalando profundas bocanadas del aire reciclado y rancio del interior sin mirar a los demás pasajeros, algunos de los cuales ya habían estirado el cuello para observar el escándalo que había fuera. Aun así, mientras esperaba a que el autobús arrancara, e incluso una vez que se hubieron puesto en marcha, cuando las luces empezaron a moverse y a quedar atrás, oscurecidas, le pareció seguir oyéndola de forma nítida: los maldecía a los dos —a él por marcharse y a Gordon por dejarle ir— y daba fe de ello citando las Escrituras. ¿Qué era? Algo del Levítico, el 20.17, quizá, uno de sus favoritos: «Si un hombre toma a su hermana, hija de su padre o hija de su madre, y ve su desnudez, y ella ve la de él, es una ignominia, y ambos serán exterminados a la vista de los hijos de su pueblo».

3

El viaje en autobús desde el desierto a Los Ángeles duró cinco horas, más otra hora y media hasta Huntington Beach. Lo de las cervezas no había sido una idea demasiado buena. Se las había bebido con el estómago vacío y lo habían dejado varado en un estado que no era ni sueño ni conciencia. Soñó, pero fueron todo pesadillas, y salir de ellas fue como escalar las paredes de un agujero muy profundo. Cuando por fin se disiparon, bajo las brillantes luces de neón de la cafetería de una estación de autobuses al norte de Los Ángeles, las sustituyó un fuerte dolor de cabeza y un nudo en el estómago.

Había dejado la maleta en la consigna de la estación —todavía era muy temprano para buscar una habitación— y después había ido hasta el muelle de Huntington Beach. Le parecía increíble estar allí de verdad. Pero lo estaba. El cemento bajo sus pies era la prueba, y bajo el cemento estaba el océano. Veinticuatro horas antes solo era capaz de imaginar qué aspecto tendría el mar y cómo olería. Ahora lo tenía delante y su inmensidad era sobrecogedora. La superficie del océano se elevaba y caía a sus pies, extendiéndose en tres direcciones como un enorme desierto líquido, y la ciudad que tenía a su espalda, sólida, plana y descolorida, le sorprendió por su parecido con cualquier pueblo del desierto, encogida al borde del mar igual que San Arco se encogía al borde del desierto, empequeñecido por aquella inmensidad que se extendía ante él.

Hound Adams, Terry Jacobs, Frank Baker. Esos eran los nombres que el chico había escrito en el trozo de papel. «Hacen surf cerca del muelle por las mañanas», había dicho. Y ahí abajo ahora había surfistas. Observó cómo pugnaban por ganar la mejor posición entre las series de olas. Nunca hubiera imaginado que las olas se parecieran tanto a una montaña; eran montañas de agua en movimiento. Le fascinaron sus movimientos sobre aquellas paredes de agua, cómo subían y bajaban por ellas adaptando sus cuerpos a la forma de la ola hasta interpretar junto al mar algo muy parecido a un baile. Pensó en lo que le había dicho el chaval, que sería una estupidez ir hasta allí solo, y que si preguntaba demasiado lo único que haría sería meterse en líos. De acuerdo, no preguntaría nada. Había decidido verlo de esta forma: en primer lugar, le parecía inteligente ponerse en lo peor, asumir que a su hermana le había pasado algo malo y que los tipos con los que se había ido no querrían airear el asunto. También creía que lo mejor era tomarse en serio la advertencia del muchacho: con aquellos tipos no se jugaba.

Teniendo en cuenta estas dos cosas, no quería plantarse en la ciudad con demasiadas preguntas. Se le había ocurrido que quizá su hermana tuviera más amigos y que podía ser útil encontrar a alguien que la conociera. Pero ¿cómo iba a dar con ellos? ¿Y si le mencionaba su nombre a la persona equivocada? Por otro lado, si Ellen tenía más amigos allí dispuestos a ayudar, ¿por qué aquel chaval había tenido que conducir hasta San Arco para buscar al macarra de su hermano? No. Retomó la idea de que lo primero que tenía que hacer era averiguar quiénes eran aquellos tipos sin que ellos supieran quién era él. Una vez localizados, podría hacerse una idea de cómo eran y decidir cómo proceder a continuación. Y eso, «el procedimiento», obviamente sería la parte complicada del asunto. ¿Qué ocurriría si se confirmaban los peores augurios y su hermana estaba muerta? En ese caso, ¿iría a hablar con la policía? ¿Trataría de vengarse? ¿O se daría cuenta de que él no podía hacer nada? Recordó cómo lo había mirado aquel chico en el camino de grava, bajo el calor asfixiante. ¿Sería así? ¿Descubriría lo que había pasado y luego se daría cuenta de que no podía hacer una mierda al respecto? El miedo que le provocaba esa posibilidad se alzó como una sombra sobre él, y ni siquiera el primer sol de la mañana fue capaz de disiparla.

No habría podido decir cuánto tiempo estuvo en el muelle, paralizado por aquella sensación de miedo y absorto en aquel nuevo deporte que se desarrollaba a sus pies, pero al cabo de un rato se dio cuenta de que el sol le había empezado a calentar los hombros y que a su alrededor bullía la actividad. Había oído a los surfistas llamándose unos a otros, pero estaba demasiado lejos como para distinguir ningún nombre, así que al final se dio media vuelta y echó a andar por la pasarela en dirección a la ciudad.

Ahora el sol ascendía rápido, muy por encima de las duras formas cuadradas de los edificios alineados junto a la Coast Highway. Y con la llegada del sol cualquier parecido que hubiera percibido antes con los pueblos del desierto se esfumó de un plumazo. Huntington Beach amanecía y había gente en las calles, filas de coches agolpados en los semáforos en rojo y en los pasos de peatones, monopatines zumbando sobre el cemento, gaviotas graznando y viejos dando de comer a las palomas frente a los baños públicos. Había tipos con tablas de surf y chicas, más chicas de las que había visto nunca. Iban patinando o a pie, y conformaban una especie de maraña borrosa de piernas bronceadas y melenas aclaradas por el sol. Algunas, más jóvenes que él, estaban sentadas sobre la barandilla del muelle. La luz de la mañana les confería un aspecto como desteñido, y fumaban con pinta de estar aburridas y cansadas. Cuando pasó por delante de ellas lo traspasaron con la mirada como si no existiera. En el camino de vuelta a la estación, por el flanco de la carretera que daba hacia el interior, fue cuando vio las motos: un par de Harleys y una Honda Hardtail 834. De todo lo que había visto esa mañana, eso era lo primero que le hacía sentirse como en casa. Una de las Harleys, de hecho, era una vieja Knuckle totalmente modificada, casi como la suya. Decidió cruzar la calle y acercarse para verlas mejor. Las motos estaban aparcadas junto al bordillo, con los motores encendidos, y los moteros se habían sentado a horcajadas, con las piernas colgando sobre las enormes válvulas, mientras hablaban con un par de chicas. Se percató de que uno de los motores fallaba —parecía el de la Knuckle— y se pegó contra la pared de una licorería para oír mejor.

—¿Tienes algún problema? —preguntó una voz.

Era la primera vez que alguien le dirigía la palabra desde que la camarera del bar de la estación al norte de Los Ángeles le había tomado nota. Parpadeó por efecto del sol y notó la mirada fija y hosca de uno de los moteros. Se despegó de la pared y se alejó caminando mientras los oía reír a sus espaldas, y al cruzar la calle estuvo a punto de chocarse con un viejo borracho. El hombre se detuvo en seco en mitad de la carretera y se puso a insultarlo, así que llegó a la acera de enfrente rodeado de un estruendo de bocinas y neumáticos rechinando. Fue entonces cuando captó su propio reflejo en los cristales de la estación. Examinó su camiseta de Budweiser desteñida, los vaqueros salpicados de manchas de grasa, sus rizos marrones mal cortados y sus escasos sesenta kilos, y le pareció que aún estaba más delgado y tenía pinta de ser más inútil de lo que recordaba. Low Boy, así lo llamaba Gordon; se sentía como una auténtica piltrafa. La risa de los moteros resonaba en sus oídos, y de alguna forma, la voz del viejo borracho había terminado por deformarse hasta convertirse en la de su abuela, como si sus palabras lo hubieran perseguido a través de la noche. Luego, por alguna maldita razón, le vino a la cabeza la letra de una canción, un solo verso, de hecho, que era lo único que recordaba: «Los idiotas siempre meten la pata cuando están lejos de casa». Y en ese momento, de pie en mitad de la calle, con aquel calor y el aire saturado por el ruido y el olor de los tubos de escape y una extraña neblina grisácea cubriéndolo todo, tuvo la certeza de que aquel era un lugar donde sería muy fácil cagarla y, una vez más, supo que tendría que andarse con cuidado.

A media tarde ya había encontrado un sitio donde quedarse. La habitación estaba en un complejo de apartamentos de tonos apagados llamado Sea View, un edificio grande y cuadrado revestido de una especie de estuco color mierda. La parte delantera daba a la carretera, y solo la separaban de ella la acera y un estrecho rectángulo de césped lleno de hierbajos. Había otro descuidado trozo de hierba detrás, junto con un par de palmeras raquíticas y un solitario pozo de petróleo. El pozo estaba en una esquina del solar, sobre un cuadrado de grava y rodeado de una valla metálica.

La habitación se encontraba en la esquina oeste del edificio, en la planta de arriba, y daba al pozo y al solar vacío. De no haber sido por los edificios alineados a lo largo de la Coast Highway, el Sea View habría hecho honor a su nombre y desde allí hubiera podido ver el mar, pero entonces la habitación le habría costado otros cien dólares al mes que de todas formas no se hubiera podido permitir. Se había pasado la mayor parte del día viendo habitaciones de alquiler y ya había asimilado la primera lección sobre el funcionamiento de la economía en la costa. Habitaciones que en el desierto se habrían alquilado por cien dólares al mes, en Huntington Beach costaban cincuenta a la semana, y el Sea View, con sus dos pasillos mal iluminados, uno encima de otro, sus paredes sucias y su recepcionista alcohólica ataviada con una bata mugrienta de color azul, era lo más barato que había podido encontrar. No le llevó mucho tiempo darse cuenta de que el dinero que tenía no le iba a durar tanto como había creído.

Su intención era dormir un rato por la tarde, pero fue incapaz de conciliar el sueño y terminó sentado junto al teléfono público del pasillo, leyendo detenidamente los nombres de la gruesa guía telefónica. Había un montón de Bakers, Jacobs y Adams, pero ningún Terry Jacobs ni Hound Adams. Encontró un Frank Baker, pero no vivía en Huntington Beach, sino en un sitio llamado Fountain Valley. Después de lo que le había contado el chico, había dado por hecho que los tipos a los que buscaba vivían en Huntington Beach. Pero en realidad el chaval no había dicho eso, solo había dicho que hacían surf cerca del muelle. Había sido un idiota por no preguntarle más cosas, por quedarse ahí plantado como un paleto mientras el sol le freía el cerebro. ¿Y Hound Adams? Sin duda «Hound» era algún tipo de apodo. Había dos H. Adams listados en la guía, y uno de ellos vivía en Huntington Beach, en Ocean Avenue. Se quedó allí sentado un rato, mirando aquel nombre y maldiciéndose por no haber preguntado más cosas cuando había tenido ocasión de hacerlo. Finalmente, copió la dirección, buscó una gasolinera, compró un mapa y tomó el autobús a Ocean Avenue; al menos era algo. La dirección estaba a unos cuantos kilómetros hacia el interior, enfrente de un colegio. Se sentó sobre un frío muro de ladrillo, sin saber muy bien qué hacer a continuación, y luego decidió que a lo mejor se podía quedar un rato por ahí, viendo qué tipo de gente entraba y salía de la casa. Pero durante las dos horas siguientes no entró ni salió nadie. El sol empezó a descender y se levantó un viento frío, y fue entonces cuando se encendió una luz en una de las ventanas. Cruzó la calle para tener una mejor perspectiva de la casa y distinguió a una mujer mayor recortada contra un fondo amarillento, enmarcada por unas cortinas de flores. Parecía estar de pie delante del fregadero de la cocina. Pensó que, por supuesto, allí podía vivir también alguien más —su hijo, por ejemplo—, pero las señales no parecían demasiado esperanzadoras y, además, el frío se intensificaba por momentos, así que dio media vuelta y se alejó de la casa en dirección a la parada de autobús.

Así terminó su primer día en Huntington Beach. Ya había oscurecido del todo cuando llegó al Sea View. Y si la salida del sol había devuelto la vida a la ciudad, lo mismo sucedió en aquel edificio al atardecer. Cuando se había marchado, el lugar estaba más muerto que una morgue, pero ahora parecía celebrarse allí algún tipo de fiesta. Muchas de las puertas de los apartamentos se mantenían abiertas sobre el suelo de linóleo manchado. Un tipo de música al que no estaba acostumbrado, pero que identificó como punk rock, salía de las entrañas del viejo edificio y ganaba en intensidad a medida que subía las escaleras. Una vez arriba, se fue directo a su habitación, cerró la puerta y cayó rendido sobre la cama, pero cuando apenas llevaba cinco minutos tumbado y estaba a punto de quedarse dormido, alguien llamó a la puerta.

Abrió y se encontró a dos chicas en el pasillo. Una era bajita y morena, con el pelo corto y negro. La otra era alta y de aspecto atlético, y tenía una melena rubia rojiza que le llegaba hasta los hombros. Fue la morena la que inició la conversación, mientras la rubia se recostaba contra la pared y se rascaba la pierna con el pie. Las dos tenían pinta de ir borrachas y parecían contentas y un poco tontas. Querían saber si tenía papel de fumar. Con la puerta abierta la música se oía más alta, y desde más abajo, desde el hall, le llegó también el sonido de otras voces. Las chicas parecieron decepcionadas cuando les dijo que no tenía papel. La más bajita alargó el cuello y echó un vistazo a la habitación. Quería saber si era marine o algo parecido. Le dijo que no.

Las chicas soltaron una risita nerviosa y se marcharon. Ike cerró la puerta y fue al baño. La luz de la luna se filtraba a través de la pequeña ventana rectangular y bañaba la porcelana y el borde plateado del espejo. Se miró y le resultó difícil reconocerse: su imagen parecía cambiar de forma y expresión mientras la miraba, hasta que llegó un momento en que no estuvo seguro de si aquel era de verdad él mismo; la sensación que le provocaba el espejo no era muy diferente de la que le causaba el silencio sobrecogedor del desierto. Desvió la vista, con el corazón acelerado y latiéndole con fuerza, y miró hacia abajo, al patio, donde un solitario pozo de petróleo se hacía una paja bajo la luz de la luna.

4

Malgastó un día más merodeando por los alrededores de la casa de Adams, en Ocean, todavía con la idea de que quizá allí viviera alguien más aparte de la anciana. Pero no. La «H» resultó corresponder a «Hazel», y Hazel Adams vivía sola. Su marido había fallecido y tenía un hijo en Tulsa y una hija en Chicago que nunca la llamaba. Ike se enteró de todo eso porque, mientras rondaba cerca del colegio, la señora Adams había estrellado el cochecito eléctrico de tres ruedas que conducía. Volvía a casa de hacer la compra y había volcado al tratar de acceder al camino de entrada de su casa. Ike lo había visto todo y había cruzado la calle corriendo para ayudarla. La anciana no tenía ni un rasguño, pero aun así lo había invitado a pasar y tomar un trozo de pan de plátano. Y así se había enterado de la historia de su familia. Por lo que parecía, la vieja señora Adams estaba muy necesitada de afecto. Se pasaba el día pensando en su difunto marido, en la hija que nunca llamaba y en el hijo al que nunca veía, horneando pan de plátano para las visitas que jamás aparecían. Le habló del ruido y la polución, de cielos azules que se tornaban del color de los posos del café, de los niños del colegio, que fumaban hierba y fornicaban entre los arbustos de su jardín delantero, y le advirtió de los peligros de hacer autostop en la Coast Highway. Iba enumerando peligros con cada uno de sus dedos y todos parecían esconder un montón de cosas horripilantes: había pandillas de punks, puestos de polvo de ángel y excitados por una música extraña, que esperaban en los callejones para pescar a chicas jóvenes y a chicos como él, y obligarlos luego a tatuarse esvásticas en los brazos y las piernas bajo la amenaza de prenderles fuego. Ike la escuchaba allí sentado, mientras veía cómo otro día más se le escurría entre los dedos e iba a fundirse con el sol de poniente, muy por detrás de aquella antigua mesa de comedor de madera oscura.

Esa misma tarde, en el autobús que lo llevaba de vuelta a casa, lo invadió un pensamiento particularmente deprimente: no sería capaz de averiguar nada. Se gastaría los ahorros en comida grasienta y en aquella habitación cutre, y el viaje a Huntington Beach terminaría por no ser más que unas grotescas vacaciones. Al final, el desierto lo reclamaría. Seguro que sí. No encajaba en aquel lugar. Y todo avanzaba mucho más despacio y de forma mucho menos fluida de lo que había imaginado. Aquello no era San Arco, ni siquiera King City.

Había descubierto un pequeño café al otro lado del muelle, un lugar extraño frecuentado tanto por surfistas como por moteros. Dentro, los dos grupos ocupaban lugares separados mientras se lanzaban miradas por encima de sus tazas de café blancas. El lugar lo ponía nervioso, tenía claro que no pertenecía a ninguno de los dos bandos, pero era un buen sitio donde escuchar a escondidas, y además la comida era barata. Fue en aquel café donde tuvo su primer golpe de suerte.

Era su quinto día en la ciudad y, como cada mañana después de aquel viaje de vuelta en autobús desde casa de H. Adams, le había resultado difícil forzarse a salir de la cama y ahuyentar el creciente deseo de abandonar y largarse, de aceptar que ir hasta allí había sido una estupidez y que el chico del Camaro estaba en lo cierto. Aun así, lo había conseguido. Con las primeras luces del día había arrastrado el culo fuera de la cama y había bajado por la Coast Highway hasta el café, con la esperanza de dar con algo, una palabra, un nombre, lo que fuera. Y eso era lo que había encontrado: un nombre. Después de terminarse el café y un dónut había ido al baño a mear, y mientras estaba allí, en aquel maldito urinario, con la polla en la mano, leyendo distraídamente los garabatos de las paredes, dos palabras lo habían asaltado de golpe, las letras grabadas en el panel metálico que separaba el retrete del lavabo: Hound Adams. No ponía nada más, solo ese nombre.

No es que fuera mucho, lo sabía, pero aun así, cuando salió del café y cruzó la calle, una fina película de sudor le cubría la frente. El mero hecho de ver aquel nombre escrito en otro sitio además de en el trozo de papel ya significaba algo. Aquello quería decir que Hound Adams existía de verdad. Y mientras caminaba por la pasarela en dirección al muelle y al mar se le ocurrió una idea nueva: ¿y si aprendía a surfear él también? No tenía por qué hacerlo bien, bastaba con poder meterse en el agua. Tenía sentido. Si se quedaba en el muelle siempre estaría demasiado lejos de todo, y pasarse el día en la playa con ropa de calle tampoco funcionaría. Lo había intentado, había tratado de acercarse a alguno de los grupos de surfistas cuando salían del agua, pero llamaba mucho la atención y siempre recibía demasiadas miradas si se acercaba más de la cuenta. Pero ¿y si hacía surf?, ¿y si se metía con ellos en el agua, con la tabla y el equipo completo? Sí, joder. Tenía que darle una vuelta a eso.

Pensó en ello durante toda la mañana, mientras contemplaba cómo las pequeñas crestas se formaban y después rompían. Y cuanto más lo pensaba, más le gustaba la idea, hasta que al final tuvo que reconocer que aquello iba más allá de querer estar cerca de la acción. Había algo en la forma y el movimiento de las olas, en sus paredes pulidas y verdosas, entreveradas de plata mientras la luna aún se alzaba visible sobre la ciudad. Uno podría perderse allí dentro, pensó, y se imaginó frías cavernas verdes escarbadas en el hueco de algún tubo líquido. Aquella imagen pareció alimentar la excitación que ya sentía y se fue corriendo a casa, fijándose con renovada atención en la infinidad de tiendas de surf que se alineaba en la calle, con sus tablas nuevas reluciendo en los escaparates como coloridas barritas de caramelo.

Por la noche volvió a darle vueltas al plan. Se acordó del día que había intentado conducir la Knuckle, de cómo se había quedado tirado en el suelo, al sol, mientras la sangre formaba un charco oscuro sobre la grava y Gordon iba a por la camioneta. Desde entonces no había tratado de hacer nada parecido, pero en este caso no había motos de por medio, solo tablas y olas.

Fue una noche larga, llena de sueños breves e imágenes extrañas, mientras la música del bloque de apartamentos golpeaba las paredes de su habitación y el pozo de petróleo chirriaba en el patio. En un momento dado se dio cuenta de que un temor nuevo se abría paso, insidioso, entre los demás, un temor que no había tenido en cuenta antes. Era su quinta noche en la ciudad y el miedo tenía que ver con lo que pasaría si se veía obligado a abandonar ahora, si se fundía todo el dinero y no le quedaba más remedio que arrastrarse de vuelta a San Arco. Porque, fuera lo que fuera lo que había allí, venía acompañado de una energía que no se parecía a nada que hubiera sentido en el desierto. Se palpaba una especie de voracidad en el ambiente. Por las noches oía el ruido de las fiestas; las chicas ahora le sonreían por el paseo marítimo; las parejas follaban en la arena, ocultas entre las sombras del muelle. No quería marcharse, quería su parte de aquello. Pensó en la tienda de su tío, en la puerta mosquitera rota, en la música que escupía la radio e inundaba el aparcamiento de grava, un tema country detrás de otro hasta que todo parecía la misma canción, tan larga y tediosa como el viento que soplaba desde King City y los inhóspitos parajes que se abrían más allá. De pronto tuvo la impresión de que entendía un poco mejor a esa mujer que Gordon había visto marcharse un día del brazo de algún mequetrefe en pos de una promesa.

Según recordaba, habían vuelto al desierto, a casa de su abuela, porque su madre se había puesto enferma y necesitaba un sitio donde reponerse. No era mucho lo que recordaba de la época previa a San Arco, solo un cúmulo de recuerdos vagos y desdibujados de un montón de apartamentos y moteles baratos. En una ocasión Gordon le había contado que su madre había intentado dedicarse al negocio inmobiliario o algo parecido. No estaba seguro. Lo que sí sabía es que habían vivido una temporada en un coche, una ranchera destartalada y vieja. Lo que mejor recordaba era la sensación de espera. En el coche. En innumerables oficinas. En casas de desconocidos. En su mente todos aquellos lugares tenían varias cosas en común. Eran invariablemente sofocantes y calurosos y olían fatal. El hedor tenía algo que ver con los ceniceros atiborrados de colillas y el aire acondicionado. Era Ellen quien hacía llevadera la espera. Siempre estaba con él, entreteniéndolo con juegos inventados y planeando todo tipo de tretas para molestar a cualquier adulto que anduviera cerca echándoles un ojo. Se le daba bien. A ella la espera le debía de haber resultado más fácil, pensó. Pero después el desierto se le había hecho muy duro. Todavía podía verla yendo de un lado a otro del sofocante y polvoriento patio trasero de la tienda, como un gato enjaulado, diciendo cosas como que ojalá su madre estuviera muerta, que ojalá aquel tipo la hubiera dejado tirada y ella hubiera terminado emborrachándose hasta la muerte en alguna sucia y repugnante habitación. Todo esto después de darse cuenta de que su madre no iba a volver. Ellen nunca le había perdonado aquello. Y nunca le había perdonado lo de San Arco. «De entre todos los lugares de mierda», solía decir, «de entre todos los putos publuchos sin futuro en los que quedarse atrapada.»

En su caso, le daba la impresión de que había llevado mejor

lo del desierto, al menos al inicio. En cuanto a su madre, sus sentimientos no eran tan fáciles de desentrañar. En un principio lo había embargado el asombro más absoluto ante la magnitud de su traición, un asombro de tal calibre que no dejaba espacio al odio. Después se había sentido avergonzado y había tenido la vaga impresión de que aquella traición había sido posible, en primer lugar, por una falla en su propio carácter. No estaba seguro de cuál era el defecto en concreto, pero lo que sí sabía era que los demás lo veían y que, para ellos, el hecho de que su madre se hubiera marchado no eran algo tan misterioso. Nunca había sabido mucho del mequetrefe que había mencionado Gordon, o de adónde se habían ido en aquel descapotable nuevo, pero en ese momento, en la oscuridad de su habitación, con aquel mundo nuevo palpitando a su alrededor, tuvo la impresión de que lo que sí entendía ahora era que regresar al desierto podía ser como morirse. Era la primera vez que lo veía de esa forma; y desde esa perspectiva, la traición, en cierta medida, no era tan grande.

5

Cuando abrió los ojos hacía un calor pegajoso. Se incorporó en la cama y de inmediato se puso a pensar razones para aplazar el plan de comprarse una tabla. Después echó un vistazo a la habitación. Aquello era un caos. Su ropa apestaba. Era como si las grotescas vacaciones que había imaginado cobraran forma a su alrededor, y aquel nuevo temor se apoderó de él, borrando todo lo demás.

No estaba seguro de cuánto podía costar una tabla de segunda mano. Deslizó cuatro billetes de veinte dólares en el bolsillo y salió de la habitación.

Era un día caluroso, en el cielo claro se percibía el aroma del verano y el océano estaba en calma. A lo lejos podía distinguir los peñascos blancos de una isla que, según le habían dicho, estaba a unos cuarenta kilómetros de distancia. El ligero viento terral pulía unas olas pequeñas y limpias que brillaban como joyas al sol.

La ciudad estaba llena de tiendas de surf. De hecho, junto con las tiendas de segunda mano y los bares, parecían ser el principal motor económico del centro de Huntington Beach. Echó un vistazo a media docena de escaparates antes de decidirse a entrar en una de las tiendas. El local estaba tranquilo. Tenía las paredes tapizadas con distintos objetos relacionados con el surf, antiguas tablas de madera, trofeos, fotografías. En la parte delantera, un muchacho limpiaba las tablas nuevas con un trapo. No había nadie más. El chaval lo ignoró por completo y al final Ike se dio media vuelta, salió y decidió probar suerte en otra tienda situada cerca de la carretera.

Dentro de este segundo local sonaba el mismo tipo de música que había oído en el Sea View: un sonido duro, frenético, completamente distinto a cualquier cosa que hubiera oído en el desierto. En esta tienda no había objetos a la vista. Las paredes estaban cubiertas de pósteres de bandas de punk. Una tabla azul pálido decorada con pequeñas esvásticas rojas colgaba de la pared del fondo. Cerca de la entrada había un mostrador y, sentadas sobre su pulida superficie de cristal, un par de chicas vestidas con diminutos trajes de baño. Detrás del mostrador había dos chicos. En cuanto entró, los cuatro se lo quedaron mirando, pero ninguno dijo nada. A Ike le parecían todos iguales: las narices quemadas, los cuerpos morenos, el pelo decolorado por el sol. Fue hasta el fondo de la tienda y echó un vistazo a las tablas de segunda mano. Al poco, uno de los muchachos del mostrador se acercó a él.

—¿Estás buscando una tabla? —le preguntó.

—Sí, una para principiantes —contestó Ike.

El chico asintió. Llevaba un fino colgante de conchas blancas alrededor del cuello. Se dio la vuelta y se acercó a uno de los estantes, bajó una tabla y la apoyó en el suelo. Ike lo siguió. A continuación, el dependiente se arrodilló junto a la tabla y la levantó un poco cogiéndola por uno de los cantos.

—Esta te la puedo dejar a buen precio —dijo.

Ike estudió la tabla. Tenía pinta de haber sido blanca en tiempos, pero ahora lucía un tono amarillento. Era larga y delgada, con los dos extremos acabados en punta. El muchacho se levantó.

—¿Te gusta? —preguntó.

Ike imitó al chico y se arrodilló junto a la tabla, tratando de aparentar que sabía lo que buscaba. A su alrededor el sonido machacón de la música llenaba la tienda. Por el rabillo del ojo vio a una de las chicas bailando junto al mostrador de cristal; su culo pequeño y prieto se contoneaba bajo el bikini.

—¿Esta va bien para aprender?

—Sí, tío, esta es un pepino. Y te la puedo dejar bien de precio. ¿Tienes pasta?

Ike asintió.

—Cincuenta pavos y es tuya.

Ike pasó los dedos por el canto de la tabla. En el centro tenía una pequeña pegatina con la forma de un círculo y el perfil de una ola cuya cresta terminaba en una llama. Debajo estaba impresa la leyenda «Conectar con la fuente». Levantó la cabeza para mirar al muchacho, que parecía bastante aburrido con todo el asunto y no le quitaba ojo a la chica del mostrador.

—Cincuenta pavos —repitió sin mirar a Ike—. No vas a encontrar nada mejor por ese precio.

Era la tabla más barata que Ike había visto hasta el momento.

—De acuerdo —dijo—, me la quedo.

—Muy bien.

El chico cogió la tabla y se dirigió al mostrador. Ike se quedó de pie junto a la caja registradora mientras el muchacho anotaba la venta. Era muy consciente de que una de las chicas lo miraba fijamente, con una especie de media sonrisa. La música estaba muy alta. El sol se filtraba a través del escaparate y de la puerta abierta y le quemaba el lateral de la cara. Después de meter el dinero de Ike en la caja, el chaval sacó un par de pastillas de colores de debajo del mostrador y se las lanzó.

—¿Qué es esto? —preguntó Ike.

—Cera.

La chica que seguía sentada sobre el mostrador hizo una mueca.

—Le has dado Cool Waters —dijo—. Yo creo que necesita Sex Wax.

El otro chico se rio entre dientes. El que le había vendido la tabla sacó otra pastilla de cera y con un golpe sordo la colocó encima de las otras dos.

—Tienes que ponérsela a la tabla antes de entrar al agua.

Ike asintió. Se acordaba de haber visto a los surfistas encerando sus tablas. Se metió las pastillas de cera en el bolsillo de los pantalones y cogió la tabla. «¡A meterle caña!», oyó que decía una de las chicas mientras él salía al exterior, a una luz deslumbrante. Después oyó las risas de uno de los chicos; nunca hubiera imaginado que comprar una tabla pudiera llegar a ser una experiencia tan humillante. Bueno, que les den, se dijo. El precio era bueno, a pesar de todo. Se colocó la tabla debajo del brazo y echó a andar por la acera, pensando que el estruendo del tráfico era mejor que la música de la tienda.

Una vez de vuelta en su habitación cogió unas tijeras, cortó uno de sus dos pares de vaqueros a la altura de las rodillas y se los puso. Después cogió la tabla, que apenas entraba en el pequeño cuarto, e intentó mirarse en el espejo. Una cosa estaba clara: no tenía la misma pinta que la mayoría de los surfistas que había visto por la ciudad. Llevaba el pelo demasiado corto y su cuerpo parecía débil y pálido en contraste con la tela oscura de los pantalones. Se encogió de hombros, se enrolló una toalla al cuello y, con cuidado, sacó la tabla de la habitación y cruzó el pasillo.

Mientras bajaba los escalones que conducían al ralo pedazo de césped, estuvo a punto de tropezar con una de las chicas que habían ido a su cuarto a pedirle papel. Era la alta de aspecto atlético y el sol arrancaba brillantes destellos de su pelo rubio rojizo y su camiseta de tirantes blanca. Ike se sintió un poco avergonzado y desnudo bajo aquella luz tan clara y brillante, y trató de ocultarse detrás de la tabla.

—¿Haces surf? —le preguntó la chica.

Ike se encogió de hombros.

—Estoy aprendiendo.

Estudió la cara de la chica en busca de algún signo de decepción o crítica. Tenía los pómulos bastante altos y marcados; las cejas, delicadas, describían un bonito arco. Algo en su cara, quizá la propia curvatura de las cejas, le daba un aspecto altivo, como si estuviera aburrida. Pero de alguna manera esa sensación no se correspondía con los ojos, pequeños y brillantes, que se clavaban directamente en los suyos. Había un atisbo de sonrisa en su boca, y Ike decidió que no tenía nada que ver con las sonrisas de las chicas de la tienda. Echó a andar por la acera y luego se dio la vuelta. Ella seguía parada en el mismo sitio, mirándolo.

—¡Diviértete! —gritó.

Ike le sonrió y se alejó, rumbo a Main Street y al océano Pacífico.

6

La playa estaba llena de gente y el sol brillaba. La brisa que soplaba a su espalda, sin embargo, era fría y, en cuanto llegó a la orilla y el océano Pacífico cubrió sus pies por primera vez, enviándole gélidas descargas por las pantorrillas, entendió por qué la mayoría de los surfistas llevaban neopreno. Aun así, no dudó, porque tenía la sensación de que todo el mundo lo miraba. Entró en la espuma, dio un par de pasos en falso al pisar una especie de agujero y luego notó cómo se le congelaban las pelotas en cuanto el agua le rebasó la cintura. Se tumbó encima de la tabla y empezó a remar.

No tardó mucho en descubrir que las olas que parecían pequeñas desde el muelle eran mucho más grandes cuando las mirabas desde el nivel del mar. Avanzar resultaba más difícil de lo que había esperado. Por algún motivo, la superficie de aquella maldita tabla era muy resbaladiza. Intentaba remar como había visto que hacían los demás, dando una brazada cada vez, pero en cuanto conseguía empezar a avanzar en línea recta, un muro de espuma lo golpeaba, ladeaba la tabla, él se resbalaba y tenía que empezar de nuevo todo el proceso. Enseguida se le cansaron los hombros y los brazos, y cuando se dio la vuelta para mirar hacia la playa y comprobar cuánto había avanzado, le pareció que seguía clavado en el mismo sitio.

El punto donde las olas se elevaban en suaves montículos le parecía cada vez más inaccesible. Aun así, siguió remando; había empezado a jadear y sus brazadas eran cada vez más débiles. Sin embargo, llegado un punto, el océano pareció calmarse de repente y se desplegó ante él como un lago enorme. Siguió remando con todas sus fuerzas y al poco estaba meciéndose con los demás surfistas en el pico.

Sentía un hormigueo en la cara por el esfuerzo y le ardían los pulmones. Los demás estaban sentados a horcajadas sobre sus tablas y oteaban el horizonte. Algunos lo miraron con gesto perplejo. Era increíble lo diferentes que eran las cosas allí fuera. Todo estaba tranquilo y en calma, como él lo había imaginado. Un suave mar de fondo los mecía arriba y abajo. Un pelícano pasó rozando la superficie y una gaviota graznó sobre su cabeza. El agua centelleaba al sol. En la distancia pudo distinguir las manchas blancas de las velas de los barcos y los colores de los lejanos acantilados de la isla.

Intentó sentarse y ponerse a horcajadas sobre la tabla como hacían casi todos los demás. Su tabla, sin embargo, perdía estabilidad al más mínimo movimiento y se cayó al agua dos veces, salpicando mucho y atrayendo las miradas de los que estaban más cerca.

De pronto empezó a oír chillidos y silbidos entre el grupo de surfistas. Miró mar adentro y vio una nueva serie de olas acercándose en líneas largas y homogéneas. Le parecieron mucho más grandes que las anteriores. Asustado, trató de remar hacia el horizonte; le daba miedo que las olas le rompieran justo encima y acabar perdiendo la tabla, porque estaba demasiado cansado y aterido como para nadar e ir a buscarla. Lo alcanzó la primera ola. Remó para remontarla y superó la cresta, y al asomarse al otro lado vio que una segunda ola aún más grande se le echaba encima. Dio otro par de remadas, con los brazos convertidos en dos trozos de goma blanda. A su izquierda, un poco por encima, otro surfista dejó de remar y giró su tabla para orientarla hacia la playa. Ike no sabía qué hacer. El problema no era solo que la ola estuviera a punto de romperle encima, sino que el otro tipo se deslizaba ahora por la pared de agua y avanzaba directo hacia él.

En el último segundo, justo cuando la ola comenzaba a elevarlo, consiguió darle la vuelta a la tabla y apuntarla hacia la playa. Entre la avalancha de agua y la explosión de espuma oyó gritar al otro surfista. De alguna forma, la ola lo había pillado de lado en lo alto de la cresta y se lo había llevado por delante.

Cuando por fin salió a la superficie lo hizo entre jadeos, desesperado por coger aire y agitando los brazos a su alrededor. Estaba seguro de que su tabla tenía que haber salido despedida hacia la playa, pero cuando echó un vistazo por encima del hombro la vio flotando a tan solo unos metros de distancia. Cómo había podido ocurrir eso era un misterio, pero sintió un gran alivio y comenzó a nadar para recuperarla. En cuanto llegó a la tabla vio a otro surfista remando hacia él; era el mismo que había cogido la ola con él.

Ike se aferró al borde de la tabla. A lo mejor el otro tipo solo quería comprobar si se encontraba bien. Intentó articular algo parecido a una sonrisa, pero tenía la cara entumecida por el frío, y cuando por fin pudo distinguir bien la expresión del surfista se dio cuenta de que algo iba muy mal. Trató de decir algo, pero no le dio tiempo. Antes de abrir la boca siquiera, el tipo le dio un puñetazo. Al estar estirado sobre la tabla no había podido armar bien el brazo, pero aun así el golpe le dolió. Trató de subirse a la tabla, pero el otro lo atacó de nuevo. Uno de los puñetazos le dio en el hombro, el otro en la oreja. Todo parecía estar sucediendo a la vez. Estaba desorientado por el revolcón y el agua fría parecía anegarle la cabeza. El otro surfista estaba en todos lados al mismo tiempo. Después, al tratar de recordar su aspecto, lo único que quedaría en su memoria sería una mancha borrosa, una cara congestionada, los puños blancos y el dolor de la oreja. Y luego, de pronto, una ola vino a rescatarlo, llevándoselo con él y arrastrándolo hacia la playa. La tabla volcó de nuevo, pero esta vez consiguió aferrarse a ella y cuando emergió otra vez a la superficie vio que estaba casi en la orilla y que el otro surfista había desaparecido.

No sabía cuánta gente lo observaba mientras salía tambaleándose con esfuerzo de las aguas poco profundas de la orilla; seguramente todas y cada una de las personas que estaban en la playa lo habían visto hacer el ridículo, habían visto cómo el otro surfista le pegaba y cómo el mar lo arrastraba como a una rata ahogada. Se sentó en la arena mojada y clavó la vista en el horizonte, donde las olas seguían refulgiendo al sol. Estaba claro que la había cagado, casi tanto como cuando había intentado conducir la Knuckle. Pero estaba demasiado exhausto como para pensar mucho en ello. En cierta medida se sentía traicionado, pero no sabía muy bien por qué.

Se quedó sentado durante un buen rato; le daba miedo darse la vuelta o levantarse y pasar entre la gente que había visto lo que había pasado. Se concentró en que su cuerpo dejara de temblar. Luego también le dio miedo quedarse allí demasiado tiempo, por si el tipo aquel salía del agua e iba a buscarlo para terminar de patearle el culo. Así que al final se levantó. Echo un último vistazo al mar, donde el resto de los surfistas se deslizaban sin esfuerzo alguno, subiendo y bajando por las paredes de las pequeñas olas. Todos ellos formaban parte de una fraternidad a la que a él se le había denegado el acceso.

Se colocó la tabla bajo el brazo e intentó adoptar una postura lo más digna posible mientras avanzaba con dificultad por la arena caliente, pero la tabla pesaba demasiado y al final no tuvo más remedio que dejar que la punta cayera al suelo y continuó así, arrastrándola por la arena, sin importarle ya la pinta que tuviera. Cuando llegó a la parte asfaltada del muelle tuvo la sensación de que iba a vomitar o a desmayarse, una de dos.

Se sentó a descansar en un bordillo, bajo el sol, y fue entonces cuando vio las motos por segunda vez.

Estaba seguro de que era el mismo grupo de motos que había visto el primer día. Ahora había alguna más, pero reconoció la Knuckle: el motor le seguía fallando. Solo lo separaban de ellas unos pocos metros. El sol despedía unos reflejos cegadores al incidir en las superficies cromadas de las horquillas y los respaldos altos en forma de u. Notó que la oreja le seguía palpitando. Se la tocó suavemente con los dedos y vio que tenía un poco de sangre y que toda la zona seguía bastante entumecida, pero no le pareció que fuera nada grave.

Llevaba allí sentado un par de minutos, con la tabla a sus pies, cuando empezó a distinguir las voces por encima del rugido de los motores.

—¡Pensaba que la habías calibrado, joder! —exclamó uno, y Ike vio cómo el dueño de la Knuckle se apeaba de la moto y se quedaba de pie en el aparcamiento.

—Y la he calibrado, tío.

—Entonces ¿por qué sigue fallando? —preguntó el conductor.

Rodeó la moto, alejándose de los otros, y Ike pudo verlo mejor. Era un tipo grande, más alto incluso que Gordon, quizá no tan grueso, pero sí más ancho de hombros. Y desde luego los brazos los tenía mucho más fuertes, eso seguro. Eran los brazos más enormes que Ike había visto en su vida, más que los de cualquiera de los tipos que frecuentaban la tienda de Jerry. Y también tenía más tatuajes que ninguno de ellos. Llevaba una enorme águila americana en un hombro, con una serpiente enrollada alrededor que luego bajaba sinuosamente por el antebrazo hasta enroscarse alrededor de la muñeca como un brazalete. En el otro brazo llevaba tatuada la cabeza de un hombre, quizá la de Cristo, porque la remataba lo que parecía una corona de espinas, de la que brotaban unos rayos que le subían hasta el hombro, donde se transformaban en lagartos y pájaros. En los antebrazos y las manos, entre los tatuajes de estudio, tenía otros de tipo taleguero —así había oído que los llamaba Jerry—, de esos que te podías hacer tú mismo con una navaja y un poco de tinta. Iba vestido con unos vaqueros mugrientos y un par de botas negras hechas polvo que parecían lo suficientemente gruesas y pesadas para hacer trizas hasta una Harley, y completaba su atuendo con una camiseta de tirantes desteñida de color marrón claro que parecía quedarle demasiado pequeña, unas gafas de aviador con la montura dorada y un pañuelo rojo atado a la frente. Tenía el pelo negro y lo suficientemente largo como para taparle la nuca, y lo llevaba peinado hacia atrás y sujeto en su sitio gracias al pañuelo. En el lóbulo de una de las orejas lucía un brillante. Ike vio que el pendiente lanzaba un destello al sol, igual que la fina montura dorada de las gafas.

El motero se encontraba a escasos metros, y cuando se agachó para echar un vistazo al motor, Ike pudo ver cómo el pelo negro le clareaba un poco por encima del pañuelo. El tipo se había puesto en cuclillas para escudriñar el motor, pero por su forma de moverse Ike supo que en realidad no tenía idea de lo que estaba buscando. Los demás moteros estaban sentados encima de sus motos y lo observaban. De pronto el tipo se levantó, pero lo hizo demasiado rápido, y al verlo tambalearse Ike se dio cuenta de que estaba bastante pedo. «¡Maldita sea!», gritó, sin dirigirse a nadie en particular, y varios de sus compañeros sonrieron. Al momento, y sin mediar palabra, le dio un puñetazo al tanque de gasolina. No parecía que aquello pudiera ir muy lejos, pero de pronto apareció una abolladura de buen tamaño en el depósito lacado en negro, y las sonrisas que Ike había percibido un momento antes se esfumaron. Oyó que alguien decía «¡Mierda!», y el tipo que estaba más cerca de la Knuckle se llevó su moto un poco más lejos, como si temiera que fuera a producirse algún tipo de explosión. «¡Mierda, joder!» El dueño de la Knuckle sacudió la cabeza, se tambaleó un poco, luego retrocedió hasta ponerse detrás de la moto y siguió observándola. Sus gafas de aviador lanzaban destellos en su dirección, así que por un momento Ike tuvo la impresión de que el motero no miraba la moto, sino que clavaba su vista en él.

—Es el carburador —dijo Ike, sorprendido al oír su propia voz.

Siguió un momento de silencio durante el cual media docena de cabezas greñudas se giraron en su dirección.

—¿El qué?

—El carburador.

El motero puso los brazos en jarras y dio una vuelta alrededor de la moto para observarla mejor. Levantó un poco la cabeza en dirección al sol y soltó una carcajada. Señaló a Ike, luego se volvió hacia sus amigos y dijo:

—¿Quién es este, Morris, tu hermano?

Los demás se rieron.

Ike cambió de posición sobre el bordillo.

—Si me dejas un destornillador puedo arreglártelo.

El motero lo miró. Se subió las gafas por encima del pañuelo y se las colocó encima del pelo.

—Mierda —dijo alguien—, yo no lo dejaría acercarse a la moto.

El dueño de la Knuckle levantó una mano.

—¿Y si resulta que sí tengo un destornillador? —preguntó—. ¿Qué vas a hacer si la cagas?

—No la voy a cagar.

El motero se rio.

—Ven aquí, Morris. Tráete el destornillador y mira cómo se hace.

Un tipo corpulento de pelo rubio se acercó y le lanzó a Ike un destornillador, acompañando el gesto de una mirada hosca.

—No jodas nada —le advirtió.

Ike dejó su tabla junto al bordillo y se arrodilló a la altura del enorme motor, inhalando los familiares y cálidos olores a gasolina y metal. Le llevó unos tres minutos ajustar la mezcla del carburador.

—Ya está —dijo—. Y si quieres también te puedo sacar la abolladura del depósito.

El motero lo miró y Ike no pudo distinguir si estaba cabreado o no. Se montó en la moto y se alejó por el tramo de asfalto que salía del muelle. Ike esperó junto a los demás. Se sentía mejor y había dejado de temblar. En lugar de mirar a los otros moteros clavó la vista a lo lejos, en el ondulante asfalto, mientras esperaba a que la Knuckle volviera. Unos minutos más tarde, regresó. Aguzó el oído para ver si el carburador todavía fallaba, pero no distinguió nada.

—¡Joder! —gritó el motero por encima del ruido del motor—, va como la seda. El chaval es mejor mecánico que tú, Morris.

Morris se limitó a acercarse y recoger su destornillador. Escupió en el suelo, peligrosamente cerca de los pies de Ike, y luego se alejó hacia su moto con gesto arrogante.

El dueño de la Knuckle apagó el motor y se bajó de la moto.

—Y lo de la abolladura... ¿por cuánto?

—Todo, incluida la chapa y la pintura... —Ike hizo un cálculo rápido—, cincuenta pavos.

El motero se volvió a mirar a los otros.

—No está mal —dijo, y se giró de nuevo hacia Ike—. ¿Vives por aquí?

—Me estoy quedando en el Sea View de Second Street. Está en la esquina con...

—¿Ese cuchitril? Ya sé dónde está. ¿De dónde eres?

—¿Alguna vez has oído hablar de San Arco?

—¿Ese lugar inmundo? Sí, lo conozco. Un pueblucho en mitad del desierto. ¿Dónde has aprendido a arreglar motos?

—Mi tío tiene un taller.

El motero se quedó en silencio un momento, luego dio un par de pasos hacia Ike.

—¿Qué diablos te ha pasado en la oreja?

—Me han dado un golpe.

—Ya, la ciudad de los puños, ¿eh?

El tipo se inclinó para mirarlo más de cerca y de pronto Ike se encontró con su enorme cara cuadrada a dos palmos de la suya. A esa distancia podía distinguir toda clase de detalles: media docena de pequeñas cicatrices dispersas por encima de una de las cejas, una barba de tres días del mismo negro intenso que el pelo y muy poblada, seguro, en caso de seguir creciendo, y una nariz un poco plana y torcida que le debían de haber roto varias veces. Era un rostro duro, un rostro que encajaba a la perfección con esos brazos tatuados y las pesadas botas, pero había algo en él que Ike no se esperaba. Uno hubiera dicho que una cara así debería completarse con unos ojos como dos canicas negras, letales y malvados como los de una serpiente, el tipo de ojos que podían dejarte clavado en el sitio. Pero en aquellos ojos había algo que no encajaba, como si hubieran perdido la pista del cuerpo en el que se insertaban. Eran de un azul muy pálido, en absoluto inexpresivos o duros, y había algo desconcertante en ellos. Algo en la expresión que los acompañaba no encajaba del todo, pero era incapaz de señalar el qué.

El motero desvió la vista y miró la tabla. Se arrodilló junto a ella y le puso una mano encima.

—¿Es tuya?

Ike dijo que sí. Podía oler el rastro amargo del whisky en su aliento y le pareció que al mirar la tabla un gesto nuevo se dibujaba en su cara, una expresión extraña, como si quisiera preguntar algo más pero se hubiera arrepentido, y al momento el gesto se esfumó.

—Así que eres todo un surfista, ¿eh?

—Estoy intentando aprender, nada más.

—¿Con esto?

—Sí, ¿qué problema hay?

—Que esta tabla es una *gun*, una tabla para olas grandes, ese es el problema. No se aprende a hacer surf con una *gun*, es un tipo de tabla para especialistas. Joder, con esto podrías surfear olas de seis metros en Sunset. ¿De dónde la has sacado?

Ike señaló hacia el otro lado de la calle. Percibió que detrás del motero algunos de sus compañeros empezaban a impacientarse.

—Venga, Preston —dijo uno—, vámonos, hombre.

Preston los ignoró. Se irguió y escudriñó la acera de enfrente.

—¿En esa tienda al lado de Tom's?

Ike asintió.

—Me lo imaginaba. Los malditos punks —se puso las manos delante de la boca y gritó—: ¡esta apestosa ciudad está llena de malditos punks!

—Venga, Preston —insistió otro de los moteros—, vámonos. Le he dicho a Marv que estaríamos allí a la una.

—Me toca los huevos —dijo Preston—. Toda la ciudad plagada de esos malditos y estúpidos punks.

—Que les den, vámonos.

Preston se giró hacia los otros.

—Que os den, id vosotros. Yo tengo que resolver un asunto.

—Pero, tío...

—He dicho que os larguéis.

—Venga, hombre, es un pringado.

—Y una mierda un pringado. Id yendo, os veré allí.

Hubo algún intercambio de palabras más, alguna risa, unas pocas quejas. Las motos se arremolinaron en el aparcamiento, salieron zumbando hacia la carretera y el rugido de sus motores se perdió enseguida entre el estruendo del tráfico. Preston los observó marcharse y luego se volvió hacia Ike.

—¿Cómo te llamas? —preguntó.

—Ike.

—Muy bien, Ike. Hoy me has hecho un favor. Ahora voy a hacerte yo otro a ti.

Unos quince minutos más tarde Ike estaba de pie en la acera, en el cruce de la Coast Highway y Main, con una tabla nueva encajada bajo el brazo. No podría olvidar fácilmente la sensación que había tenido al entrar otra vez en la tienda de surf con Preston a su lado, como tampoco olvidaría la cara que había puesto el chaval al verlos entrar. Era el mismo que le había vendido la tabla, solo que ahora no sonreía. No había sonreído al verlos entrar y desde luego no sonría al verlos salir de la tienda, mientras se afanaba en recoger todas las tablas que Preston había apilado en el suelo en busca de la tabla perfecta, dándole vueltas, seguramente, a cómo le iba a explicar a su jefe por qué había vendido una de doscientos dólares por cincuenta.

Una vez de vuelta en el Sea View, Preston se pasó un rato explicándole por qué su tabla nueva era la adecuada para un principiante.

—Mira la anchura que tiene. Fíjate en que es más ancha por aquí y también en la cola. Eso le da estabilidad, esta no se empeñará en hacerte volcar como la otra.

—Haces mucho surf, ¿no? —dijo Ike.

—Joder, en otra época surfeaba mucho, sí —Preston se levantó y con una mano se bajó las gafas de sol—. Pero ya no. Solía hacer surf en la zona del muelle todo el año. Nada de invento ni trajes de neopreno. Una buena marejada de invierno y unos seis tipos en el agua. Ese sitio ahora es un zoo. Todos esos punks de mierda y sus hermanos allí metidos y queriendo destacar —Dio media vuelta y caminó con paso tranquilo hacia su moto, se subió y arrancó el motor con un golpe de pie—. ¿Qué pasa con mi depósito? —preguntó, elevando la voz por encima del ruido—. ¿Cuándo quieres hacerlo? Lo arreglaré para que puedas usar el compresor de Morris.

Ike se encogió de hombros.

—Cuando quieras.

Preston asintió.

—Hasta luego —dijo, y derrapó con la Knuckle sobre lo que

quedaba del césped del Sea View, levantando a su espalda una lluvia de tierra y pequeñas flores amarillas.

Ike vio que se le tensaban los músculos bajo los tatuajes y que el pelo negro y la bandana ondeaban al viento mientras el sol refulgía en el metal. Siguió oyendo el ruido del motor mucho después de que la moto se perdiera de vista. Echó un vistazo calle abajo, más allá de los edificios de color marrón claro y los solares llenos de hierbajos. Las palmeras habían empezado a mecerse bajo el viento, que había rolado y ya no soplaba desde tierra, sino que venía del mar, trayendo consigo un olor a salitre. Volvió hasta donde estaba su tabla nueva. Se arrodilló junto a ella como había hecho Preston y pasó los dedos por los suaves y redondeados cantos. Igual era una estupidez, pensó, pero la otra tabla tenía algo que casi echaba de menos. Esta era plana y con la punta redonda. La anterior era más estilizada y le gustaba la pegatina de la ola con la cresta en llamas y la frase «Conectar con la fuente». No tenía ni idea de qué significaba, pero le gustaba cómo sonaba.

7

La primera vez que Ellen se había marchado tenía diez años y se había llevado a Ike consigo. Salieron por la mañana, con los almuerzos que ella había preparado metidos en bolsas de papel marrón, y tomaron la dirección en la que creía que estaba San Francisco. Lo más lejos que llegaron fue a las ruinas de una antigua fábrica de cristal en algún punto del extremo más alejado de King City. Pasaron la noche entre montañas de arena y paredes de chapa. Era verano y el aire era cálido, y se quedaron toda la noche despiertos mirando el cielo. Ellen no dejó de hablar. Tiempo después, cuando rememorara aquella noche, lo que más recordaría sería su voz, la forma que tenía de entremezclarse con la brisa que soplaba desde las salinas y que no los abandonó hasta el alba. Por la mañana el sol apretó desde muy temprano y las ondas de calor bullían en torno a las nubes de polvo rojo. Ike estaba cansado y tenía hambre. Siguió a Ellen hasta la carretera —el asfalto estaba tan caliente que les quemaba a través de la suela de los zapatos— y echaron a andar por el arcén. No tenían agua y Ike no sintió ninguna pena cuando oyeron el ruido de un coche que se acercaba despacio a sus espaldas; al volverse, vieron a Gordon detrás del volante de su camioneta. Ike pensó que estaría enfadado, pero no lo estaba. Les dijo que la bronca ya se la echaría la vieja y hasta dejó que

Ellen se sentara a su lado y cogiera el volante. También les dijo que había un montón de vagabundos y maleantes que solían pasar la noche en la fábrica de cristal abandonada y que habían tenido mucha suerte de no cruzarse con ninguno. Ike se acordaba de Ellen levantando la cabeza para poder ver por encima del salpicadero y de cómo Gordon había pasado su enorme brazo alrededor de los hombros de su hermana y había posado la otra mano sobre su pierna.

Habían pasado casi cinco años de aquello cuando se escaparon por segunda vez. Una noche su hermana entró en su habitación y Ike enseguida se dio cuenta de que algo no iba bien. Ellen no paraba de moverse de un lado a otro a los pies de la cama, al tiempo que se estrujaba con las manos los brazos cruzados sobre el pecho. Ike podía ver cómo los nudillos se le ponían blancos cada vez que apretaba. Luego su hermana apagó la luz y se sentó junto a él en la cama. Le dijo que no podía contárselo con la luz encendida. Se acercó un poco más y Ike notó su cuerpo tembloroso contra el suyo. No la había visto llorar en toda su vida, y ese temblor sería lo más cerca del llanto que la vería nunca. Le dijo que Gordon había entrado en su cuarto, borracho, y le había puesto las manos encima. Ike aún recordaba cómo se había incorporado al oír aquello, helado y rígido, completamente asqueado, mientras le venía a la mente aquel día en la camioneta, cuando su tío le había puesto su enorme manaza encima de la pierna. Ellen tenía casi quince años la noche que había ido a su habitación y los hombres empezaban a fijarse en ella. Ike se había dado cuenta, había visto cómo la miraban cuando iban juntos a la ciudad. Era muy delgada y su cuerpo casi parecía el de un chico, pero tenía un culo firme y redondo, y cuando se ponía aquellos vaqueros ajustados y desteñidos y las botas de cowboy que se había comprado con sus propios ahorros estaba claro que tenía algo. A lo mejor era su forma de mover las caderas al andar, o el gesto de la cabeza cuando se echaba hacia atrás el abundante pelo negro, o la manera que tenía de recogérselo con aquellos prendedores, igual que había hecho su madre.

Gordon tenía dos coches, un viejo Pontiac *coupe* y la Dodge tipo ranchera con la caja cubierta. Cogieron la camioneta, porque era lo que Gordon le había enseñado a conducir a Ellen. Cuando salieron empezaba a levantarse el viento, y al rato era muy difícil ver nada. Pasaron la noche no muy lejos de la fábrica de cristal, a las afueras de otro pequeño pueblo al borde de las salinas. Durmieron en la parte de atrás de la camioneta, sobre un viejo colchón que Gordon guardaba en la caja. El viento soplaba muy fuerte y podían oír cómo la arena impactaba contra la carrocería mientras el vehículo se sacudía en la oscuridad. Solo había una manta y se arrebujaron en ella, muy juntos, para intentar protegerse del frío que el viento traía consigo. Ellen temblaba en sus brazos y Ike podía notar su aliento en el cuello mientras le susurraba y le preguntaba si tenía miedo. Él había contestado que no. Ella le cogió la mano y se la llevó al pecho para que pudiera notarle el corazón. «Va como loco», le dijo. Llevaba vaqueros y una vieja camisa de franela, y le deslizó la mano debajo de la tela para que pudiera sentirlo como si lo tuviera en la palma de la mano. Pudo notar también su pecho, redondo y firme y muy suave, y su piel cálida y ligeramente húmeda, como si tuviera fiebre, y cuando movió la mano sintió el pezón endurecido colándose entre sus dedos. En la oscuridad podía distinguir la negra silueta de sus botas, mínimamente iluminadas por el resplandor de la luna que se filtraba desde el extremo del habitáculo. Él también había empezado a temblar; estaban abrazados, ella con su cara apoyada muy cerca de la suya y una mano en su nuca, y cuando Ike inhalaba, podía saborear su aliento, respirarlo y llenarse los pulmones con él, como si se la metiera dentro. La quería tanto. Le besó el cuello y la cara y trató de buscar su boca. Pero de golpe, como si una corriente le hubiera atravesado el cuerpo, Ellen se puso rígida y se separó con brusquedad. «No», dijo. «Ike, no podemos.» Su voz tenía un tono herido que no le había notado nunca. Se dio media vuelta y se alejó de él hasta quedar apoyada contra el lateral metálico de la camioneta. Él no dijo nada. La tapó con la manta y luego se sentó a su lado, temblando, mirándole las botas y escudriñando la oscuridad mientras esperaba que amaneciera.

Por la mañana el viento soplaba aún con tanta fuerza que seguía resultando difícil ver nada. La carretera estaba cubierta de arena y las plantas rodantes, del tamaño de un coche, pasaban deslizándose como fantasmas. Según creía, había sido uno de esos rastrojos el que les había hecho chocar. Estaban atravesando el pueblo cuando una de esas plantas había golpeado el cristal a la altura de la cabeza de Ellen. Ella había dado un volantazo demasiado brusco lanzando la camioneta por encima del bordillo y habían terminado empotrados en el lateral de un edificio. Todavía recordaba el ruido del impacto de los ladrillos contra el capó y la imagen de los delgados brazos de Ellen peleándose con el volante. Y también sus sensaciones de esa mañana: estaba tan aturdido y bloqueado que apenas había sido consciente del momento en que su cabeza había impactado contra el parabrisas, rompiéndolo.

Igual que había sucedido la otra vez, fue Gordon quien vino a buscarlos, aunque en esta ocasión conducía el otro coche y llevaba a la vieja en el asiento de atrás. Ike subió y se sentó junto a su abuela mientras Gordon y Ellen hablaban con el sheriff y el dueño de la tienda y Gordon firmaba unos papeles. Después hubo algún tipo de vista judicial. El viaje de vuelta a casa lo hicieron en silencio. El viento había amainado hasta extinguirse y el día estaba completamente despejado, con esa claridad propia del desierto después de una tormenta, cuando cada destello de color adquiría una cualidad tan afilada y dura que hacía daño mirarlo. El cielo era una enorme extensión azul y sobre el asfalto negro de la carretera el viento había acumulado grandes montículos de arena blanca. A su paso, la arena se levantaba formando unas nubes blanquecinas que después bailaban y se deshacían a su espalda como una diminuta lluvia de granizo.

Ike recordaba que después de aquello Gordon había estado una temporada sin beber. El incidente había sucedido en Navidad, y cuando las vacaciones escolares terminaron ellos volvieron al colegio. Luego, un día después de clase, Ike había visto a Gordon fuera de la tienda pasándose una botella con unos amigos. Se había ido directo a casa y se lo había dicho a Ellen. Ella lo llevó a su habitación y abrió un armario. Dentro había una pistola. Recordaba perfectamente el cañón largo y duro, y la luz filtrándose a través de las persianas y reflejándose en el metal pulido. «Me la dio él. Me dijo que, si alguna vez me daba motivos para ello, le disparara», dijo Ellen. Después de aquello, algunas tardes los oía practicar en la parte de atrás de la tienda; disparaban contra botellas de refresco, volándolas en mil pedazos, y luego los minúsculos fragmentos de cristal se quedaban allí en el suelo, brillando sobre la tierra roja del patio.

Esas fueron algunas de las cosas que pensó Ike la semana después de conocer a Preston y de que este le llevara la moto para que le arreglara el depósito, y llegara a un acuerdo con Morris para que trabajara en su taller. Había algo en el ruido que hacía el compresor de Morris dentro de la cabina de pintura que le recordaba a aquellos disparos y le hacía pensar en el desierto.

Estaba contento de haber conseguido el trabajo. No solo porque así podía sacarse un dinero, sino porque le permitiría seguir en contacto con Preston. No dejaba de darle vueltas a lo que le había dicho aquel chico en San Arco: debía buscar ayuda de verdad. Seguía pensando que no era mala idea tener a un tipo como Preston de su lado. Con lo que no había contado era con que el trabajo también le iba a dejar tiempo para pensar.

Suponía que Gordon nunca le había dado motivos a Ellen para utilizar la pistola. Y en cuanto a ellos dos, nunca habían vuelto a hablar de lo sucedido esa noche en el desierto. Sin embargo, no mucho después de aquello las cosas empezaron a cambiar y Ike comenzó a perderla. Su hermana empezó a verse con otros chicos, no solo del colegio, sino también tipos mayores de King City que tenían coche. A la vieja aquello no le gustaba, pero por entonces ya estaba bastante enferma y se limitaba a gritarle desde la silla del porche, diciéndole que no era mejor que su madre, que era una golfa y una puta del montón, y la amenazaba con mandarla a una de esas instituciones donde habían pensado enviarla después del accidente con la camioneta. Aquellas amenazas no tenían mucho fundamento, porque en realidad ahora era Gordon quien se encargaba de todo y pagaba las facturas. Ike sabía que Gordon había estado casado una vez, después de la guerra, pero su mujer lo había dejado y por eso había vuelto al desierto para llevar la tienda y la gasolinera. Gordon era un tipo raro. No hablaba mucho, y cuando Ellen empezó a ir de acá para allá no se pronunció al respecto, aunque Ike pensaba que pronunciarse tampoco le habría resultado fácil.

Para cuando llegó el verano Ellen salía hasta muy tarde y llevaba unos horarios loquísimos. Quedaba mucho con un tipo llamado Ruben que trabajaba en un taller de coches de King City y tenía un Mercury del 56 customizado. Ike los vio juntos una tarde, cuando volvía a casa; por aquel entonces él también acababa de empezar a trabajar en la tienda. Estaban con unos amigos en el campo de béisbol que había a las afueras de la ciudad. Era la primera vez que Ike la veía con otro. Ruben había aparcado encima de la hierba y Ellen estaba estirada sobre el capó del coche, apoyada en él. Su cabello negro relucía al sol y el vestido de verano blanco con rayas azules que llevaba también parecía resplandecer bajo la cálida luz. Ike se había acercado a la valla metálica que rodeaba el campo y se había quedado mirándolos largo rato, hasta que al final Ellen se levantó, cruzó la hierba y se acercó a él. Llevaba el pelo suelto y el gesto de su cara, ligeramente enrojecida, tenía algo de salvaje. Se agarró a la valla con una mano y sus dedos se tocaron a través de la malla metálica. Ike quería que se fuera con él, pero ella no estaba dispuesta. «Estoy con mis amigos», le dijo, y le estrujó los dedos contra el frío metal antes de darse media vuelta y marcharse. Él no se movió de allí, sino que se quedó observándolos hasta que se fueron. Vio cómo Ellen se subía al coche por el lado del copiloto y cómo se deslizaba hasta el otro extremo para permitir que otra pareja bajara el asiento y subiera a la parte de atrás. Durante la maniobra se le levantó el vestido y dejó al descubierto sus muslos morenos.

Ellen solía llegar tarde a casa, pero aquella noche ni siquiera regresó. Era la primera vez que lo hacía. Ike se quedó despierto, tumbado bajo el resplandor de la luna, odiándola y odiándose a sí mismo por aquella noche en la llanura y por aquellos celos perversos que sentía. Por la mañana su hermana aún no había regresado, y Ike salió de casa, subió la pequeña colina que había detrás de la tienda de Gordon y se quedó allí esperando.

Finalmente, una nube de polvo empezó a aproximarse desde los límites de la ciudad y, al poco, Ike distinguió el azul oscuro del Mercury moviéndose como un insecto gigante a través del polvo. Su hermana se bajó junto a la tienda y él supo que estaba intentando evitar a su abuela. Todavía llevaba el vestido blanco y azul, pero se había quitado los zapatos. La vio rodear la casa hasta la parte de atrás, con los pies descalzos levantando pequeñas nubes de polvo rojo a cada paso, e irse directa al sótano. Bajó los escalones y cerró la puerta a su espalda, y Ike se quedó mirando la madera descascarillada y descolorida por el sol. Entonces se levantó y bajó la colina para ir a buscarla. Se sentía como si estuviera borracho, como si el suelo jugueteara bajo sus pies. Notaba el sol en el cuello y le ardía la garganta.

La puerta del sótano no estaba cerrada con llave. La abrió y bajó. Incluso ahora, de pie en el mugriento solar de la parte de atrás de la tienda de Morris, rodeado de latas de cerveza aplastadas y botellas rotas que brillaban entre los hierbajos, con el suave metal del depósito de gasolina de Preston en sus manos, no había ni un solo detalle de aquel instante que no pudiera recordar. El chorro de luz derramándose sobre las escaleras, la mirada de Ellen cuando lo vio, sorprendida y al mismo tiempo cabreada consigo misma por no haber cerrado bien la maldita puerta, e incluso el patrón que describía el remolino de motas de polvo bailando en el aire.

Allí abajo había un viejo banco de trabajo y un lavabo. Ellen estaba junto al lavabo. Había dejado los zapatos encima del banco y solo llevaba puesto el sujetador. No era muy alta, pero sí esbelta; tenía las piernas largas y morenas salvo en la parte de arriba, donde el bañador le había dejado una marca blanca. El pelo suelto le brillaba bajo la luz tenue de la bombilla que colgaba de un cable encima del banco y le caía hacia delante, tapándole la cara. Se dio la vuelta una sola vez y lo miró un momento antes de volver a lo que estaba haciendo en el lavabo, que era tratar de limpiar algún tipo de mancha del vestido. Ike no dijo nada. Todavía se sentía medio borracho y mareado después de haber estado tanto rato sentado al sol. Se había dejado la camisa en lo alto de la colina y sentía los hombros ardiendo y en carne viva. Bajo sus pies desnudos el suelo del sótano estaba frío. Ellen siguió concentrada en su tarea, pero cuando él se hubo acercado lo suficiente se detuvo un momento y lo miró otra vez, y entonces Ike pudo ver que tenía los ojos irritados y que se le había corrido el maquillaje, dejándole marcas negras en las mejillas. Quiso decir algo, pero fue incapaz. En lugar de eso lo que hizo fue rodearla con los brazos; ella soltó el vestido y se quedaron así, con las piernas juntas y los pechos de ella apretados contra su torso desnudo a través de la fina tela del sujetador. Ike le besó la frente y los párpados, e incluso la boca, pero lo único que deseaba era seguir abrazándola, apretarla con fuerza y decirle... Las palabras aún no habían cobrado forma en su boca cuando de repente apareció su abuela y ya no pudo decir nada. La anciana se había materializado en lo alto de las escaleras, con la puerta abierta a sus espaldas y el sol colándose por detrás e iluminando de nuevo el sótano. El único consuelo era que, por una vez, la impresión la había dejado muda y solo parecía capaz de balbucear desde allí arriba, su silueta negra y encorvada recortada contra el cielo azul.

Después de aquello, claro, la situación se volvió insoportable para los dos. Ike trabajaba e iba al colegio. Ellen tenía a sus amigos, y en realidad no se veían mucho. El distanciamiento que había comenzado a sentir después de la noche en la llanura se acentuó. Ellen aguantó el invierno, pero cuando llegó el verano se largó, y esta vez lo hizo sola y para siempre. En casi dos años no había sabido nada de ella, hasta la tarde en que aquel chaval había aparecido conduciendo su Camaro blanco, con dos tablas de surf atadas al techo.

Al final de la semana, Preston se pasó por su apartamento para recoger el depósito de gasolina. Ike oyó el sonido de las pesadas botas golpeando los escalones de tal manera que parecía que todo el edificio se fuera a venir abajo, y supo quién era antes de que llamara a la puerta.

Preston parecía recién salido de la ducha. El pelo, peinado hacia atrás, todavía estaba húmedo. Llevaba la misma camiseta mugrienta sin mangas y los vaqueros, pero había algo diferente en su mirada, y Ike se dio cuenta de que estaba sobrio. No dijo ni una sola palabra, sino que entró directamente en la habitación buscando el depósito. El trabajo de Ike le pareció increíble. «Dios», no dejaba de repetir, «ha quedado precioso. De verdad, tío, has hecho un curro de la hostia». Acercó la pieza hasta la ventana y la examinó a la luz de la mañana.

Ike se quedó de pie, mirándolo, y se sintió absurdamente satisfecho consigo mismo. A pesar de que sabía que había hecho un buen trabajo, no estaba acostumbrado a los elogios. Jerry siempre lo había dado todo por hecho.

—Eres un jodido artista —le dijo Preston.

De pronto se volvió para mirarlo a los ojos. El sol que se filtraba a su espalda lo hacía parecer aún más imponente que de costumbre y arrancaba destellos al pendiente que llevaba en la oreja.

—¿Qué haces aquí, viviendo en este basurero? —le preguntó—. Este no es tu sitio, solo eres un crío. ¿Por qué no estás en el desierto arreglando motos?

La pregunta, el mero hecho de que Preston mostrara algún interés, lo sorprendió. Dudó un momento. Había pensado no decirle a nadie por qué estaba en Huntington Beach, pero esa mañana Preston parecía diferente, más bien alguien en quien poder confiar, y en lo más profundo de su mente aún le daba vueltas a la idea de buscar ayuda. Quizá era el momento. Fue hasta la mesa y cogió el trozo de papel con los nombres. Se lo dio a Preston y, mientras este le echaba un vistazo, le habló del muchacho que se había presentado en el desierto, del viaje a México y de los tres surfistas de Huntington Beach que habían cruzado la frontera con una chica y habían vuelto solos.

Tenía a Preston a menos de un metro de distancia, y mientras hablaba le pareció que una expresión cruzaba su cara, una especie de gesto hosco no muy diferente a la mirada sombría que le había lanzado el día que había visto su vieja tabla.

—¿Eso es lo que estabas haciendo en el agua? —le preguntó— ¿Tratar de encontrar a Hound Adams?

Ike asintió, pensando que era extraño que Preston solo hubiera mencionado un nombre.

—Mierda. —Ahora Preston parecía enfadado—. ¿Y qué pensabas hacer cuando dieras con esos tipos?

—No lo sé, la verdad. Dar vueltas por ahí, tratar de descubrir algo.

—¿Dar vueltas por ahí con Hound Adams?

Ike se encogió de hombros.

—Tío, estás jodido. Mira, si quieres mi consejo, déjalo estar y lárgate ahora mismo. Vuelve a San Arco y dedícate a las motos. Y si no, al menos mantente alejado del muelle. Si quieres hacer surf, vete más al norte, a los acantilados. El muelle es para los locales.

—Pero ¿y qué pasa con Hound Adams?

Preston le devolvió el papel.

—Ya te lo he dicho, si eres un chico listo te volverás a la tienda de tu tío.

—Se trata de mi hermana —dijo Ike—. Solo me tiene a mí.

—¿Y tu tío?

—A él no le importa una mierda, por eso he venido yo. Mi tío se limita a decir que estaba loca, que si se ha metido en un lío es culpa suya.

—Igual tiene razón.

—O igual no. Al menos alguien debería aclararlo, ¿no?

Preston se quedó mirándolo un momento.

—Vale, bien, pues como quieras, campeón, pero hazme caso con lo del muelle. Mantente lejos de allí. No te gustaría encontrarte a Hound Adams en el agua, créeme. —Y, dicho esto, Preston se puso el depósito de gasolina bajo el brazo y se dirigió a la puerta.

Ike lo siguió hasta el pasillo.

—Un momento —dijo.

Preston se dio la vuelta.

—Hound Adams. ¿Quién es?

Preston aguardó un momento. Bajó la vista hacia el rastro de luz que se colaba por el hueco de las escaleras y sacudió la cabeza. Después se volvió hacia Ike.

—Ese es tu problema, campeón. ¿Lo pillas? —Y desapareció a grandes zancadas por los peldaños de madera en dirección al vestíbulo y a la calle.

Ike lo siguió hasta el comienzo de las escaleras. Se debatía entre salir corriendo detrás de él y arrepentirse por haber abierto la boca. Lo que había pasado era que Preston lo había pillado desprevenido con aquellas malditas preguntas. Se acordó otra vez de la canción sobre los pringados que siempre la cagaban cuando estaban lejos de casa. Él se sentía ahora como un pringado, como un estúpido paleto de pueblo. Mierda, ¿cómo se le había ocurrido pensar que alguien como Preston iba a querer ayudarle? Había metido bien la pata. ¿Y si Preston y Hound Adams eran amigos o algo parecido? Pero Preston no había reaccionado como si lo fueran, más bien había actuado como si todo el asunto le cabreara por algún motivo. Y Preston era la clase de hombre al que no convenía presionar. De hecho no había manera de hacerlo. Siempre parecía a punto de estallar. Ike apretó los dientes y volvió a su habitación. Cerró de un portazo y se quedó apoyado contra la puerta. Cerró los ojos y cuando los apretó con la fuerza suficiente lo que vio fueron un par de piernas sucias y delgadas pateando el suelo y levantando nubes de polvo de un rojo ardiente en mitad del desierto, y no tenía pinta de que fuera a olvidarse de aquello.

8

Las cosas empeoraron después de la conversación con Preston. En cierto modo, se pusieron incluso peor que antes. Ahora sabía que Hound Adams existía, que andaba por ahí y que Preston lo conocía. Sin embargo, enterarse de esto había reavivado todas sus dudas. Tenía la sensación de que cualquier movimiento que hiciera a continuación estaba destinado a ser un error.

Se pasó todo el día siguiente metido en la habitación, y a última hora de la tarde salió a dar un paseo, pensando que a lo mejor se encontraba con Preston y podían hablar. No fue así, y al final terminó en el extremo más alejado del viejo muelle, sentado con un puñado de pescadores mexicanos mientras la noche se volvía cada vez más fría bajo una densa neblina. La humedad se condensaba sobre la barandilla de hierro y los bancos, y las farolas de luz amarilla que se alineaban a lo largo de la pasarela dibujaban franjas sobre su resbaladiza superficie. Aun así, Ike se quedó allí un rato más, vuelto de espaldas al mar, contemplando la autopista y la ciudad, que desde allí quedaba reducida a una fina línea de luces bajo un cielo sin luna. Seguía pensando en Preston, en cómo le había cambiado el gesto al escuchar su historia. Aquel arranque de rabia lo desconcertaba, pero al mismo tiempo también lo reconfortaba de una forma extraña. Igual era egoísta pensar así, pero le parecía que la rabia

era como una herramienta a la espera de ser usada: solo hacía
falta entender bien cómo funcionaba. Y aunque veía claro que
ese proceso llevaría su tiempo, no estaba dispuesto a renunciar
a Preston tan pronto. La decisión más adecuada, pensó, era ser
paciente y esperar un poco más. Y mientras tanto podía seguir
con la idea de aprender a hacer surf y tomarse en serio a Preston en lo de mantenerse alejado del muelle, al menos hasta que
mejorara. Por el momento, confiaría en lo que le había dicho.

Encontraba algo de consuelo al pensar detenidamente estas
cosas y tomar alguna decisión. A lo mejor su hermana, o Gordon, dirían que era demasiado precavido, y quizá lo era. Pero
no quería cagarla desde el principio.

Era tarde cuando se marchó del muelle. Cruzó la Coast Highway
y se dirigió hacia el interior por Main. No sabía qué hora era,
pero se dio cuenta de que los bares ya habían cerrado y las calles
estaban desiertas. Cuando llegó al cruce con Walnut pasó a su
lado un Chevy bajo con las llantas cromadas, susurrando suavemente sobre el asfalto mojado. No pudo distinguir cuánta gente
iba dentro porque los cristales del vehículo estaban tintados, pero
cuando el coche atravesó el cruce solo unos metros por delante
de él le dio la sensación de que aminoraba la marcha, como si
alguien lo estuviera escudriñando desde dentro. Estaba a punto
de doblar hacia Walnut, pero eso hubiera significado tomar la
misma dirección que el coche, así que cambió de idea, recordando de pronto la advertencia de Hazel Adams. Cruzó detrás del
vehículo y continuó por Main, caminando a paso rápido con las
manos embutidas en los bolsillos de sus tejanos.

Al final de la siguiente manzana había un solar vacío con unos
cuantos árboles. Esperó allí un momento, entre las sombras,
para asegurarse de que el coche no daba la vuelta. No lo hizo, y
cuando estaba a punto de marcharse, algo le llamó la atención.
Había un callejón que corría paralelo a Main, justo por detrás

de los edificios que daban a la calle, y desde donde se encontraba ahora, en el solar del final de la manzana, podía distinguir el fondo del callejón a una cierta distancia. Fue entonces cuando vio la moto.

Salió de entre los árboles y caminó despacio por el lado este del descampado. La moto era una de las grandes, y al acercarse a la entrada del callejón pudo comprobar que se trataba de la Knuckle de Preston. Un segundo después vio al propio Preston. Estaba de pie en lo que parecía un camino de acceso a una casa, solo que allí no había ninguna casa, apenas la parte trasera de un edificio —ladrillos vistos, ásperos y oscuros— y una bombilla desnuda colgada a unos tres metros del suelo. La bombilla estaba encendida y proyectaba una luz pálida sobre el asfalto resquebrajado y la gravilla que había debajo.

Preston estaba inclinado hacia delante, con un brazo apoyado contra la pared, y hablaba con otro hombre. Ike no podía distinguir qué aspecto tenía porque Preston era bastante más grande y le tapaba la vista. Todo lo que alcanzaba a ver del otro tipo era un poco de pelo rubio que asomaba por encima del brazo estirado de Preston. La cabeza del tipo parecía estar ladeada y un poco inclinada hacia delante, y algo en esa actitud le hizo pensar que Preston llevaba la conversación y el otro escuchaba. Aun así estaba demasiado lejos como para oír nada, y tampoco podía arriesgarse a acercarse más ni quedarse demasiado tiempo cerca de la entrada del callejón, porque cualquiera de los dos podía darse la vuelta y verlo. Había algo en aquella escena, pensó, que invitaba a mantener las distancias. Lo más inquietante de todo, sin embargo, era el edificio en el que se encontraban. Tenía la impresión de que se correspondía con la parte de atrás de la primera tienda de surf en la que había entrado el día que había comprado la tabla.

Las implicaciones de este hecho podían interpretarse de varias maneras, y eso fue suficiente para alterar la paz que había encontrado al final del muelle. Mientras se alejaba del callejón y se perdía en la noche no paró de hacer conjeturas, y siguió dándole vueltas hasta que el cielo empezó a clarear con las primeras luces grisáceas de la mañana. Por el momento decidió seguir con su plan, y al amanecer ya estaba levantado y listo con sus vaqueros cortos, una sudadera mugrienta, una toalla sobre los hombros y la tabla de surf bajo el brazo. Después de una noche en vela, puso rumbo a la Coast Highway y las playas del norte de la ciudad.

Las cosas eran diferentes en ese lugar. La luz no era la misma y tampoco se observaba tanto movimiento como en la zona del muelle. Desde la playa no se veía la carretera ni la ciudad, solo los acantilados desnudos y rocosos coronados por el chirriante bosque gris de pozos petrolíferos y la tierra negra manchada de petróleo. Era un paisaje de tonos grises y azules, marrones apagados y ocres amarillentos, de círculos de piedra para hacer hogueras ennegrecidos por las llamas y de basura. Y en cada pedazo libre de roca y cemento había pintadas hechas con espray: frases, esvásticas y nombres chicanos, porque, según le habían dicho, cuando caía el sol las playas del norte se convertían en territorio de las bandas locales, pandillas procedentes de los desolados interiores de Long Beach y Santa Ana. Era un tramo de costa al que los polis ni se molestaban en acercarse de noche, y entre los surfistas corrían historias horripilantes sobre espantosos hallazgos matutinos. Uno de ellos le contó que un día se había encontrado una pierna humana, hinchada y descolorida, flotando en la orilla. Por las mañanas, sin embargo, las playas estaban desiertas, y Ike no se topó con nada desagradable, solo las pintadas, la basura y los restos de las hogueras ennegrecidos como altares de piedra.

Comenzaba a familiarizarse con una especie de dicotomía propia de aquel lugar, una contradicción entre lo desolador del paisaje y la belleza del mar. Había ocasiones en las que el mar era como la tierra —plano, estéril, del color del hormigón—, pero otras veces su superficie cobraba vida al incidir la luz en ella, la base de las olas brillaba como la piedra pulida y la espuma blanca se incendiaba bajo el sol de poniente. En ningún otro sitio esta contradicción era tan evidente como en las playas que había bajo los acantilados. A pesar de las historias que había oído y de los restos de basura dispersos en la arena, Ike llegó a amar aquellos trechos de playa, vacíos a primera hora, en completo silencio salvo por el ruido de los rompientes y el graznido de las gaviotas. La primera vez que estuvo allí fue la mañana después de ver a Preston en el callejón, y luego continuó yendo cada dos días por la mañana durante el resto de la semana. Le gustaban mucho sus paseos matutinos por los acantilados, muy cerca del borde, con el océano liso y brillante a sus pies y la brisa débil y suave, cargada con la humedad salada del mar, rozándole la cara. Pero de lo que más disfrutaba era de esa especie de descarga eléctrica que empezaba a notar cuando elegía un camino y bajaba por el acantilado, observando el oleaje y anticipando esa primera explosión de frío, esa primera línea de espuma blanca rompiendo sobre él y borrándolo todo excepto el momento mismo.

Las olas de debajo de los acantilados rompían bastante lejos. La espuma avanzaba entonces arremolinada hacia la playa en largas líneas, y, llegado un punto, se volvía a formar una nueva ola que terminaba por romper a muy pocos metros de la orilla. Era con esta segunda ola interior con la que Ike practicaba. Remaba hasta sobrepasar el punto donde rompían y luego dejaba que la espuma lo arrastrara, intentando ponerse de pie sobre la tabla mientas la nueva ola comenzaba a formarse. Por lo general se caía enseguida: la tabla salía disparada y él se precipitaba hacia delante, o bien pisaba demasiado cerca del canto al intentar hacer un giro y se resbalaba y caía de lado. Hasta que una mañana sucedió algo diferente. Como otras veces, cogió la espuma blanca de una de las olas grandes que rompían más afuera y su tabla comenzó a deslizarse por encima de la superficie. Consiguió ponerse de pie y enseguida se dio cuenta de que empezaba a ganar más velocidad de la habitual, pero que, precisamente gracias a la velocidad, era más fácil mantener el equilibrio. Poco a poco la masa de agua ralentizó su avance y comenzó a formarse una nueva ola. Ike se inclinó y la tabla avanzó con suavidad bajo sus pies. La pared creció frente a él, con la cara lisa y brillante salpicada de blanco, mientras él avanzaba en paralelo a ella, ya no a trompicones, como en la zona espumosa, sino con un movimiento suave y rápido. Estaba surfeando una ola. La pared creció rápidamente y comenzó a arquearse, y entonces el canto interior de la tabla se clavó y él salió despedido de cabeza, mientras la ola le rompía encima y la tabla volaba por los aires.

Tuvo que nadar hasta la orilla para recuperar la tabla, pero mientras lo hacía, lo único que deseaba era detenerse y ponerse a gritar, levantando los brazos y sacudiendo los puños en alto. Ahora entendía a qué venían todos esos gritos y aullidos de los surfistas en el muelle. Había cogido una ola. Salió de las aguas poco profundas de la orilla salpicando con fuerza a cada paso y no volvió a entrar en el mar hasta después de un rato. Dejó la tabla sobre la arena húmeda, se sentó en la punta y observó las líneas de espuma blanca, que ahora comenzaban a tornarse doradas bajo la luz del sol naciente, tratando de recordar todos los detalles de lo que acababa de sucederle.

No pensó en otra cosa durante el resto del día, reviviendo cada sensación mientras dejaba atrás los solares vacíos y las deterioradas palmeras. Las vallas eran como enormes olas sin romper, y ejecutó junto a ellas movimientos imaginarios de una enorme pericia, agachándose de vez en cuando bajo el borde de algún seto y levantando la mano para mantener a raya un espray invisible de espuma.

Necesitaba contárselo a alguien y decidió ir a buscar a Preston. No había vuelto a verlo desde aquella noche en el callejón.

Lo encontró en la tienda de Morris. Morris había salido y Preston estaba en el aparcamiento de la parte de atrás, sentado sobre la rueda de un viejo remolque y mirando hacia el callejón. Estaba de espaldas a él, y a medida que se acercaba Ike vio un pack de seis latas grandes de cerveza a su lado.

Preston levantó la vista cuando Ike cruzó la verja que separaba el camino de entrada del aparcamiento y luego se volvió otra vez hacia el callejón. «Mira quién está aquí», dijo, «Billy el Niño». Ike pasó por detrás de la cabina de pintura, se acercó al remolque y vio que Preston tenía otras seis latas vacías junto a los pies. «¿Tienes sed?», le preguntó Preston, y sin esperar respuesta le lanzó una. Ike la cogió y la abrió, y las espuma fría y blanca rebosó por el borde de la lata y le cayó por los dedos. Dio un trago y miró a Preston, que seguía con la vista clavada en el callejón.

—Seguí tu consejo —dijo Ike—. He estado yendo más al norte, a los acantilados.

—Mi consejo era que te largaras de la ciudad.

Ike dio otro trago y, bajando la vista, observó la cabeza de Cristo, que cubría el hombro de Preston y la sanguinolenta corona de pinchos de la que irradiaban pájaros y lagartos. La cerveza le quemaba en la garganta.

—Hoy he cogido una ola, tío. Una bastante decente, quiero decir.

—¿Ah, sí?

Preston lo miró con un solo ojo y se echó al coleto lo que le quedaba de cerveza. Tenía una forma característica de hacerlo: abría la boca y sujetaba la lata a unos cinco o seis centímetros, vertiendo el líquido como si echara aceite a un motor. Cuando terminó, dejó la lata en el suelo, la aplastó con la bota, la colocó en la pila que tenía a sus pies y cogió otra.

—Tenías razón con lo de la tabla, es mucho más estable.

Preston se limitó a asentir una vez más y siguió mirando hacia el otro extremo del aparcamiento. Ike se incorporó y se puso de pie a su lado. Estuvo tentado de decirle que lo había visto en el callejón, pero no lo hizo. Eran sus asuntos, y no creía que a Preston le gustaran los mirones.

—Así que te va lo de estar ahí dentro —dijo finalmente.

Parecía más una afirmación que una pregunta, pero Ike respondió de todas formas.

—Sí. Tiene algo... Pienso mucho en ello. Por ejemplo, cuando estoy trabajando o haciendo lo que sea, se me va la cabeza y pienso en las condiciones del mar, en la marea, en qué movimientos quiero hacer la siguiente vez que esté en el agua. Necesito material nuevo. Quiero comprarme un traje de neopreno y un invento para la tabla.

—Cómprate un traje, pero que le den al invento. Aprende a sujetar bien la tabla.

—Es difícil.

—Venga, hombre. Pensaba que eras Billy el Niño. Que estabas aquí para enfrentarte a Hound Adams. «Es difícil» —añadió, imitando a Ike con voz aguda y chillona. Después lo miró igual que antes, con un ojo guiñado porque el sol le daba en la cara, aunque a Ike también le pareció que sonreía un poco—. ¿Listo para otra birra?

Ike negó con la cabeza.

—Todavía me queda. —Dio otro sorbo a la lata.

—Dios —suspiró Preston.

—Bueno, ¿y qué pasa con Hound Adams? —preguntó Ike, tratando de que su voz sonara lo más despreocupada posible—. ¿Hace mucho que lo conoces?

—Lo suficiente. Y da la casualidad de que sé que nunca usa invento.

Por algún motivo, a Preston aquello pareció resultarle muy gracioso. Se rio entre dientes y dio otro trago a la cerveza, la mitad de la lata, según parecía.

—Así que de verdad te vas a quedar por aquí. ¿Vas en serio con toda esta mierda?

Ike asintió. Echó la cabeza hacia atrás y apuró lo que le quedaba de cerveza. Luego aplastó la lata y la lanzó a la pila. Preston le pasó otra.

—¿Y de qué vas a vivir? ¿Vas a buscarte un trabajo?

—Supongo.

—¿De qué?

Ike se encogió de hombros.

—De lo que sea.

—Mierda, vale, sí. Hay trabajo. Si tú te pones a arreglar motos en esta ciudad, Morri-tos acabará teniendo que echar el cierre. Eso no le gustará nada, claro. Aunque, bien pensado, tampoco es que ahora mismo Morri-tos te tenga mucho aprecio.

Ike volvió a encogerse de hombros.

—Te diré una cosa —dijo Preston, pero antes de poder añadir nada más, lo interrumpió el sonido de una moto: era Morris aparcando en el camino de entrada—. Aquí llega su majestad.

Preston se puso de pie y apuró la cerveza. Luego lanzó la lata al suelo, se ajustó los mugrientos vaqueros, cogió las gafas de sol del remolque y se las puso.

—Quién sabe —dijo, y le dio a Ike una palmadita en el pecho con el dorso de la mano—. Igual puedo decirle algo yo mismo a ese viejo traidor hijo de puta. Hablarle bien de ti, por así decirlo. —Guiñó un ojo y echó a andar.

Ike lo observó mientras se alejaba con paso exageradamente tranquilo hacia Morris, que estaba arrodillado junto a su moto desenvolviendo un puñado de piezas pequeñas, aparentemente las que había ido a buscar. Los oyó hablar durante unos segundos en un tono amortiguado y luego distinguió claramente la voz de Preston que decía: «Sé que tienes que desmontar esa Shovel entera».

Finalmente, Morris se incorporó y se limpió las manos con un trapo. Le dijo algo a Preston y luego se acercó a la valla y le habló a Ike a través de la tela metálica.

—Tengo que desmontar una moto la semana que viene, ¿te interesa?

Ike asintió.

—Claro —dijo—. Desde luego.

Morris se quedó mirándolo un minuto, como tratando de decidir si estaba cometiendo un error o no, y luego se dio la vuelta y volvió junto a la moto. Preston le dijo algo más que Ike no alcanzó a entender y luego se giró de nuevo y fue otra vez a reunirse con él al otro lado de la valla.

—Gracias —dijo Ike.

Preston levantó una mano.

—No lo dejes tirado —dijo, y luego soltó una carcajada ante la perspectiva de la nueva colaboración.

Ike se quedó un momento esperando. Un fuerte viento había comenzado a barrer el camino de entrada y cuando volvió a hablar se refería a las olas:

—Ahora las habrá desordenado el viento.

Preston asintió y, al mirarlo, Ike vio el cielo reflejado en el cristal de sus gafas de sol.

—Lo que necesitas es una buena rompiente —le dijo—. Y un bosque de algas que ayude a alisar la ola. No hay olas solo en Huntington, ya sabes. Joder, ni te imaginas los sitios que he visto. —Echó una mirada al callejón—. Hubo un tiempo en que no dejaba pasar ni un solo día sin meterme en el agua. —Estiró y flexionó los músculos de los brazos, manteniendo la postura como si estuviera posando para una foto—. Mierda, voy a tener que bajar contigo hasta allí y echar un vistazo —dijo, pero sin hacer ningún movimiento que indicara que fuera a ponerse en marcha.

Ike supuso que era el momento de irse. No quería hablar delante de Morris. Por ahora le bastaba con saber que Preston seguía de su lado y que podrían retomar aquella conversación en otro momento. Se despidió y echó a andar hacia la calle, pero Preston lo llamó, así que se detuvo y se dio la vuelta.

—No le contarás a nadie más lo que me contaste a mí, ¿verdad?

—No. Ni lo he hecho ni pienso hacerlo.

—Bien —dijo Preston—, no lo hagas.

Ike esperó por si añadía algo más o al final se decidía a bajar al muelle con él, pero Preston no hizo ningún gesto que indicara que fuera a moverse y se quedó junto a Morris cerca de la entrada de la tienda.

Morris se había quitado la camisa y se había puesto la máscara de pintar. La llevaba colgada sobre el cuello y la barriga peluda le asomaba por encima del cinturón, retorciendo la hebilla hasta apuntarla hacia al suelo. Preston le dio una palmada en el pecho con el dorso de la mano, igual que había hecho con Ike poco antes.

—El chico ha cogido hoy su primera ola, Morris. ¿Qué te parece?

—Una orillera —añadió Ike; todavía se sentía algo eufórico.

Morris, que ya se había subido la máscara, se la bajó de nuevo y fulminó a Ike con la mirada.

—Vaya puta hazaña.

9

Morris lo puso a trabajar por las tardes, así que las mañanas las tenía libres para surfear. Los primeros días se los pasaron con la Shovel. El trabajo y tratar de llevarse bien con Morris exigían concentración, y por las noches estaba hecho polvo. Llegaba a casa agotado y muerto de sueño. Su intención era hablar otra vez con Preston, pero no apareció en toda la semana. A mediados de la segunda semana empezó a preocuparse otra vez.

Había mucho trabajo y se pasaba las tardes examinando las válvulas gigantes de los motores Shovelhead y los Panhead, aplicándose con el nuevo aerógrafo Badger de Morris sobre los depósitos Fat Bot, dejando a su paso irisadas telarañas de pintura, encajes gris perla y llamas azul cobalto. Todavía pasaba las mañanas en el agua. Pero ahora pensaba en el tiempo que llevaba allí —hacía dos semanas que había hablado con Preston en su habitación, un mes casi desde que había llegado a la ciudad— y ni siquiera sabía qué aspecto tenían Hound Adams, Frank Baker o Terry Jacobs. Le había dicho a Preston que mantendría la boca cerrada, pero las cosas no avanzaban y cada vez se le hacía más difícil concentrarse en el trabajo. Necesitaba otro giro. Y entonces llegó la quinta semana —habían transcurrido veintinueve días desde que le había dicho adiós a Gordon, de pie en el arcén de la carretera— y trajo el oleaje.

Lo primero fue el ruido, una especie de trueno distante que se repetía a intervalos regulares y se elevaba por encima del zumbido de la autopista. Ike se despertaba por la noche y se quedaba escuchando un rato, preguntándose qué sería aquello, antes de deslizarse otra vez en el sueño. Pero por la mañana el estruendo seguía allí, con una intensidad renovada bajo las primeras luces grisáceas del alba, y ya no tuvo que preguntarse cuál era su origen. Se vistió y salió corriendo de la habitación, bajó las escaleras de madera, cruzó el césped, dejó atrás el pozo de petróleo y se dirigió al sur por Main, enfilando directo hacia el mar de manera que pudo ver la estela de espuma blanca antes incluso de cruzar la autopista.

Lo que más le impresionó del oleaje fue el aspecto tan distinto que le confería a todo. Podría haber dicho que estaba en otra ciudad, en otro muelle, delante de una playa que no había visto antes.

Las olas no solo llegaban y se elevaban en líneas ordenadas como era habitual, sino que parecían surgir desde el otro lado del horizonte, como si hubieran recorrido el Pacífico entero para venir a romper con estrépito en esa franja de costa. La superficie del agua, muy picada, había adquirido un tono gris y negro, y estaba salpicada de blanco. Meterse con esas condiciones parecía imposible. Los primeros cincuenta metros eran como el interior de una lavadora en marcha. En la arena mojada, los rastros de espuma se acumulaban como bancos de nieve. Cuando atravesó corriendo la pasarela, tuvo la sensación de que la estructura entera se estremecía con el embate de cada ola.

Estaba a solas con el oleaje. A lo lejos, al fondo de la playa, distinguió el jeep amarillo de los socorristas. Era una mañana inmóvil y gris, y una densa capa de nubes ocultaba el sol. Siguió caminando por el muelle, y fue entonces cuando los vio: no estaba solo. Al principio no dio crédito: era imposible que nadie se lanzara al agua con ese tipo de olas. Echó a correr hacia el final de la pasarela, les perdió la pista y luego los localizó de nuevo. No había duda. Primero distinguió a uno, luego a dos más, a cuatro, a cinco. El mar estaba tan picado que costaba verlos. Por momentos desaparecían del todo entre el oleaje. Se aferró a la barandilla y notó cómo se le empapaban las manos de humedad y salitre. Ahí estaban, sí, aunque por el momento ninguno había conseguido coger una ola.

Ahora estaba prácticamente a su altura y podía verlos mejor. Seis surfistas en el lado sur del muelle. Permanecían juntos y se movían muy rápido, como un banco de peces, tratando de mantener la posición entre las enormes olas. De vez en cuando uno de ellos hacía el amago de remar una ola, pero en el último momento se echaba atrás, y entonces la ola alcanzaba su máxima altura, rompía con un estruendo contra el muelle y seguía su camino hacia la playa sin que nadie la surfeara.

Daba la sensación de que los surfistas tenían problemas para mantener la posición. Las olas se sucedían una tras otra, elevándolos y ocultándolos, lanzando ráfagas de espuma a cinco metros de altura una vez que llegaban a los pilotes del muelle. Y cada nueva serie parecía llegar de más lejos, obligándolos a remar mar adentro. Ike se preguntaba si alguno sería capaz de coger alguna ola cuando vio que uno de los surfistas remaba con fuerza sobre una de aquellas moles de agua gris. La tabla comenzó a subir, elevada sobre la ola, y al instante siguiente el surfista estaba de pie. Era difícil precisar la altura exacta de aquellas olas, pero la cresta se levantaba muy por encima de su cabeza.

El surfista cogió velocidad a medida que descendía por la pendiente de la ola e hizo un primer giro poderoso, dibujando una amplia estela de agua con la cola y subiendo otra vez la pared, mientras comenzaba a formarse un tubo rapidísimo que estuvo a punto de engullirlo. Consiguió atravesar esa sección y emergió bien alto en el labio, empalmando giros rápidos en dirección al muelle. Y luego todo terminó; en el último segundo, justo antes de que la ola impactara contra los pilotes, el surfista atravesó el labio y, durante unos segundos, Ike lo perdió de vista entre la espuma. Después apareció de nuevo, tumbado sobre la tabla, y comenzó a remar con fuerza hacia el horizonte.

Para cuando el sol logró abrirse paso en el cielo cubierto, ya había otra media docena de surfistas en el agua. Trataban de salir situándose en la cara norte del muelle, usando los pilotes para tratar de protegerse del oleaje que entraba desde el sur. Aun así, era peligroso, y Ike vio cómo más de un surfista era arrastrado de vuelta y más de una tabla acababa hecha pedazos contra los pilotes.

Aunque los que se aventuraban a meterse en el agua eran pocos, había empezado a llegar mucha gente para mirar, y pronto la pasarela se llenó de una multitud entusiasta. El público silbaba y jaleaba cada intento de los surfistas, y enseguida Ike se encontró entre ellos, animando. A lo largo del muelle se habían instalado una docena de cámaras, y algunos técnicos que las manejaban iban vestidos con camisetas iguales patrocinadas por tiendas de surf o fabricantes de tablas. Había más cámaras en la playa, y más espectadores y jeeps amarillos, de forma que, a última hora de la mañana, una especie de atmósfera circense se había apoderado de aquella zona de la ciudad que se apiñaba en torno al muelle y bordeaba la franja de arena blanca.

Ike vio al mismo surfista de pelo rubio que había cogido la primera ola surfear una y otra vez paredes espectaculares, arrancando vítores a la multitud. Llevaba allí más o menos una hora cuando una voz familiar lo distrajo de lo que sucedía en el agua. Se dio la vuelta y vio a Preston detrás de él. Llevaba puesta la misma camiseta de tirantes mugrienta y la vieja bandana roja. Parecía fuera de lugar entre las cámaras y los surfistas que se agolpaban en el muelle, una muchedumbre de cabellos decolorados por el sol y cuerpos tonificados. Preston, con sus enormes brazos tatuados y su poderoso torso, parecía más bien una extensión de la resplandeciente moto sobre la que iba montado. Las gafas de aviador espejeaban al sol y Ike no podía verle los ojos, pero tenía la boca curvada en una amplia sonrisa burlona, como si se trajera entre manos algún tipo de broma que Ike no pillaba o de la que quizá él era el blanco.

—Pensaba que te había dicho que te largaras de la ciudad —dijo Preston al llegar a su altura.

Ike se dio cuenta de que ahora era él quien sonreía, sin saber muy bien qué decir, pero contento de que Preston hubiera aparecido. Desde que había llegado a Huntington Beach, él era lo más parecido a un amigo que tenía. Preston sabía por qué estaba allí y eso creaba un vínculo entre ellos, o al menos así lo creía.

—Es enorme —dijo Ike.

Preston se limitó a echar un vistazo a las olas.

—La primera marejada de sur de la temporada —dijo—. Estos son los días en los que puedes coger una buena ola para ti solo, los punks no se atreven a entrar en el agua.

—¿Habías visto alguna vez olas así de grandes?

—Ya lo creo. Y más grandes. He surfeado olas más grandes. Pero estas no están nada mal.

De repente Ike percibió otro sonido elevándose por encima del escándalo de la gente y del rugido del mar. Desde la torre de salvamento parecían haber avistado a Preston y una voz metálica había empezado a chirriar: «Las motos están prohibidas en el muelle. Por favor, dé la vuelta y abandone a pie la pasarela». Preston se inclinó hacia un lado y levantó el dedo medio en dirección a la torre. La voz volvió a emitir su advertencia metálica: «Por favor, dé la vuelta y abandone a pie la pasarela».

Preston sacudió la cabeza y comenzó a dar la vuelta. Los espectadores que estaban más cerca se giraron y lo miraron, pero asegurándose de dejarle espacio suficiente para maniobrar.

—La voz de la razón —dijo Preston—. Creo que ese tipo lleva ahí metido veinte años. Siempre me parece el mismo.

Ike levantó la vista hacia los cristales tintados de la torre de vigilancia que se alzaba junto a la pasarela. Decidió que también era momento de irse y desayunar algo. Aun así, le resultó difícil separarse de la barandilla y se giró una vez más en dirección al océano, justo a tiempo para ver al mismo surfista de antes cogiendo otra ola. El tipo era fácil de identificar. Era alto y rubio, y mientras casi todos los demás llevaban trajes de neopreno, él solo llevaba un bañador y un chaleco.

—Ese tipo es muy bueno —dijo Ike, señalándoselo a Preston.

—Es tu héroe, ¿eh? —preguntó Preston, y su sonrisa dio paso a una especie de mueca torcida.

Transcurrieron unos segundos en los que Ike echó otro vistazo al agua, y luego se volvió de nuevo hacia Preston.

—No te encariñes demasiado con él —dijo Preston—. Es tu hombre. Y ese de allí —añadió, señalando más al sur y bastante más lejos a una figura oscura que estaba sentada sobre su tabla y que llevaba un traje de neopreno con lo que parecían rayas rojas en los laterales— es otro de los tuyos. Terry Jacobs. Es samoano, y por lo general, el tipo más grande en el agua.

Preston pateó el muelle con sus pesadas botas y empujó la moto hacia el centro de la pasarela mientras la gente se dispersaba a su paso.

Ike lo siguió. Preston no dijo nada más, simplemente se limitó a arrastrar la moto por el muelle. Cuando llegó a la altura de la torre de vigilancia, se subió a la moto y pisó con fuerza el pedal de arranque. El motor no se encendió y repitió la maniobra. En ese momento Ike lo alcanzó y lo agarró del brazo, a la altura del bíceps, justo donde empezaba el tatuaje de la serpiente enroscada, y tuvo la impresión de que agarraba una tubería enorme. Preston se inclinó hacia atrás y se miró el brazo, justo donde Ike tenía puesta la mano. Lo hizo muy despacio, y Ike lo soltó, mirándolo directamente a las gafas de sol.

—Espera un momento —le dijo—, no te puedes ir así sin más.

—¿Ah, no? —dijo.

Ike dudó.

—¿Y qué pasa con ellos? —preguntó al fin.

—¿A qué te refieres? Sí, son ellos, campeón. Bueno, al menos dos de ellos. ¿Qué quieres que haga, que vaya nadando hasta allí y les diga cuatro cosas?

Preston pisó con fuerza el arranque y el motor rugió, volviendo a la vida. Por encima de ellos se oyó otra vez la orden a través de los altavoces, algo sobre abandonar la pasarela *a pie*, pero la voz quedó ahogada por el ruido del motor. Una nube de humo pálido flotó en el aire y envolvió a Ike, que se quedó allí en medio, mirando a Preston.

—Mira —le gritó Preston—, vamos a dejar las cosas claras. He estado pensando en lo que me contaste. Déjame que le dé una vuelta más. Mientras tanto, haz lo que te he dicho y no le cuentes tu historia a nadie. Si se me ocurre algo que crea que debas saber, te lo diré. Pero recuerda: este no es tu sitio. ¿Lo pillas? No tienes ni puta idea de lo que pasa aquí. Y otra cosa: no se te ocurra nunca más venir corriendo y agarrarme de esa forma. Podría arrancarte la cabeza.

Y dicho esto, accionó el embrague y se largó, atravesando la pasarela justo por el centro, con el tubo de escape soltando petardazos y las barras cromadas refulgiendo al sol mientras la gente se dispersaba a su paso como un puñado de hojas llevadas por el viento.

10

La marejada se prolongó durante toda la semana. Cada día que pasaba, sin embargo, aminoraba un poco su fuerza. Y a medida que los espectadores del muelle volvieron a la playa y la atmósfera circense comenzó a disiparse, el número de surfistas que se aventuraba en el mar creció. Hacia el final de la semana, las olas, consistentes y bien formadas, habían reducido su tamaño a unos dos metros, y dentro del agua había más gente de la que Ike había visto nunca. Las peleas a puñetazos no eran algo infrecuente, y se producían tanto en el agua como fuera. Ike seguía yendo a mirar. Al principio las olas eran demasiado grandes para él y, ahora que por fin había puesto cara a dos de los nombres escritos en el papel, quería verlos mejor. Si hubiera tenido un nivel más alto quizá se habría aventurado a surfear en el muelle, pero dado el punto en el que se encontraba tuvo que conformarse con observarlo todo desde arriba.

Los dos hombres que Preston le había señalado estaban allí cada mañana: Hound Adams y Terry Jacobs. Hound Adams era alto y delgado, pero fornido. Y en cuanto al samoano, Preston tenía razón: por lo que parecía, siempre era el tipo más grande dentro del agua. Era un poco más bajo que Hound, quizá, pero tenía un torso del tamaño de una nevera. Los dos eran excelentes surfistas, sobre todo Hound Adams. Terry también parecía hacerlo todo sin esfuerzo alguno, pero carecía de la brillantez y agilidad de Hound. Lo suyo no era una coreografía bailada a medias con el agua, sino una lucha de fuerzas con el océano. Podía surfear secciones increíbles cuando las olas ya habían comenzado a romper, como un jugador de fútbol americano arremetiendo contra la línea de defensa, y daba la impresión de ser tan fuerte y sólido y de estar tan bien plantado encima de la tabla que parecía imposible que la ola pudiera derribarlo. Fuera del agua, en la playa, su aspecto también era increíble, con su enorme peinado afro bamboleándose a cada paso.

Por lo general, se metían en el agua al amanecer, como le había dicho el muchacho en el desierto. Pero mientras duró la marejada también surfeaban a última hora de la tarde, así que Ike se acostumbró a pasarse por allí cada día después del trabajo. Se había fijado en la dirección que tomaban cuando se marchaban, y tenía en mente seguirlos algún día. Estaba seguro de que Preston no hubiera aprobado aquella idea, pero Preston no había vuelto a aparecer desde la primera mañana de marejada.

Se quedó en el muelle hasta que el sol se deslizó en el mar y las luces comenzaron a parpadear y zumbar sobre la pasarela, y después se dirigió a paso rápido hacia la carretera. Por lo general, los dos surfistas cruzaban la calle a la altura de Tom's y luego giraban a la izquierda, en dirección al extremo norte de la ciudad. Ike los esperó enfrente de Tom's y cuando pasaron por delante, comenzó a seguirlos.

Se mantenía demasiado alejado como para entender lo que decían, pero podía ver que gesticulaban y se reían. Durante un trecho, sus pies desnudos fueron dejando un rastro de huellas mojadas sobre el pavimento sucio. A la altura del Capri Room, las luces de neón bañaban de rosa el cemento y se reflejaban en la superficie cromada de la media docena de choppers que estaban aparcadas junto al bordillo. Ike vio a

Hound hacer un gesto señalando las motos y oyó la risotada de Terry Jacobs.

La gente se apartaba a su paso. Giraron a la derecha al llegar a Del Taco y siguieron por una calle débilmente iluminada. Ike seguía detrás de ellos. Se notaba el pulso martilleándole en el cuello y le sudaban las manos. No había nadie más en la calle, solo ellos. Aminoró un poco el paso y dejó que ampliaran su ventaja.

Siguieron otras tres manzanas por la misma calle antes de desviarse hacia la entrada ajardinada de una casa de dos plantas. Había una luz encendida en una de las ventanas del piso superior que proyectaba un halo amarillo sobre el césped oscuro, alcanzando también las susurrantes hojas de una vieja palmera que crecía en el patio delantero. Ike los oyó hablar otra vez mientras se quitaban los trajes de neopreno. Su intención había sido pasar de largo por delante de la casa de la manera más natural posible, pero de repente quería más. El edificio contiguo estaba a oscuras, el césped de delante cubierto por la negra sombra que proyectaban los viejos árboles. Un grueso seto separaba ambas construcciones. Ike se agazapó detrás de él y comenzó a arrastrarse a cuatro patas, pensando en lo estúpido que sería que lo pillaran, aunque la casa estaba a oscuras y en silencio, y no había luz en las ventanas. Los oía hablar al otro lado del seto; habían abierto una manguera. Se puso de rodillas y levantó sigilosamente la cabeza, hasta que encontró un hueco entre el follaje por el que podía mirar.

Estaban en el patio delantero, desnudos de cintura para arriba. Hound limpiaba a manguerazos los trajes de neopreno. Mientras Ike los observaba, otro hombre apareció en el porche. Llevaba unos pantalones cortos y una camiseta. Era más bajo que Hound y el samoano, delgado pero fibroso. Tenía el pelo ondulado y rubio peinado hacia atrás, y parecía recién salido del agua. Se llevó la mano a la boca para dar una calada a algo, inclinando un poco la cabeza al hacerlo, y algo en ese gesto, en la forma de mover la cabeza, quizá, o en el modo en que la luz se reflejaba en su pelo, hizo que Ike se acordara de la escena del callejón, en la parte trasera de la tienda. Estaba casi seguro de que aquel era el mismo tipo que había visto hablando con Preston, y un nombre tomó forma en sus labios. Lo susurró para sus adentros.

—Tendrías que haber vuelto a entrar, hombre.

Era Terry el que hablaba con el hombre que estaba en el porche. El otro se encogió de hombros y le pasó el porro.

—Mañana —dijo.

Terry asintió, subió los escalones del porche y entró en la casa. El que acababa de salir se quedó a solas con Hound Adams en el patio, y los dos permanecieron en silencio durante un rato. Hound puso los trajes a secar colgándolos de una cuerda que iba del porche a uno de los árboles del patio. Finalmente, fue él quien habló, y por primera vez Ike pudo oír su voz con claridad.

—Las olas son buenas —dijo. Tenía una voz suave y clara—. Creo que va a ser un buen verano, lo presiento. ¿Sabes a lo que me refiero?

El tipo rubio asintió y luego se sentó en el porche. Hound se acercó hasta ponerse enfrente de él, le cogió el porro y luego se lo pasó otra vez. Siguieron hablando de surf, de tormentas y del oleaje, de cómo las marejadas eran cíclicas y este era el año. Mientras los escuchaba, Ike notaba el suelo ligeramente mojado bajo las manos y las rodillas y el olor húmedo y mohoso del viejo seto. Pasó un coche por la calle, pero estaba lo suficientemente lejos como para que las luces de los faros no lo delataran. Y entonces empezó a pensar en algo. Quizás era un poco extraño pensar algo así en ese momento, pero no podía evitarlo: pensó en lo buenos que eran, sobre todo Hound, y en todo lo que sabían sobre los ciclos de las olas y las tormentas y en cómo habían sido los únicos en meterse en el agua el primer día de marejada, cuando él pensaba que nadie sería capaz de hacerlo, y en cómo Hound Adams había cogido aquella primera ola. Recordó los nombres escritos en el trozo de papel y por un momento se planteó por qué tenían que ser ellos.

Alguien apagó la luz de la planta de arriba y el encaje de sombras sobre la hierba desapareció. Aun así, todavía podía distinguirlos a través del seto. Hound se había puesto de pie y el otro estaba poniendo las tablas bajo la cubierta del porche. Hound se quedó allí un momento, solo, con los brazos en jarras y la vista fija en la oscuridad del patio, hasta que finalmente se dio la vuelta y entró en la casa. El golpe de la puerta al cerrarse resonó en la oscuridad. Ike esperó unos minutos más y luego se puso de pie. Tenía los pantalones manchados a la altura de las rodillas por la humedad del suelo y se los limpió con las manos. Retrocedió muy despacio por detrás del seto y regresó a la acera.

Ahora había otra luz encendida en la casa, en lo que parecía la cocina, y pudo verlos a través del cristal: Hound Adams y Terry Jacobs estaban sentados alrededor de lo que debía de ser una mesa, aunque era demasiado baja para que él pudiera verla. Todavía llevaban el torso desnudo y tenían la cara inclinada sobre lo que fuera que tuvieran delante. Por un momento Ike pensó de nuevo en lo que se le había ocurrido mientras estaba detrás del seto, pero luego esa idea se esfumó y su lugar lo ocupó el extraño sabor metálico del miedo. Mientras caminaba por la acera y pasaba por delante de la casa, se volvió a mirar una vez más. El ángulo ahora era distinto y podía verlos mejor. Los dos hombres estaban ligeramente encorvados hacia delante y la luz amarillenta confería a sus facciones un aspecto duro, como cincelado. De pronto sus caras le parecieron al mismo tiempo arrogantes y astutas, las de unos asesinos camuflados.

Un espasmo repentino le recorrió el cuerpo y se alejó a paso rápido, internándose en la oscuridad de la calle, en dirección a su apartamento. Una vez allí, a solas, siguió dándole vueltas a todo, incluida, también, Ellen Tucker. Aunque no pasaba un solo día sin que se acordara de ella, el trabajo y la marejada habían conseguido llenarle la cabeza con otras cosas. Sin embargo, esa noche no. Esa noche lo tenía todo bien presente, como le había sucedido durante la segunda semana, mientras arreglaba el depósito de Preston. La diferencia era que ahora ya los había visto, había puesto cara a los nombres de aquel trozo de papel. Pensó una vez más en lo que le había dicho el chaval, que con aquellos tipos no se jugaba y que necesitaba encontrar ayuda de verdad... Y, por primera vez desde que había llegado allí, se vio enfrentando de otra manera lo que Gordon le había dicho, lo de hacerse a la idea de que no volvería a ver a su hermana. Era como si las paredes del cuarto le susurrasen aquellas palabras, y peleó contra ellas toda la noche, hasta que las primeras luces del alba bañaron el agrietado revoque del techo. Y al final, tras despertarse de aquel sueño inquieto, con los ojos ardiendo e irritados igual que si hubiera atravesado una tormenta en el desierto, supo que aquellas palabras eran verdad. Lo supo con una certeza terrible, y con una angustia renovada pensó en el hombre que había visto hablando con Preston, el mismo tipo que había visto la noche anterior: Frank Baker. Tenía que ser él. Y se preguntó qué se habrían dicho el uno al otro aquella noche en el callejón, detrás de la tienda.

11

Se despertó un rato después con el sonido de unas botas en las escaleras. Preston no se molestó siquiera en llamar a la puerta, sino que entró directamente, y Ike se dio cuenta al instante de que había algo distinto en él. Se incorporó en la cama apoyándose sobre un codo y se restregó la cara con la mano. La principal diferencia, concluyó, era la camisa. Era el tipo de prenda que podría llevar un turista fondón junto a su cámara de fotos, con un absurdo estampado azul eléctrico de pelícanos y peces voladores, y era la primera vez que Ike lo veía vestido con algo que no fuera una mugrienta camiseta de tirantes. Seguía llevando sus botas de motero y los vaqueros grasientos, pero aquella camisa lo convertía en un hombre nuevo.

Aparte de la camisa, había algo más. Su cara tenía un aspecto limpio y sobrio, igual que el día que había venido a buscar el depósito, y llevaba otra vez el pelo húmedo y bien peinado hacia atrás, como si acabara de salir de la ducha. No dejaba de frotarse las manos y de moverse de un lado a otro.

—¡Venga, no te quedes ahí holgazaneando! —le dijo—. Vamos a pillar unas olas.

Ike se arrastró fuera de la cama y puso los pies sobre el suelo frío. El recuerdo de la noche anterior no lo había abandonado, y se sentía agotado, como si tuviera resaca, aunque no había bebido nada. Parpadeó con fuerza e intentó adaptarse al entusiasmo de Preston, que no parecía encajar bien con el resto de los elementos de aquella mañana, como si fuera más bien algo forzado y mecánico. Se apretó el puente de la nariz con los dedos, a la altura de los ojos, y la habitación se llenó de pelícanos azules y peces voladores.

—Venga, vamos —insistió Preston.

Ya no iba de aquí para allá, sino que estaba plantado delante de la cama de Ike, con los brazos en jarras, un gesto que a Ike le recordó a Hound Adams. La noche anterior en el porche, Hound Adams había adoptado la misma postura mientras miraba hacia la oscuridad en el patio. Por un momento pensó en contárselo a Preston, pero luego cambió de idea. Decidió que le seguiría la corriente a ver hasta dónde le llevaba aquello. Además, fuera forzado o no, nunca lo había visto tan contento, y por nada del mundo quería alterar ese estado de ánimo tan pronto. Se levantó y empezó a buscar sus pantalones cortos por la habitación, y en ese momento se acordó de que había quedado con Morris para ayudarlo a reparar la Shovelhead de Moon.

—Le prometí a Morris que le echaría una mano con otra Shovel —dijo.

Preston lo miró fijamente y se colocó las gafas de sol sobre el pelo.

—Pensaba que querías aprender a surfear.

—Sí.

—Pues que le den a Morris. Déjale que destroce él solo su Shovelhead. ¿Quieres ser un esclavo toda tu vida?

—Es la Shovelhead de Moon —respondió Ike.

Se sentó en el borde de la cama para ponerse los pantalones. Por fin había conseguido espabilarse y empezaba a contagiarse un poco del entusiasmo de Preston. Le sonrió:

—Pensaba que te habías retirado.

—Mierda. Lo que voy a retirar es tu culo si no te decides de una vez. Yo me voy a pillar unas olas. ¿Quieres venir conmigo o no?

Ike se puso de pie y se abotonó los pantalones.

—¿Adónde vamos? —preguntó.

Preston sonrió y se bajó otra vez las gafas.

—Al mejor sitio, campeón, al mejor sitio.

Una vez en la calle, Ike se sorprendió al ver aparcada una vieja camioneta Chevy. La camioneta estaba pintada de gris. Alguien había arreglado el parachoques y camperizado el vehículo, que tenía una cama. La luna trasera estaba adornada con un par de alas Harley-Davidson. Preston levantó la puerta trasera para que Ike pudiera meter dentro su tabla y fue entonces cuando vio la otra tabla y el equipo de camping. La tabla de Preston parecía vieja y tenía los cantos un poco amarillentos, y antes de colocar la suya encima se fijó en la pegatina de la parte de arriba: una ola dentro de un círculo y, debajo, la leyenda «Conectar con la fuente».

Condujeron toda la mañana y Ike no volvió a preguntar adónde iban. Se montó en el asiento del copiloto al lado de Preston y pusieron rumbo al norte, dejando atrás los pozos de petróleo y los acantilados donde Ike había cogido su primera ola. Preston bajó la ventanilla de su lado y dejó que el aire de la mañana les azotara las orejas. Era un aire limpio y frío, y Ike se alegró de sentirlo; por fin comenzaba a estar del todo despejado y despierto. Se preguntaba adónde estarían yendo y qué se traería Preston entre manos, y también pensaba en la tabla que había visto en la parte de atrás, pero no hizo más preguntas. Se limitó a observar la carretera que discurría a toda velocidad delante de ellos mientras los primeros rayos de sol comenzaban a perforar las luces grises del amanecer.

Solo hicieron una parada para tomarse un café en un pequeño puesto de dónuts situado en el lado del mar de la Coast

Highway. Se quedaron de pie, dando la espalda al puesto con los vasos de cartón en la mano, contemplando cómo las series de olas avanzaban sobre la superficie del océano muy por debajo de ellos. Luego, una vez de vuelta en la camioneta, Preston se asomó por la ventanilla y lanzó un aullido. «Va a estar muy bien, campeón», dijo, y después metió la cabeza y le dio un manotazo en la rodilla. Ike notó el calambrazo en la pierna; aunque Preston solo estaba de broma, el golpe dolía igual. Se quedó mirando la serpiente enroscada de su brazo y cómo desaparecía bajo la manga de aquella absurda camisa, y no pudo evitar preguntarse por qué estaban haciendo aquello. Le seguía pareciendo que había algo raro en la actitud entusiasta de Preston. Él quería hablar de Hound Adams. Quería preguntarle por el tipo rubio con el que lo había visto hablando en el callejón. Pero se contuvo, igual que había hecho antes en su habitación. No quería alterar el delicado equilibrio de la mañana, así que mantuvo la boca cerrada y la vista clavada en el salpicadero, donde había una llave oxidada colgando de un cordón de cuero atado a uno de los mandos. Luego miró afuera, a la mañana que se deslizaba a sus espaldas, y comenzó a disfrutar del viaje. Pensándolo bien, era prácticamente la primera vez en su vida que alguien lo llevaba a algún sitio, sin tener en cuenta todas las horas de coche que su hermana y él se habían chupado con su madre cuando eran pequeños, aunque aquello, pensó, no contaba. También se acordó de las salidas que Gordon hacía de vez en cuando para ir a cazar, a las que él siempre quería apuntarse pero sin éxito; Gordon le decía que era demasiado pequeño o demasiado enclenque. Se preguntó qué diría si lo viera ahora, sentado en aquella vieja camioneta con un par de alas Harley-Davidson en la luna trasera y un tipo como Preston al volante. Se irguió con la espalda recta en el asiento y apoyó el brazo en la ventana, como Preston. Pensó que igual le importaba una mierda adónde iban o por qué, al menos de momento. Joder, aquello era un viaje. Mejor relajarse y dejarse llevar.

A mediodía llegaron a Santa Bárbara. El sol caía oblicuo sobre los tejados rojos y las paredes encaladas de las casas de una calle llamada South State. Había muchos mexicanos y borrachines tomando el sol, y autoestopistas sentados a lo indio en las franjas de hierba que bordeaban la carretera. Preston encontró una cafetería mexicana muy deteriorada y pidieron burritos, arroz y una jarra de cerveza, y una mujer mayor, también mexicana, se la trajo junto a dos vasos sin pedirle el carnet a Ike.

—Echaremos la tarde en la ciudad —dijo Preston—. No quiero meterme hasta que sea de noche.

—¿De noche?

—Es el único problema de ese sitio. Las olas son geniales, pero es todo propiedad privada. Te pegarían un tiro en el culo si te pillaran surfeando por allí.

Ike sintió que los frijoles se le atragantaban y dio un trago largo a la cerveza para bajarlos. Preston se rio y mató la jarra de una sola vez, sin molestarse en servirse en el vaso.

Después Preston lo llevó a unos billares y luego subieron a lo alto de una colina tapizada de verde con un pack de seis cervezas para ver cómo el sol se hundía en el océano. Finalmente, Preston se puso de pie, se limpió las manos en los pantalones y lanzó una botella colina abajo. Esperaron a oír el sonido de los cristales rotos, pero el ruido se perdió en algún punto entre la brisa y el lejano rumor del mar, y no llegaron a oírlo. Preston se quitó las gafas de sol, las dobló y se las guardó en el bolsillo de la camisa.

—Bien —dijo—. Vamos allá.

Serpentearon entre colinas verdes, dando tumbos por el camino de tierra que bordeaba las crestas. Salió la luna, redonda y amarilla, y los guio entre las cimas. Tras doblar una curva se detuvieron de golpe enfrente de un gran portón de hierro. Preston cogió la llave que colgaba del salpicadero, guiñó un ojo y durante un segundo se la puso delante de la cara.

—Fíjate bien en esta auténtica reliquia —le dijo—. Se ha llegado a derramar sangre por una llave como esta. Tienes suerte de conocer a un tipo que todavía tiene una.

—¿Cómo la conseguiste?

Preston atrapó la llave con la otra mano y la ocultó dentro de su enorme puño.

—Ah, eso es cosa mía.

Se bajó de un salto de la camioneta y Ike lo oyó reírse por lo bajo a la luz de la luna.

Después de cruzar el portón condujeron otros diez minutos y luego se desviaron del camino y dejaron la camioneta en una especie de hondonada flanqueada por unos cuantos árboles dispersos y torcidos. La hierba allí era alta, les llegaba a la altura de la cadera y se mecía con un susurro suave que traía el olor del mar.

—Desde aquí seguiremos a pie —dijo Preston.

No era una noche especialmente fría, pero mientras Preston sacaba las cosas del maletero —dos mochilas llenas de comida enlatada y botellas de agua, más los trajes de neopreno y las dos tablas—, Ike se dio cuenta de que estaba tiritando. Cargaron con todo y echaron a andar a través de la hierba alta. Cuando llegaron al camino, Ike se volvió y vio que, desde ese punto, la camioneta quedaba completamente oculta a la vista.

La noche estaba cargada del sonido de los insectos, el aroma terroso de la salvia y la hierba, y el olor húmedo y salado del mar. La luna iluminaba el camino y derramaba un halo plateado sobre las briznas de hierba y los pulidos cantos de las tablas. Caminaron durante lo que a Ike le pareció una eternidad. Le dolían los brazos, y cuando por fin se detuvieron y descargaron todo, le dio la sensación de que se le habían dado de sí y cada uno medía medio metro más que antes. Desenrollaron los sacos de dormir y los extendieron entre las raíces de unos gruesos árboles situados en el lateral de una colina. A partir de ese punto el terreno descendía y se perdía en la oscuridad, entre los árboles.

Ahora tenían la luna justo encima; a lo lejos, Ike podía distinguir el ruido de las olas.

—Olas —susurró Preston—. Ha pasado mucho tiempo.

Y esa fue la primera vez en todo el día que le oyó decir algo que no sonaba impostado.

Por la mañana Ike descubrió que la cima de la colina era más alta y escarpada de lo que le había parecido de noche. Justo enfrente, una masa de árboles le tapaba la vista, pero un poco más hacia la izquierda el terreno descendía y revelaba otras colinas, tapizadas aquí y allí de campos de mostaza y flores silvestres, hierba verde y árboles oscuros, y un poco más allá estaba el mar.

En esta zona las playas eran distintas a las que Ike se había acostumbrado. Las de Huntington eran anchas y llanas, con una gama cromática reducida al mínimo. Estas eran salvajes, de colores exuberantes y variados. Una larga sucesión de colinas descendía hacia el mar y luego se quebraban para formar escarpados acantilados salpicados de marrones y rojos. Bajo los acantilados se abrían unas finas franjas de arena blanca con forma de medialuna y varios peñascos se adentraban en el Pacífico. No se oía el sonido del tráfico ni de voces, solo el canto de los pájaros, la brisa en la hierba y el ruido del oleaje rompiendo a lo lejos.

Se pusieron el bañador y el traje de neopreno con el fresco y vigorizante aire de la mañana y luego se arrodillaron en el suelo pedregoso, bajo los árboles, y enceraron las tablas. El olor de la goma y el coco se mezclaba con el de la tierra y la hierba.

—No hay viento y las olas son perfectas —le dijo Preston—. Surfearemos hasta las diez o las once, luego volveremos aquí para comer y dormir un poco y luego bajaremos otra vez hasta la puesta de sol.

Guardaron las mochilas y el resto de las cosas y empezaron a descender por la ladera. Más abajo, a lo largo del borde de la arena, Ike distinguió unos raíles que serpenteaban entre las colinas.

—Es un rancho —explicó Preston señalando con la mano en esa dirección—. A los dueños no les gustan los intrusos, pero, por lo general, por aquí no suele haber nadie, salvo alguno de los vaqueros que trabajan en él. O por lo menos así era en los viejos tiempos.

Lo miró y sonrió, y Ike tuvo la sensación de que algunos de sus dejes de motero se habían esfumado esa mañana. Quizá era solo por el traje de neopreno y la tabla, pero de repente le parecía imposible que aquel fuera el mismo hombre violento al que había visto destrozar un depósito de gasolina a puñetazos. Mientras lo guiaba entre la hierba alta, hablando de vaqueros y olas perfectas, le pareció mucho más joven, casi como un chaval de su edad.

—Los vaqueros pueden ser impredecibles —iba diciendo—. A veces no hacen una mierda y a veces sí. Una vez un amigo mío perdió la tabla y tuvo que nadar para ir a buscarla. Cuando salió del agua había un puñado de vaqueros esperándolo en la playa. Muy mal asunto.

Ike esperó a que dijera algo más, pero no lo hizo, y siguieron caminando en silencio.

Después de dejar atrás el arbolado, se detuvieron un momento y miraron hacia abajo. «Mira eso», le dijo Preston, y Ike lo hizo; la media luna de arena blanca sin una marca, el peñasco, las líneas de olas esperando a ser surfeadas: después de todo, quizá sí sabía a qué habían venido. Le tocó el brazo a Preston mientras seguían bajando.

—Gracias —le dijo—. Gracias por traerme.

Preston se limitó a reírse, sin detenerse, y su risa resonó entre las colinas.

Entraron en el agua a la altura de la mitad de la playa. Ike siguió a Preston, y una vez que atravesaron la zona de olas orilleras,

Preston orientó su tabla en dirección al pico. Por encima de ellos, el horizonte era una nítida línea azul. El sol brillaba en la superficie y el agua estaba tan limpia y cristalina que bastaba con mirar hacia abajo para ver los bancos de peces y los tentáculos de algas buscando la luz. Enseguida se pusieron a remar con fuerza, subiendo y bajando con la cadencia de las olas, y Ike comenzó a notar cómo el corazón le latía con fuerza contra la superficie de la tabla. Nunca había remado tan lejos ni en aguas como aquellas.

Finalmente, Preston se detuvo y se sentó a horcajadas sobre la tabla. Ike lo imitó y los dos se giraron para echar un vistazo a las verdes colinas y la franja de arena blanca de la playa. Todo parecía estar muy lejos. Desde ese punto podían abarcar un tramo de costa mucho mayor y Ike localizó una zona donde el follaje parecía mucho más denso. Estaba situada entre las colinas, y al principio lo único que distinguió fue la vegetación. Después vio una casa, no entera, porque la mayor parte estaba oculta entre el follaje, pero sí la esquina de un tejado rojo sobre un brillante destello blanco. Iba a preguntarle a Preston por la casa, pero él se adelantó y habló primero.

—De esto va todo —dijo—. Antes había sitios como este por toda la costa, ¿sabes?, y tú ibas y surfeabas con tus colegas. Pero eso ya no existe. Malditos constructores. Esa gente. Terminarán todos ahogados en su propia mierda, ya verás.

El esfuerzo de remar también lo había dejado sin resuello, como si llevara tiempo sin hacerlo. Hizo unos movimientos circulares con los hombros, giró el grueso cuello a un lado y a otro, y luego oteó el horizonte en dirección a la siguiente serie de olas que comenzaba a formarse a lo lejos. Ike se olvidó de la costa y comenzó a remar. Le daba la sensación de que todavía estaban muy lejos del pico, pero Preston lo detuvo.

—Quédate pegado a mí, figura, y colócate como yo te diga.

Ike hizo lo que le decía. Cuando las olas empezaron a llegar a su altura, Preston remó con fuerza hacia la izquierda, en dirección al centro del pico. Ike lo siguió. Cada ola que llegaba los levantaba un poco más alto y, cuando la sobrepasaban, una fina estela de espuma se desprendía del labio dibujando un arcoíris entre las gotas de agua. De pronto, Preston se volvió hacia él y le gritó: «¡Tu ola, campeón, dale duro!».

Ike giró la tabla y comenzó a remar y, casi al instante, sin darle apenas tiempo para pensar, notó la tracción de la ola. Podía oír a Preston gritando detrás de él. Podía oír el viento y un curioso sonido sibilante. Agarró los cantos de la tabla y se impulsó hacia arriba, y de pronto ahí estaba, de pie, con la enorme ola bajo sus pies, una gigantesca masa móvil que le impresionó por la altura y lo diferente que era de las olas pequeñas e irregulares que había cogido en Huntington. Comenzó a descender y a ganar velocidad, y el estómago le dio un vuelco. La pendiente de la ola ganaba verticalidad, convertida en una pared verdosa que parecía prolongarse hasta el infinito. Notaba la presión de la tabla debajo, como si estuviera en un ascensor que subiera a toda velocidad, y luego, de pronto, todo terminó. Intentó un pequeño giro en la base de la ola, pero uno de los cantos se clavó en el agua y la tabla pareció detenerse en seco. Salió catapultado hacia delante y rebotó sobre la cara y el estómago antes de hundirse, y entonces fue cuando el océano Pacífico entero se le vino encima. Perdió por completo la orientación con respecto a la superficie y se le llenó la cabeza de agua salada. Notaba la cuerda del invento que unía su tobillo a la tabla tirando de él y arrastrándolo bajo el agua. Intentó relajarse y no oponer ninguna resistencia, pero en lo único en que pensaba era en Preston encontrando su cuerpo entre las rocas, hinchado y descolorido y medio comido por los cangrejos. Empezó a dar brazadas con ambas manos, peleando por alcanzar la superficie, hasta que por fin lo consiguió. El mar se había convertido en una masa blanca y turbulenta a su alrededor y el sol bailaba entre la espuma, mientras él se esforzaba por coger enormes bocanadas de aire y parpadeaba para sacarse la sal de los ojos a la vez que contemplaba, maravillado, la belleza del cielo.

Se quedó flotando un rato en las aguas poco profundas, justo al otro lado de la rompiente de la orilla, pegado a la tabla, incapaz de decidirse: le aterraba salir del agua y encontrarse a unos vaqueros dispuestos a romperle el cráneo, pero también temía morir ahogado si daba media vuelta y remaba mar adentro. Podía ver a Preston a lo lejos, sentado sobre la tabla, y se dijo que el miedo a Preston se imponía a todos: el miedo a qué pensaría Preston si abandonaba. Giró la punta de la tabla en dirección al horizonte y comenzó a remar.

Vio que Preston cogía una ola y al principio sus movimientos le parecieron un poco entrecortados, pero aun así consiguió surfearla bien. Se deslizó y ganó altura y velocidad, y Ike pensó que en otra época debía de haber sido realmente bueno, quizá tanto como Hound Adams. Al final Preston pasó por encima del brazo de la ola al otro lado, así que para cuando llegó hasta él ya estaba otra vez esperando sobre la tabla. Mientras Ike se acercaba remando, Preston cogió agua con la boca y la soltó como un surtidor bien alto, como si fuera un ballenato, y luego le hizo una mueca y se rio.

—Lo conseguirás —dijo—, la próxima vez, acuérdate de girar, primero tienes que inclinarte hacia delante en la parte alta de la ola y luego pasar el peso al pie de atrás.

Surfearon hasta que el sol alcanzó su cénit. Para entonces, Ike tenía los brazos tan cansados que apenas podía sacarlos del agua. Pero había empezado a coger olas, remando delante de ellas, poniéndose de pie y logrando hacer el primer giro. Y se había dado cuenta de que los revolcones y las caídas no lo matarían, al menos no ese día ni con esas olas.

Hicieron lo que había dicho Preston: surfearon hasta mediodía, luego regresaron al campamento, comieron unas latas de melocotones, bebieron agua y después durmieron un rato a la sombra de los árboles, con las colinas y el océano desplegándose a sus pies. Luego, cuando el sol empezaba a ponerse, surfearon otra vez. El agua se deslizaba bajo sus tablas como una superficie de cristal pulido. En un momento dado, Ike se volvió y vio a Preston sentado sobre la tabla a más de cuarenta metros de distancia. El océano se había convertido en una masa oscura, y a su alrededor, los plateados rayos centelleaban y se desvanecían como veloces bancos de peces. En el horizonte, el sol había comenzado a derretirse, volviéndose rojo sobre un mar de tonos púrpura. La marea estaba baja y las olas rompían, oscuras y acendradas, contra la orilla, y de sus labios, que habían adquirido ahora una consistencia suave, se desprendía una fina estela de agua formando una sucesión de arcos dorados. Los arcos se recortaban contra el cielo, luego perdían consistencia y volvían a caer en el mar, dispersándose sobre la superficie como diminutas esquirlas de fuego. Había una cualidad cíclica en todo este proceso, en el juego de luces, en la cadencia del oleaje. El momento era increíble, y sintió que había algo que lo conectaba de forma orgánica con todo ello. La sensación venía acompañada de la conciencia de un nuevo mundo de posibilidades, de un ritmo nuevo. Le dieron ganas de reírse o de gritar. Levantó la mano y saludó a Preston a través de aquella masa oscura. Fue un saludo un tanto extraño, lleno de euforia infantil, el brazo entero extendido y la mano agitándose en el extremo. Y mientras lo observaba desde la distancia, Preston levantó también su brazo y le devolvió el saludo.

12

El sol se ocultó detrás de ellos. Ya estaba oscuro cuando remaron hacia la playa y Ike se arrodilló en la orilla para soltarse el invento. El agua ahora estaba templada y le golpeaba suavemente las piernas. A su lado, Preston le sonreía. Ike quería decirle algo, explicarle cómo se sentía, y quizá lo hubiera hecho si en ese momento el ruido de un motor no hubiera roto el silencio.

—Vaqueros —susurró Preston.

Volvieron a tumbarse sobre las tablas, apretando bien el estómago sobre su superficie en mitad del agua negra. Primero oyeron el motor. El sonido parecía llegar de varias direcciones a la vez, pero justo entonces vieron las luces. Una camioneta avanzaba dando botes por la zona más alta de la playa, cerca de los raíles que había en la base del acantilado. Ike oía la respiración de Preston a su lado. Observaron en silencio. La camioneta pasó de largo sin detenerse o dar la vuelta. En cuanto desapareció, iniciaron sigilosamente el ascenso por la colina en dirección a su campamento.

Hicieron un pequeño fuego, calentaron unas alubias y unos bollos de pan y hablaron de olas. Preston le habló de jornadas míticas y de días de tubos perfectos, de sitios como Cotton's Point, Swamies, Lunada Bay o el muelle de Huntington, y también de lugares lejanos donde nunca había surfeado, de las rompientes de Queensland y Sudáfrica, de los arrecifes de Nueva Zelanda. Le contó que había tipos que se ganaban la vida así, viajando y haciendo surf. Surfeaban en sitios como ese rancho todo el tiempo, no perdían el tiempo en lugares abarrotados.

—¿Y los profesionales? —preguntó Ike, que había visto anuncios de competiciones en las revistas.

—Sí, los profesionales también viajan. Es una manera de hacerlo. Pero eso es otra historia. Podrías hacer del surf tu oficio. Puedes ganarte la vida prácticamente en cualquier sitio e ir moviéndote, viajar y buscar las mejores olas. Y de todas formas así es como consigues ser uno de los buenos, surfeando en muchos sitios diferentes. Piénsalo.

Ike lo pensó y de pronto se le ocurrió que Preston no estaba tratando de convencerlo de que hiciera algo, sino más bien de que no hiciera otra cosa distinta. Estaba intentando persuadirlo de que no buscara a Ellen. Aquella certeza le llegó muy rápido, de forma muy intensa, e intuyó que Preston también se daba cuenta de ello, de lo que le estaba diciendo. Ike no contestó nada y entre los dos se interpuso el silencio.

Fue Preston quien finalmente se decidió a hablar.

—Bueno, supongo que también podemos hablarlo —dijo, y se incorporó.

Había estado recostado, apoyado sobre un brazo, y ahora se sentó con las piernas cruzadas y se quedó mirando las llamas. Se comportaba como si aquello fuera algo que le requiriese un enorme esfuerzo.

—He pensado en lo que me contaste —dijo, hablando muy despacio y todavía con la vista fija en el fuego— y hay un par de cosas que no me cuadran. La primera es la historia del chaval. Te dijo que tu hermana se fue a México con Hound Adams, Frank y Terry el verano pasado, ¿no?

Ike asintió. El humo soplaba ahora en su dirección y comenzaron a llorarle los ojos, irritados ya por el salitre y el sol.

—Vale, puede ser. Pero llevo bastante tiempo en H. B. y normalmente Hound Adams hace ese tipo de viajes en invierno, más o menos por Navidad. Cierra la tienda y se pira durante un mes o así. Entonces, ¿por qué el chaval te dijo que había sido en verano? Puede que hiciera otro viaje, sí, pero también puede tratarse de otra cosa. Escucha esto: resulta que sé que Hound Adams mueve un montón de droga. Y no es raro que haya humillado a alguien, sobre todo a un chaval. Así que suponte que eso es lo que pasó. ¿Qué iba a hacer el chaval al respecto? Desde luego, ir y patearle el culo a Hound Adams, no. Lo más probable es que no hiciera una mierda. Pero imagínate que conoce a esa chica, que la ha oído hablar del macarra de su hermano, y que luego ella desaparece y el chaval ve una oportunidad de causarle problemas a Hound Adams. ¿Entiendes a lo que voy?

Ike le dio una vuelta a aquello, a que el chaval se lo hubiera inventado todo. La hipótesis de Preston le parecía bastante endeble.

—No sé —dijo—. Es decir, ¿el chaval no habría pensado que...?

—Un momento, tío, un momento —lo interrumpió Preston, impacientándose y hablando ahora mucho más rápido, como si estuviera a punto de cabrearse otra vez—. No estás entendiendo lo que te digo. No estoy diciendo que pasara eso. ¿Cómo diablos voy a saber lo que pasó? Lo que estoy intentando decirte es que hay algo que me chirría en la historia del chaval. Lo que digo es que las fechas no cuadran. Y que no te creas cualquier mierda que oigas. La gente va a intentar colártela de mil maneras, ¿lo pillas? Sobre todo en esta ciudad. —Y, con un gesto brusco, señaló con el pulgar hacia los árboles de detrás, al sur, en dirección a Huntington Beach—. Todo el mundo se trae algún chanchullo entre manos. Si lo único que tienes es la historia de ese chico, vas mal.

—Pero ¿y si hubo otro viaje? ¿Y si el chico me contó la verdad?

—De acuerdo, supongamos que es verdad. Eso me lleva a la

segunda cosa que no me gusta. El día aquel en tu habitación me dijiste que tu plan era andar por ahí y tratar de localizar a Hound Adams, y en caso de hacerlo, intentar acercarte lo suficiente a él como para descubrir algo. Bueno, pues sin ofender, campeón, pero esa idea es una mierda. En mi opinión solo hay dos opciones. O tu hermana se ha mudado, algo que es muy probable, o le ha pasado algo malo. Pero pongámonos en lo peor. Pongamos que está muerta y que tú lo descubres. ¿Qué vas a hacer después? Necesitarás tener pruebas consistentes para que la policía se ponga con ello, y eso puede resultar muy complicado. A ver, no quiero asustarte, pero si de verdad se fue a México con esos tipos... —Se detuvo un momento y se frotó la mejilla con el pulgar—. Podría estar muerta y enterrada en mitad del desierto, tío. Nadie lo sabrá nunca. Supongo que ves adónde quiero llegar. A lo mejor te quedas rondando por Huntington Beach y a lo mejor te enteras de algo, pero hasta que no la encuentres no sabrás la verdad. Escucharás todo tipo de mierdas, pero solo serán historias y rumores, nada que puedas llevarle a la policía. Resulta que también sé que Hound Adams tiene amigos importantes, gente con pasta, el tipo de pasta que sirve para cerrar bocas.

Preston se interrumpió una vez más y cambió ligeramente de posición desplazando el trasero. Ike se fijó en que tenía una mancha oscura en el punto donde se había frotado la cara.

—La cuestión es —continuó— que si lo que ha sucedido es lo peor, probablemente nunca te enteres, y aunque lo supieras, no podrías hacer mucho al respecto. Bueno, podrías tomarte la justicia por tu mano. Esconderte una noche en algún tejado y lanzarle un ladrillo en la cabeza a Hound Adams. Con eso lo más que conseguirías sería pasarte una temporada en el talego, seguramente. —Se calló y miró a Ike a través de las llamas—. Yo he estado en el talego. No te gustaría.

Ike no dijo nada. Preston cogió un palo y atizó el fuego.

—Y hay algo más —continuó—, una última cosa, por si acaso

no has pensado en ella. Luego cerraré la boca. Me contaste que tu hermana se escapó. Entonces, si se fue por su propio pie, ¿cómo sabes siquiera que ella querría que la buscases? Tienes todas las de perder, hombre, se mire por donde se mire. Ya sea porque tu hermana está por ahí, en algún sitio, ella sola, y no te quiere cerca, o bien porque está muerta y entonces no puedes hacer una mierda al respecto. Sé que es un bajón, pero así es como lo veo yo. Y en cualquier caso, si tu hermana no está en Huntington Beach, ¿dónde diablos está? Joder, H. B. es una auténtica cloaca, si te quedas en ella el tiempo suficiente te acaba succionando. ¿Ves lo que intento decirte? No quiero sonar como si fuera tu viejo, solo intento aclararte un poco las cosas.

Preston se las había arreglado para coger el extremo del palo ardiendo y había empezado a jugar con él, comprobando cuánto podía acercar la mano a llama.

Mira —dijo, después de chamuscarse unos segundos la palma—, lo más inteligente que podrías hacer sería largarte. Y, desde luego, no tienes que preocuparte por el trabajo o por Morris. Joder, para empezar, no tendría que haber hablado con él. Creo que ese día estaba medio borracho. —Hizo una pausa y se encogió ligeramente de hombros—. Yo no me voy a ir a ningún sitio. Puedes seguir en contacto conmigo, y si aparece algo, puedo avisarte. ¿Cómo dijiste que se llamaba?

—Ellen.

—Ellen. —Preston repitió el nombre y luego metió otra vez el palo en el fuego.

Ike se tumbó boca arriba y cerró los ojos, sintiendo cómo el nombre de su hermana se quedaba flotando en el aire nocturno, sobre las llamas naranjas. ¿Qué había detrás de las palabras de Preston? Él mismo había dicho que todo el mundo se traía algún trapicheo entre manos. ¿Cuál era el suyo? ¿Por qué se había interesado por Ike? ¿Por qué lo había llevado hasta allí? ¿En realidad era tan sencillo como había explicado, que Ike le había hecho un favor y quería devolvérselo? ¿Solo intentaba despertar su interés por algo que lo mantuviera lejos de Huntington Beach y de un mal viaje? Le hubiera gustado creerlo, pero no le resultaba fácil. Aunque todo lo que le había dicho Preston fuera verdad, no era tan sencillo. Le debía algo a Ellen. Durante mucho tiempo, su hermana había sido lo único que había tenido. Y al final, cuando ella lo había necesitado, él no había estado ahí, al menos no de la manera correcta. Aquella noche en las llanuras su hermana lo había necesitado y él había dejado que otro tipo de necesidades se interpusieran entre ambos, y desde entonces nada había vuelto a ser lo mismo. Quizá, si en aquella ocasión se hubiera comportado de otra forma, las cosas no habrían terminado como terminaron. Y a lo mejor esa era la razón por la que había ido allí, no por lo que pensaba su abuela y no porque fueran familia, sino porque le había fallado y se lo debía. No podía renunciar tan fácilmente. Y por el momento, no estaba seguro de qué más le podía contar a Preston. Su sentimiento de culpa, pensó, era algo íntimo y privado.

Se quedó así tumbado durante un rato, en silencio, sin comentar nada sobre la oferta de Preston. Pensó de nuevo en lo que había visto en el callejón, Preston hablando con el surfista rubio. Pero el mero hecho de recordarlo en ese momento le pareció algo carente de sentido. Preston había dejado clara su opinión: Ellen se había mudado o estaba muerta. En cualquiera de los dos casos, no había mucho que él pudiera hacer. Desde luego, eran opciones que él mismo había barajado en su cabeza. Pero escucharlo le resultaba muy duro, quizá porque era la primera vez que se lo oía decir a otra persona. Cerró los ojos y trató de recuperar parte de la sensación electrizante que había tenido en la playa; pensó en las olas, en sus peinadas crestas rompiendo bajo las últimas luces del día, y en la sensación de camaradería que había nacido tras aquel día juntos. Volvió la cabeza y observó a Preston, que seguía sentado cerca de los rescoldos del fuego. La luz rojiza de las brasas le iluminaba tenuemente los brazos tatuados y la cara, inclinada hacia las ascuas. No era como los demás moteros que frecuentaban la tienda de Jerry. Podía ser agresivo y violento, como Ike había comprobado el primer día en el aparcamiento, pero había algo más en él, algo que, como sus ojos, no cuadraba del todo con el disfraz y la apariencia. En ese momento, sintió la necesidad de añadir algo:

—¿Por qué lo dejaste? —le preguntó—. ¿Por qué no te has ido a uno de esos sitios de los que me has hablado? Todavía podrías hacerlo.

Preston pareció pensar en ello un momento.

—Supongo que tiene que ver con desear que algo sea de una manera determinada —dijo—, y si no puede ser de esa forma, ya no te interesa en absoluto.

Ike reflexionó sobre aquello. Le hubiera gustado preguntarle qué era lo que había cambiado las cosas, pero no lo hizo. Supuso que no era algo por lo que debiera preguntar; era un asunto privado, igual que su sentimiento de culpa.

—Simplemente, ahora es distinto —continuó Preston—. Tengo demasiados buenos recuerdos, demasiadas olas buenas.

Removió las ascuas con otro palo. Ike lo observó allí encorvado, mirando las cenizas con los ojos entrecerrados, y por algún motivo no le pareció que Preston estuviera recordando los buenos tiempos. La mirada que le lanzó a Ike más bien parecía la de alguien que hubiera perdido algo y no viera la forma de recuperarlo. A lo mejor solo estaba cansado, pero le pareció que no todo se debía a eso. Y entonces le vino a la mente la sensación que había tenido el primer día: había algo en su cara, en sus ojos, que no estaba bien, un gesto en cierta medida desesperado, casi como si Preston tuviera miedo de algo. Y quizás era eso lo que no estaba bien. El miedo no cuadraba con ese cuerpo, como tampoco lo hacían sus ojos. Pero allí estaba. O quizá eran todo imaginaciones suyas, un producto de su mente sobresaturada. Pero no, no creía que fuera así, y de pronto se preguntó qué pensaría Preston si trataba de explicarle aquella sensación suya y le hablaba de ese momento determinado del día, cuando el silencio crecía hasta volverse sobrecogedor y la misma tierra parecía a punto de gritar. Y aunque no dijo nada, porque ese tampoco era el tipo de cosa que uno podía expresar con palabras, pensó que seguramente Preston no se habría reído como lo había hecho Ellen. Tenía la extraña impresión de que Preston lo habría entendido. Se tumbó otra vez y contempló el cielo, entrecortado por la sombra oscura de las ramas que pendían sobre su cabeza. Cerró los ojos y vio un número infinito de olas avanzando hacia él desde el lejano horizonte, y esperó a que rompieran y lo arrastraran al sueño.

En algún momento de la noche se despertó sobresaltado. No habría podido decir por qué ni cuánto tiempo llevaba dormido. El fuego se había extinguido, bajo la luz de la luna las cenizas parecían apagadas y frías. Se incorporó dentro del saco y echó un vistazo a su alrededor. El saco de Preston estaba desenrollado a unos diez metros, pero no había ni rastro de él. Escudriñó con atención la oscuridad que rodeaba el campamento y aguzó el oído, pero lo único que se oía eran los sonidos del bosque y el propio latido de su corazón. Notó que algo parecido al pánico crecía en su pecho. Se tumbó de nuevo y trató de controlar la respiración. Estaba seguro de que Preston volvería, a lo mejor solo había ido a mear. Se forzó a cerrar los ojos y finalmente se deslizó otra vez en el sueño. Cuando se despertó, el cielo clareaba ya en un tono gris y Preston estaba dormido cerca del círculo de cenizas.

El segundo día transcurrió de forma muy parecida al primero: surfearon hasta última hora de la mañana, luego comieron y durmieron un poco y después volvieron al agua hasta el ocaso. Vieron a unos cuantos vaqueros más, esta vez desde el agua. Iban en una camioneta roja por el borde de los acantilados. Remaron más allá de la punta, fuera del alcance de su vista, hasta que la camioneta desapareció.

Por la tarde, mientras Preston echaba la siesta, Ike exploró una porción del camino que dejaban a un lado cuando bajaban hacia la playa. En un momento dado, el sendero se bifurcaba, y un brazo descendía hacia el mar mientras el otro seguía ascendiendo en dirección a lo que Ike suponía que era el borde del acantilado que se cernía sobre la rompiente. No estaba seguro de que Preston hubiera aprobado su misión de exploración, pero no tenía intención de demorarse mucho y, por otra parte, ese trozo del camino seguía estando lejos de donde habían visto la camioneta de los vaqueros.

Era una tarde cálida. Los insectos zumbaban entre la maleza. Una brisa ligera corría entre la hierba alta y las colinas parecían mecerse suavemente al viento, cimbreándose como si tuvieran vida propia. Aquí y allá, la mostaza silvestre hendía de amarillo las vastas extensiones de hierba verde. Avanzó por el estrecho camino; en las zonas expuestas al sol notaba el suelo cálido y seco bajo sus pies desnudos, y frío y húmedo cuando zigzagueaba bajo las ramas retorcidas de los menudos y oscuros árboles que crecían en abigarrados grupos por toda la colina.

El camino no seguía durante un trecho demasiado largo y enseguida, tras emerger desde detrás de unos matorrales, desembocó en un amplio claro sobre el borde de un acantilado. En un primer momento avanzó y se expuso en mitad del claro, pero luego retrocedió y volvió a ocultarse entre la vegetación. Había algo inusual en aquel lugar y tenía la repentina sensación de estar violando un espacio privado. Se quedó de pie entre las sombras y desde allí observó el pedazo de tierra compacta y seca. En el centro del claro había un círculo de piedra. La tierra seca y la ligera elevación del terreno contribuían a dar la sensación de que, en ese punto, el suelo se alzaba hasta recortar un gran semicírculo de cielo. El hollín y la ceniza manchaban de negro las piedras del círculo, en las que había grabada una extraña serie de símbolos. Le recordaban a los que había visto bajo los acantilados y a los grafitis de las pandillas locales. Sin embargo, los círculos de los acantilados estaban hechos de hormigón. Este, con piedras sueltas, y cuando lo inspeccionó mejor vio que las piedras estaban ensambladas con mortero y que, en algunos puntos, la masilla parecía recién puesta, como si hiciera poco que hubieran construido aquello. Al fondo del claro, por detrás del círculo de piedras y en el límite más próximo al acantilado y el mar, vio que había restos de una excavación reciente, una especie de zanja, con montículos de tierra negra apilada a un lado.

Se adentró otra vez en el claro con la intención de examinar más de cerca la obra, que parecía aún en proceso, y al hacerlo se dio cuenta de que podía ver de nuevo la casa que había descubierto la primera mañana cuando estaban en el pico. Desde esa posición se veía mucho mejor y se quedó observándola un rato, mientras escuchaba el zumbido del aire cálido flotando entre los matorrales y el ruido del oleaje subiendo desde la playa que quedaba abajo. La casa seguía estando muy lejos, pero podía distinguir las ventanas y lo que debía de ser una terraza. Y, mientras observaba, divisó una manchita que parecía moverse por la terraza. ¿Una figura vestida de blanco? Sí, estaba seguro. Había una persona allí. Se escabulló rápidamente hacia el camino, con la esperanza de haber pasado desapercibido. Aguardó unos momentos, atento al ruido de las olas a sus pies. Era difícil ver algo desde aquella posición, pero no quería arriesgarse a salir otra vez al claro. Finalmente, se dio media vuelta y comenzó a bajar por el sendero de regreso al campamento.

Cuando llegó Preston estaba despierto y Ike le contó lo del claro, la casa y la diminuta figura vestida de blanco. Preston lo escuchó con el ceño fruncido y la vista clavada en el suelo mientras dibujaba círculos en la tierra con la punta de un palo.

—Hace mucho desde la última vez que estuve aquí —le dijo—. Las cosas han cambiado. A lo mejor ahora hay más gente.

Ike se preguntó si era inteligente quedarse. Habían visto vaqueros los dos días. Y había alguien en la casa.

—Pero todavía hay buenas olas —dijo Preston—. Un día más. Nos quedaremos un día más.

13

Al final del tercer día, Ike sentía que llevaban allí toda la vida. Tenía la piel quemada y tostada por el sol y el pelo todo enredado por el salitre y casi rubio en las puntas. Le dolían la espalda y los hombros de remar tanto, pero aquella sensación electrizante no lo había abandonado. Se sentía vivo de una forma nueva y más seguro de sí mismo que nunca. Todavía lo asaltaban ocasionalmente las dudas de por qué habían ido allí. Quizá la respuesta era sencilla, tal como había dicho Preston: habían ido por las olas.

La tercera jornada transcurrió sin incidentes. Habían acordado que se quedarían una noche más y se irían al día siguiente por la mañana. En cuanto acabaron de cenar, Ike se fue a dormir. Lo último que vio fue a Preston sentado junto al fuego, con un porro en los labios y el pelo negro suelto cayéndole sobre los hombros. Le recordó a algunos de los dibujos aerografiados que había visto en los depósitos de las motos y las portadas de las revistas. El gesto torvo bajo el pelo largo, los hombros y los brazos llenos de tatuajes e iluminados por la luz anaranjada del fuego. Parecía una figura sacada de un pasado remoto, un matador de dragones.

Tal y como le había pasado la primera noche, Ike se despertó en mitad de la oscuridad y se dio cuenta de que estaba solo. El

fuego se había extinguido y el saco de Preston estaba desenrollado pero vacío. Esta vez, sin embargo, tenía la sensación de
que lo había despertado un ruido. Aguzó el oído, pero solo distinguió el zumbido de los insectos y el lejano sonido de las olas.
Y luego, de pronto, lo oyó de nuevo: el ladrido de un perro. Se
desembarazó del saco y se quedó de pie en medio del pequeño
claro. No sabía muy bien qué hacer. Se puso las zapatillas y fue
hasta el extremo del campamento, donde el camino se bifurcaba
y por un lado bajaba hacia la playa y por otro ascendía en dirección al claro. ¿A lo mejor Preston había ido a echar un vistazo
por allí? ¿Sería una estupidez marcharse y dejar el campamento?
Muy por encima de los árboles, una media luna colgaba del
firmamento. Oyó otra vez el ladrido del perro. Llegar hasta el
claro no le llevaría mucho tiempo. Echó a andar por el camino
y justo en ese momento oyó un sonido nuevo: una voz. Era la
voz de un hombre rasgando la noche. Empezó a correr.

Por algún motivo, el camino parecía más largo de noche. Con
frecuencia las ramas de los árboles bloqueaban el paso de la
poca luz que había y en un momento dado se golpeó con una
que había, cruzada en mitad del camino. Apartó la cara en el
último segundo, pero aun así, la dentada rama le rasgó la piel
de la mejilla. Notó el sabor de la sangre en la boca y un pitido
en la cabeza, y se detuvo para descansar un poco, con las manos
apoyadas en las rodillas. Volvió a oír la voz. ¿Era la misma?
¿O esta venía de detrás, acorralándolo? No estaba seguro. Le
dolía la cabeza. Oyó otra vez el ladrido del perro y luego una
voz, seguida de otra, y de pronto la noche pareció inundarse de
sonidos y violencia. Una luz brilló entre los árboles, en el lado
del camino que daba hacia el interior, un solo punto blanco que
saltaba, aparecía y desaparecía: alguien corriendo. Ike agachó
la cabeza y también echó a correr, esta vez presa del pánico,
sin atreverse a regresar al campamento, la respiración agitada

y quemándole en el pecho. Subió por un tramo escarpado que no recordaba y de pronto desembocó en el claro, al borde del acantilado. Preston estaba allí, pero no estaba solo.

Se encontró a Preston casi de frente, de espaldas al acantilado, y entre Ike y él se interponía otro hombre. Era corpulento, de hombros anchos, con una cabeza enorme y el pelo negro, y durante un momento absurdo Ike se quedó allí de pie, atónito y boquiabierto, como un conejo sorprendido por la luz, con los ojos muy abiertos y una mirada estúpida, mientras trataba de recordar dónde había visto esa espalda y ese pelo, y cayendo en la cuenta de que era la misma espalda que había seguido por las calles de Huntington Beach tres noches antes. Y mientras seguía ahí plantado, tratando de recordar y estableciendo la conexión, Terry Jacobs y Preston se lanzaron uno contra el otro en mitad del espacio vacío del claro. Se oyó un ruido seco muy fuerte, insultos y gemidos, y luego los dos hombres cayeron al suelo. Forcejearon tratando de incorporarse, Jacobs doblado por la cintura, Preston haciéndole una especie de llave a la altura de la cabeza, con un brazo por debajo de su barbilla para dejarlo sin aire, y el otro cogiéndole el cuello por detrás en un esfuerzo desesperado por liberarse. En uno de esos bruscos movimientos Terry tiró a Preston al suelo y lo lanzó de espaldas contra el círculo de piedras. El impacto contra las piedras fue tremendo y Ike se estremeció de dolor al verlo. Pero Preston no lo soltó, siguió empujando, arqueando la espalda y presionando el hombro contra la garganta de Jacobs. Ike lo oía jadear y escupir, luchando por coger aire, y luego empezó a oír otra cosa también: voces, voces en el camino que discurría ahora por debajo de él, y aunque le daba la impresión de que Preston iba a ganar la pelea, todo transcurría demasiado despacio. Se quedaba sin tiempo.

Tenía la impresión de que hasta ese momento ninguno de los dos hombres había advertido su presencia en el claro. Echó a correr hacia el círculo de piedra, con la intención de alertar a Preston, sin atreverse a gritar, y vio cómo este se giraba y lo miraba por encima de la enorme y curvada espalda de Terry. Tenía el rostro contraído en una mueca y la sangre le corría por uno de los lados, justo por debajo de un ojo hinchado.

—Venga, haz algo, joder —le siseó con los dientes apretados—, una piedra, lo que sea.

Las voces estaban cada vez más cerca. Ike miró nerviosamente a su alrededor y fue entonces cuando vio al perro. Estaba tumbado de lado cerca del borde del acantilado, muerto. La mandíbula le colgaba, abierta y, entre los dientes, blancos bajo la luz de la luna, le asomaba la lengua oscura. La sangre había formado un charco bajo su cráneo y cerca de él se veían los restos de una pala rota. Ike miró al perro y miró la pala. Por algún ridículo motivo le daba miedo acercarse al animal. Uno de sus ojos muertos lo miraba fijamente bajo la luna. Oyó cómo Preston lo maldecía. Oyó voces y el sonido de las olas barriendo la oscuridad más allá del acantilado. Junto al círculo de piedra localizó unas cuantas rocas negras del tamaño de un balón de fútbol, algunas un poco más grandes. Cogió una. Pesaba bastante. Era la primera vez en su vida que iba a intentar hacer daño a otra persona. ¿Dónde iba a golpearle? Levantó la roca con las dos manos y se la lanzó a Terry a la altura de la cadera. El golpe fue seco y luego la piedra rodó hasta el suelo. Terry Jacobs lanzó un gruñido y se dejó caer sobre una rodilla. Preston aflojó la presión, se separó de él y le dio dos puñetazos rápidos, uno en la sien y otro detrás de la oreja. Se oyeron unos chasquidos agudos. Terry salió despedido hacia delante y fue a dar contra las piedras del círculo, pero no hizo ningún esfuerzo por levantarse, sino que se quedó allí apoyado, respirando con dificultad. Preston atravesó el claro, cogió a Ike de un brazo y lo empujó hacia la hierba alta y un escarpado barranco, por el que se deslizaron a trompicones, cortándose los brazos y las manos con las afiladas rocas y las ramas de los árboles. Finalmente se tumbaron en el suelo, uno junto al otro, con el olor de la tierra y la hierba pegado a la cara, mientras oían las voces por encima de ellos y un haz de luz blanca rasgaba la noche e iluminaba las ramas que pendían sobre sus cabezas.

Iniciaron el descenso muy poco a poco, agarrándose a todo lo que tenían a mano para no resbalar demasiado deprisa y evitar hacer ruido, hasta que llegaron a un camino estrecho y pedregoso, y Ike oyó que Preston le susurraba algo:

—Vale —respiraba con dificultad—, esto es igual que cuando estamos en el pico. Tú quédate pegado detrás de mí. Haz lo que te diga. Vamos a tener que olvidarnos de nuestras cosas, ¿entendido? —Preston tenía la cara casi pegada a la suya, sus pálidos ojos fijos en él—. ¿Crees que podrías encontrar la camioneta tú solo?

Ike empezó a decir que no estaba seguro, pero Preston lo hizo callar con un gesto de la mano.

—Olvídalo —le dijo con un hilo de voz en mitad de la oscuridad—, limítate a quedarte bien pegado a mí.

Ike habría sido incapaz de precisar cuánto tiempo tardaron en llegar hasta la camioneta, pero le pareció que habían ido a buen ritmo. Las voces cada vez se oían más lejos, hasta que terminaron por extinguirse. El motor arrancó haciendo un ruido terrible, pero finalmente enfilaron el intrincado camino de tierra dando tumbos, con las luces apagadas, saltando por encima de los baches que, en la oscuridad, eran imposibles de distinguir. Preston daba bruscos volantazos y maldecía en alto, con sus enormes brazos girando el volante primero a un lado y luego al otro, tratando de ver algo con el ojo bueno y mirando por el retrovisor cada poco.

—Mierda —oyó que decía—, creo que he visto unos faros ahí detrás. Creo que nos siguen. —Y con una mano encendió las luces.

Los faros iluminaron el camino y Preston aceleró, lanzando la camioneta entre derrapes y saltos. Ike salió despedido, se golpeó las rodillas contra el salpicadero e hizo un agujero con la cabeza en lo que quedaba de la tapicería que revestía el techo. Bajó la ventanilla para poder sujetarse mejor a la puerta y se mantuvo así aferrado hasta que, por fin, llegaron a un tramo llano y oyó cómo Preston cogía aire. Ike escudriñó a través del parabrisas, más allá del bamboleante capó, y pudo ver el portón. Estaba abierto de par en par, y al otro lado el camino estaba despejado. Lo atravesaron. Cinco minutos después, llegaron a la carretera asfaltada. No los seguía nadie.

—Maldito estúpido —se maldijo Preston—, maldito estúpido. Prácticamente me he plantado delante de Jacobs y ese puto perro. Hay que ser gilipollas.

Al amanecer ya estaban en la autopista rumbo a casa.

14

El viaje de vuelta lo hicieron prácticamente en silencio, Ike absorto de nuevo en el pálido paisaje de Huntington Beach, aún más plano y descolorido de como lo recordaba después de haber pasado unos días en el rancho. Al otro lado de la carretera, el Pacífico era como un mar de plomo bajo el resplandor del mediodía. El oleaje, grueso y plúmbeo, estaba ventado con espumas que batían con rabia, iluminadas por aquella luz.

Durante todo el trayecto estuvo dándole vueltas a la pelea, tratando de entender lo que había pasado. Aun así, hasta que no llegaron a las afueras de Huntington Beach no reunió el valor suficiente para decirle nada a Preston, que llevaba todo el viaje de un comprensible humor de perros. A Ike todavía le dolía la mandíbula después del golpe con la rama, y estaba seguro de que a Preston la suya le dolía mucho más. Se había ofrecido a conducir un rato, pero Preston se había limitado a negar con un gesto. Y cuando Ike finalmente se decidió a preguntarle qué hacía Terry Jacobs en el rancho, lo único que le dijo fue que no tenía ni idea y que dejara de darle vueltas a la puta cabeza.

—Lo que deberías estar pensando es en largarte de aquí de una puñetera vez —añadió.

Iban sorteando a toda velocidad el tráfico del mediodía. Preston conducía con una mano en el volante y la otra asomada por la ventanilla, y en ese momento aprovechó para hacerle una peineta a un tipo que llevaba el coche cargado de niños y que se había incorporado al carril delante de ellos.

—No sé si Jacobs llegó a verte ahí arriba, pero te aseguro que no es de los que dejan pasar algo así. Más mierda añadida a este asunto, cuenta con ello. Si te ve por la calle va a ir a por ti, campeón, y puede que yo no esté ahí para impedírselo.

Ike trató de recordar si Jacobs lo había visto o no. Estaba bastante seguro de que no. Era de noche y Terry tenía la cabeza pegada al suelo. Se lo dijo a Preston.

—Piensa lo que quieras, es tu problema —le contestó.

Preston había llamado «cuchitril» al Sea View, pero a Ike su casa no le pareció mucho mejor. Lo primero que vio cuando el coche redujo la velocidad fueron un par de dúplex con dos andrajosas palmeras y un trozo de césped ralo delante. Los dos apartamentos tenían el mismo revestimiento de estuco, de un turquesa totalmente desvaído por el efecto del sol, que combinaba terriblemente mal con un edificio industrial muy grande de color anaranjado que se erigía justo detrás, al otro lado de un estrecho callejón.

Ike decidió intentarlo una vez más.

—Dime solo una cosa. ¿Qué estabas buscando en el rancho?

Habían aparcado enfrente de los dúplex. Preston estaba sentado con las dos manos apoyadas en el volante. Se volvió para mirarlo e Ike pudo observarlo bien por primera vez. Su aspecto lo conmovió: parecía mortalmente agotado, tanto que Ike se arrepintió de haberle preguntado nada.

—Eres un jodido cabezota, ¿eh? Te llevé al rancho porque quería enseñarte algo. Eso es todo —dijo, y lo zanjó con un gesto de la mano—. Lo demás es asunto mío. Pero te diré una cosa: no tengo ni idea de qué hacía Terry Jacobs allí arriba. Aunque no es tan raro encontrarse a alguien de por aquí, de vez en cuando la gente se cuela para hacer surf. Eso pasa desde hace mucho tiempo. Pero no sé qué estaba haciendo ese hijo de puta. Me levanté a echar una meada y decidí acercarme a ver el sitio del que me habías hablado. Y joder, me topé con él de pleno en el camino. Con él y con ese maldito perro.

Preston levantó un brazo y le enseñó un mordisco con muy mal aspecto, amoratado y tumefacto.

—Mierda, alguien debería echarle un vistazo a eso.

Preston bajó el brazo y abrió la puerta del coche.

—Mira —dijo—, tienes un problema, eso lo pillo. Pero ya te he dicho lo que haría yo. Y ya está, tío, ¿lo entiendes?

Ike esperó un momento antes de contestar. Él también estaba agotado y el dolor de la mandíbula comenzaba a extendérsele por toda la cabeza.

—Es mi hermana —dijo finalmente.

Preston apartó la vista y bajó del coche.

—Ya, sí —oyó que decía—. Es tu maldita hermana.

Ike supuso que Preston ya había conducido bastante por ese día y que le iba a tocar volverse caminando al Sea View. Salió del coche y se quedó de pie sobre el estropeado césped mientras la puerta se cerraba con un portazo a su espalda. Luego caminó hasta la acera y observó cómo Preston se alejaba despacio, con el mismo paso rígido y agarrotado que solía tener Gordon después de una mala noche. Se dirigía hacia los dúplex por el estrecho camino de cemento, pero, en un momento dado, se detuvo y volvió la cabeza. Tenía el ojo muy hinchado y alrededor la piel había adquirido un tono violáceo.

—Siento que tuvieras que dejar tu tabla —le dijo.

Ike se encogió de hombros.

Preston contrajo la cara en una especie de sonrisa torcida.

—Menos mal que al final apareciste con esa maldita piedra. Por un segundo pensé que ibas a dejarme tirado.

—No —dijo Ike—, nunca haría eso.

Preston asintió y echó a andar de nuevo. Ike lo observó alejarse. Ya casi había llegado a la puerta cuando de uno de los apartamentos salió una chica delgada de pelo castaño que Ike no había visto nunca. Se detuvo en cuanto vio a Preston. Ike estaba demasiado lejos como para entender lo que se decían, pero vio que cruzaban unas cuantas palabras. La chica se llevó la mano a la cabeza. Preston pasó a su lado rozándola, entró en el apartamento y cerró de un portazo. Por un momento, la chica y Ike se miraron, y luego él dio media vuelta y echó a andar. Aún no había llegado a la esquina cuando oyó que alguien lo llamaba. Se giró y vio que era la chica, que venía corriendo hacia él a través del césped.

La vio aflojar el paso a medida que se acercaba. No era muy alta y la delgadez la hacía parecer más joven, pero calculó que probablemente rozaría la treintena. Tenía el pelo liso y fino, y la brisa vespertina se lo agitaba levemente por encima de los hombros. Ike se sintió incómodo; estaba convencido de que empezaría preguntándole qué había pasado.

—Tú debes de ser Ike —le dijo cuando llegó a su altura.

—Sí.

—Me llamo Barbara.

Ike asintió. Se quedaron mirándose un momento. Tenía los ojos oscuros, casi del mismo tono castaño que el pelo, y le pareció que la boca, con los labios sin pintar apretados en una firme línea, añadía cierta dureza a sus rasgos. Aun así, no dejaba de ser atractiva. Se puso una mano en la cadera, como para recuperar el resuello después de la corta carrera, y sonrió un poco. Llevaba una camiseta de tirantes azul pálido y los pechos se le marcaban claramente por debajo. Ike se dijo que tenía pinta de ser una chica «con experiencia», como habría dicho su abuela.

—Vamos, deja que te lleve a casa —le dijo—. De todas formas tengo que ir a aparcar la camioneta.

A Ike le daba un poco igual que lo llevaran o no. Hubiera preferido estar solo, pero por algún motivo no encontró fuerzas suficientes para negarse. Dio media vuelta y la siguió hasta la camioneta. Además de la camiseta azul llevaba unos pantalones cortos de color blanco. Las piernas, delgadas pero bien torneadas y morenas, destacaban contra el blanco de los pantalones y le recordaron a las de su hermana.

—Te alojas en el Sea View, ¿no?

—Sí.

—Preston me ha hablado de ti. Hiciste un buen trabajo con su moto.

Ike se montó en la camioneta. Se le hacía raro verla a ella al volante en lugar de a Preston. Tenía los brazos delgados y esbeltos, y en uno de ellos llevaba un brazalete de plata. Se fijó en que tenía un modo gracioso de levantar la cabeza mientras conducía, como si fuera demasiado bajita para ver por encima del volante, aunque no lo era.

—Preston también dice que eres un buen mecánico.

Ike se esforzó por sonreír. Se puso las manos sobre las rodillas y observó las casas que pasaban deslizándose a su paso bajo la luz de la tarde. Resultaba difícil creer que tan solo unas horas antes hubiera estado sentado en esa misma camioneta, dando tumbos por un camino de tierra y temiendo por su vida.

Hasta que no estuvieron aparcados enfrente de los apartamentos de Ike, Barbara no se decidió a preguntarle lo que él sabía que le preguntaría:

—¿Fue una pelea?

Ike asintió. No tenía claro cuál era la respuesta que hubiera preferido Preston.

Ella sacudió la cabeza y permaneció sentada con las dos manos en el volante. Ike se incorporó y abrió el pestillo de la puerta. Sacó una pierna y dejó el otro pie apoyado en el estribo.

—Lo sabía —dijo ella—. Mierda. —Se giró hacia Ike y él vio que estaba molesta—. No sabes lo que me alegré cuando me dijo que se iba a hacer surf. Me pareció una buena señal. Llevaba muchísimo tiempo sin hacer algo así. Y confiaba en que todo fuera bien.

—Y al principio fue bien, los dos primeros días. No fue culpa de Preston. Unos tipos nos asaltaron.

—¿En el rancho?

—¿Conoces el rancho?

—El rancho Trax, sí, claro. Lleva ahí toda la vida. Cuando estaba en el colegio los chicos ya iban ahí a hacer surf. Había que colarse o algo parecido. Aunque no sabía que la gente seguía yendo hasta que le oí a Preston hablar de ello el otro día. —Se detuvo y lo miró—. Fue toda una sorpresa, la verdad, y... no sabría explicarlo, pero me entraron muchas ganas de conocerte. O sea, hace mucho tiempo que nadie convence a Preston de que coja la tabla. Y parecía ansioso por ir. —Hizo otra pausa y sacudió la cabeza—. Debería haberme imaginado que algo terminaría por estropearlo todo.

Ike se retorció en el borde del asiento. A lo lejos, vio un par de pequeños mirlos picoteando el césped del Sea View.

—No fue culpa suya —repitió.

Dudó si preguntarle algo más sobre el rancho, pero decidió no hacerlo. Era mejor esperar a hablar otra vez con Preston.

—Lo siento —dijo ella—, no quiero entretenerte.

Ike se bajó de la camioneta. Tenía la sensación de que debía añadir algo, pero no se le ocurría qué decir.

—No pasa nada. Gracias por traerme.

Ella asintió.

—A lo mejor puedes llevártelo a hacer surf otra vez. Estaría muy bien verlo interesarse por algo más que por su moto. Era bueno, ¿sabes?

—Y sigue siendo bastante bueno, lo vi en el rancho.

—Ya, pero lo que te digo es que era realmente bueno, ganaba competiciones y demás. Y tenía una tienda de surf en Main Street. ¿No te lo ha contado?

—No.

Ella se encogió de hombros.

—No, claro. Nunca le cuenta nada a nadie. Pero tenía una tienda, sí, con Hound Adams.

Ike se quedó parpadeando hacia el interior de la camioneta. Tenía la misma sensación que el primer día que había puesto un pie en la ciudad, como si la luz lo atravesara y él corriera el riesgo de desaparecer.

—¿Preston y Hound Adams?

Repitió los nombres despacio, para asegurarse de que había entendido bien. Por lo visto, Preston no le había contado a Barbara qué hacía Ike en la ciudad ni le había hablado del trozo de papel con los nombres.

—Era el mejor, el héroe local —dijo ella—. Vente un día a casa y te enseño su álbum de recortes. —Se quedó mirándolo—: Venga, sé que estás hecho polvo. Pero pásate un día, ¿vale? —Pisó el embrague y encendió el motor.

—Vale, lo haré.

Ike se quedó de pie en el bordillo viendo cómo se alejaba. Luego subió con gran esfuerzo las escaleras y cuando por fin llegó a su habitación se tumbó en la cama. Pero era incapaz de no pensar en lo que le había dicho Barbara; cerró los ojos y se vio otra vez en el rancho, con la pesada piedra en las manos. No podía dejar de preguntarse de qué iba todo aquello.

15

Tres días después, seguía sin entender nada y tampoco había vuelto a ver a Preston. La tarde declinaba; hacía calor, pero desde el océano soplaba una agradable brisa. Ike estaba sentado en el porche del Sea View hablando con las dos chicas que le habían pedido papel, la bajita de pelo castaño y la rubia alta. Se llamaban Jill y Michelle. Ike tenía la impresión de que, ahora que le había crecido un poco el pelo y surfeaba con un tipo como Preston, ya no tenía tanta pinta de marine y por eso podían dejarse ver hablando con él. Sin embargo, la conversación no daba para mucho, y solo parecían interesadas en conocer chicos guapos y pillar droga. Ike sospechaba que compartían un solo cerebro. Aun así, le intrigaba un poco Michelle, la rubia con la que había hablado el día que había comprado la tabla. Le atraían sobre todo sus larguísimas piernas, tan sexis, y le gustaba cómo le sonreía, siempre mirándolo a la cara con sus ojos verdes salpicados de manchitas color miel. En uno de ellos se apreciaba una marca oscura que, según le dijo, se había hecho de pequeña al golpearse con un palo. Lo que más le interesaba de todo, sin embargo, era que conocían a Hound Adams, o al menos sabían quién era. Sabían, por ejemplo, que era camello. Y también dónde vivía. Según le contaron, ellas dos se habían escapado de casa y habían llegado a la ciudad solo unas pocas semanas antes que él, aunque parecía que les había dado tiempo a moverse bastante. De hecho, hasta habían estado en una fiesta en casa de Hound Adams, y estaban casi seguras de que Hound le había echado el ojo a Michelle. Aquel tema parecía ser una fuente infinita de especulaciones entre ellas, más cuando tenían público, y Ike estaba encantado de complacerlas. Se había enterado de más cosas sobre Hound Adams en un par de minutos de charla intrascendente con Jill y Michelle que tras varios días tratando de sonsacarle algo a Preston. Y había sido todo de forma casual, simplemente estaba delante cuando Jill había mencionado el nombre. La facilidad con la que había sucedido todo lo demás era casi pasmosa. Y ahora se planteaba incluso la posibilidad de que cuando Hound Adams diera otra fiesta e invitara a Jill y Michelle, Ike pudiera acompañarlas. Si se presentaba la oportunidad, iría sin dudarlo. Y eso, servir de público a Jill y Michelle y tratar de sonsacarles más información, era lo que estaba haciendo aquella tarde cuando se produjo la pelea.

Oyó el ruido de la camioneta de Preston —el chirrido de la caja de cambios, el sonido de los neumáticos sobre el asfalto— antes de verla siquiera. Luego levantó la vista y observó cómo se detenía de un frenazo delante del Sea View, con una breve sacudida antes de apagarse el motor. Barbara se bajó del vehículo y cruzó el césped corriendo en dirección a él.

—Preston se ha metido en una pelea —dijo, casi sin aliento—, en el centro. No quería ir hasta allí yo sola.

Ike se montó con ella en la camioneta.

—Me ha llamado Morris —le explicó Barbara—. Se ha metido en una pelea con un cuchillo o algo parecido; la Policía ya está allí.

Estaba a punto de echarse a llorar y Ike tuvo miedo de que chocaran con algo. Se saltó la señal de stop de Main Street y finalmente aparcó delante de un bar llamado Club Tahiti.

Había una multitud congregada en la acera. Dos coches de la policía estaban atravesados en la calle y a lo lejos se oía el ruido de una sirena acercándose. Barbara bajó de un salto de la camioneta y se metió corriendo entre la gente. Ike la siguió. Estaba asustado y se sentía inútil. Por un momento la perdió de vista. Cuando la localizó de nuevo, Barbara ya había conseguido abrirse paso a empujones hasta la puerta del bar, donde un policía la tenía agarrada por el brazo. Ike se adelantó empujando a su vez, llegó hasta ella y la asió por el otro brazo. El poli le estaba diciendo que tenía que quedarse fuera. «Está bien», dijo Ike. Trató de decirlo lo bastante alto como para que el agente lo oyera también a él, y rodeó con un brazo los hombros de Barbara. El policía los dejó y se volvió hacia la puerta. Ike podía notar el cuerpo de ella temblando contra el suyo.

Más tarde recordaría haber percibido muchas cosas a la vez: la sensación de que a él también le temblaban las piernas, la acidez en la boca del estómago, el miedo y, al mismo tiempo, la clara conciencia del cuerpo de Barbara, la fría suavidad de su muslo presionando el suyo y el aroma de su pelo. Y entonces, desde el interior del bar llegaron más voces y ruidos, y de pronto vio aparecer la cabeza de Preston. Iba custodiado por dos policías con casco, uno a cada lado, y el grupo cruzó la puerta a empellones. Vio que Preston sangraba otra vez a la altura del ojo tumefacto. Llevaba la camiseta de tirantes y los vaqueros, pero las gafas de sol habían desaparecido y tenía las manos esposadas a la espalda. A medida que avanzaban, Ike y Barbara fueron empujados a un lado. Preston pasó a escasos centímetros de ellos, pero no giró la cabeza. Tenía la vista clavada al frente y los ojos ligeramente levantados hacia el cielo. Ike no supo si los había visto o no.

El sonido de la sirena se volvió más agudo y se entremezcló con el chirrido de los neumáticos, hasta que una ambulancia se detuvo en mitad de Main Street. El sol comenzaba a ocultarse detrás de los edificios. La brisa soplaba con más fuerza y unos bancos de niebla vespertinos comenzaban a extenderse por las aceras procedentes del mar. Cada vez se congregaba más gente, pero Ike y Barbara habían conseguido quedarse delante, en el semicírculo formado frente a la puerta del bar. Una pareja de sanitarios se abrió paso entre ellos y entró en el local. Durante un momento la puerta permaneció abierta, pero dentro estaba tan oscuro que no alcanzaron a ver mucho. Una bocanada del tufo frío y rancio a cerveza derramada y tabaco se escapó hacia el exterior. Ike podía distinguir las luces de colores de una gramola, la esquina de una mesa de billar y unas cuantas siluetas oscuras moviéndose apresuradamente de un lado a otro. Luego la puerta se cerró en sus narices. Era una puerta de madera maciza llena de marcas y golpes. Un pequeño cartel en la parte superior decía: «Prohibida la entrada a menores de veintiún años».

Durante un rato no sucedió nada más. Ike podía oír a la multitud apiñada y murmurando a sus espaldas. Barbara continuaba pegada a él y todavía temblaba. En realidad no tenía muy claro por qué seguían allí. En un momento dado había echado un vistazo a la calle, pero Preston se había esfumado detrás del gentío. Sin embargo, sospechaba que ya se lo habían llevado, porque también había visto encenderse las luces rojas de la sirena de un coche de la policía que bajaba por Main Street. Pero era difícil zafarse de la multitud, así que se quedaron allí esperando con el resto. Detrás de ellos podía oír a más policías tratando de dispersarlos. La mayor parte de la multitud eran niños, también había unos cuantos moteros y gente que volvía de la playa con las toallas y las hamacas, muchos de ellos descalzos y sin camiseta. Cuando ya empezaban a moverse, la puerta del bar se abrió de nuevo. En esta ocasión ya no se cerró, y de dentro del local empezaron a salir varias personas. El primero en aparecer fue Morris, con un policía que lo sujetaba de un brazo. Los miró un momento y sacudió la cabeza dando a entender que la cosa se había puesto fea. Después aparecieron los enfermeros. Iban medio agachados y avanzaban rápido con una camilla sobre la cual había, suspendido, un gotero. El murmullo de la muchedumbre aumentó de intensidad, la gente empezó a empujar para ver mejor y los polis gritaron que dejaran paso. Ike se llevó el golpe de uno de ellos en el pecho y retrocedió mientras la camilla pasaba como un relámpago por delante de él, dándole el tiempo justo de ver de quién se trataba. El enorme casquete de pelo negro de Terry Jacobs contrastaba violentamente contra el blanco de las sábanas y de las chaquetas de los enfermeros; desaparecieron en un segundo, mientras los policías continuaban dispersando a la gente. Ike cazó al vuelo algunos retazos de conversación: «Tiene una herida muy fea, tío», dijo alguien, y Ike echó otro vistazo a través de la puerta abierta del bar. Varias personas más salieron del interior y entre ellas reconoció otra cara: unos rasgos afilados cincelados en roca. Nariz y boca rectas. Ojos hundidos y un poco juntos, de color oscuro y mirada huidiza, pelo rubio peinado hacia atrás y recogido en una cola tirante, tan apretada que la piel morena de la cara quedaba estirada de una forma casi excesiva. Un tipo alto —su cara sobresalía entre el resto—, no tan alto como Preston ni tan corpulento, pero con la constitución fibrosa de un buen boxeador de peso medio.

Durante un instante Hound Adams se quedó parado, su figura recortada en el vano de la puerta, antes de echar a andar hacia la acera. Varias personas se acercaron a hablarle al mismo tiempo, pero él los ignoró y siguió con la mirada clavada en su amigo, que desaparecía en la camilla entre la multitud. Ike no pudo entender qué le decían. Barbara seguía a su lado. La tenía cogida de la mano y no le hizo falta mirarla para saber que estaba llorando. De pronto, Ike vio que Hound alargaba una mano y cogía a uno de sus colegas por el brazo. Sus palabras sonaron duras y claras: «Mantén la puta boca cerrada», le dijo, «lo quiero en la puta calle». No fue capaz de entender mucho más. «Pero se le ha echado encima de mala manera», soltó otro, y Hound le dijo que se callara. Ike trató de acercarse para oír algo más. Notó que Barbara le tiraba del brazo y entonces tuvo la sensación de que alguien lo observaba y se volvió.

Hound Adams estaba apoyado contra la sucia pared de ladrillo. La niebla seguía ganando terreno en las calles y por encima de ellas, las letras moradas del cartel de neón del Club Tahiti habían empezado a parpadear con un zumbido. Durante un momento sus ojos se encontraron. Hound Adams lo observaba fijamente, pero aquello duró solo un instante; fue Ike quien desvió la mirada hacia la calle llena de gente.

16

Barbara no quería irse a casa y tampoco quería estar sola. De camino al Sea View compraron un pack de seis cervezas y se las bebieron sentados en el suelo de la habitación de Ike, con la espalda apoyada contra la cama. En realidad fue Barbara la que se bebió la mayor parte. Ike se tomó dos y Barbara, las otras cuatro.

—¿Sabes lo más gracioso de todo? —le dijo—. Cuando me fui a vivir con Preston me sentía completamente desahuciada, sin esperanza ninguna. Por aquel entonces mi vida estaba bastante jodida, la verdad. Pero no. Eso es lo que he aprendido viviendo con Preston. Él sí es una persona sin esperanza. Yo no. Me llevó un tiempo, pero he empezado a entenderlo.

Ike sentía que debía responder algo, pero no sabía muy bien qué.

—¿Dijiste que llevabais juntos algo más de un año?

—Casi dos.

—Pero lo conocías de antes, ¿no?

—No. Sabía quién era. Esta ciudad era diferente en la época en que él y Hound tenían la tienda. Me refiero a que todo era más pequeño. Solo había un instituto, todo el mundo se conocía. Creo que fue en séptimo cuando Preston se mudó a Huntington, y por entonces yo solía pasar mucho tiempo en la playa.

La mayoría de la gente que rondaba por ahí sabía quiénes eran Hound y Preston.

Ike dio un sorbo a la cerveza y se quedó mirando el resplandor de la luna que se reflejaba en el cristal.

—Recuerdo el día que ganó aquella competición tan importante, el torneo nacional o lo que fuera aquello. Yo estaba en el muelle viéndolo. Resulta raro pensar en eso ahora. Hacía mucho que no lo recordaba. Pero no lo conocí de verdad hasta hace poco, hará unos dos años. —Se interrumpió de pronto—. No tienes por qué escuchar esto, ya me callo.

—No, me interesa.

—¿Estás seguro?

—Sí.

Ike la observó dar otro trago; luego apoyó el botellín en la rodilla.

—Hace tiempo que no bebo tanta cerveza —le dijo—. Puede que desde la noche que conocí a Preston. —Aquello pareció resultarle gracioso, pero de una forma triste, y sonrió mirando al suelo—. Nos conocimos en un bar, el sitio ese que ahora es un club de punks. No me acuerdo cómo se llamaba entonces, el Beachcomber o algo así. Yo acababa de salir del hospital y desde luego no debía beber, de eso sí me acuerdo. Me había quedado embarazada ese verano, pero resultó ser un embarazo ectópico. Casi me muero. Al final tuvieron que extirpármelo todo. Todo.

Lo dijo con una voz plana; el botellín de cerveza reposaba en su pierna desnuda, y el halo de luna le iluminaba un lado de la cara. Ike no había encendido ninguna luz; la habitación tenía mejor aspecto en la penumbra.

—Bueno, da igual —continuó—. Así estaba yo ese verano, cuando Preston volvió a casa. Yo llevaba dos años trabajando en unos grandes almacenes y había estado pensando en matricularme en una escuela de fotografía del norte, y de golpe fue como si todo se hubiera terminado. Es decir, ya no le veía sentido a nada. Y entonces apareció Preston. Llevaba años fuera.

Primero en la guerra, después en la cárcel. Volvió tal y como es ahora. Tú ya lo has conocido de esta forma, así que para ti no significa mucho, pero nadie daba crédito. Era una persona completamente diferente.

Hizo una pausa y dio otro trago a la cerveza.

—Pero supongo que me pareció que teníamos algo en común —continuó—, o al menos así me sentí al principio, como si todo careciera de esperanza. —Volvió a callarse y miró a Ike—. Pero en realidad no era así, ahora que he tenido tiempo de pensar y de estar con él. No sé cómo explicarlo... lo que pasaba es que yo miraba a Preston y veía esa figura trágica, pero también veía otra cosa: lo veía de joven, en la playa, levantando aquel enorme trofeo plateado, y de alguna manera yo también trataba de seguir siendo la chica del muelle. Igual suena estúpido, pero la cosa es que yo estaba empeñada en algo. De verdad creía que si Preston y yo nos amábamos, nos podríamos ayudar el uno al otro y recuperar parte de lo que ambos habíamos perdido. Pero de lo que he empezado a darme cuenta el último año es de que yo soy la única que está empeñada en ello. —Se detuvo—. A Preston le da igual —dijo, muy despacio—. Le da todo igual. Así que a lo mejor ahora entiendes por qué me sorprendió tanto que empezara a hablar de llevarse a un chaval que había conocido a surfear al rancho. Es decir, se comportaba como si de verdad le apeteciera mucho. No sé. —Guardó silencio y sacudió la cabeza.

—¿Qué sabes del rancho?

—Nada. Solo lo que te dije en la camioneta. —Ike tenía la mirada fija en la pared, pero notó que ella giraba la cara y lo miraba—. ¿Crees que lo de esta noche tiene algo que ver con lo que ocurrió allá arriba?

Ike no contestó de inmediato. Por algún motivo era reacio a contárselo. Sin embargo, supuso que antes o después ella misma lo averiguaría. A lo mejor era preferible que se enterara por él. Todo parecía estar bastante claro. Barbara le había contado que Preston y Hound habían sido socios, y Preston le había dicho que Hound Adams tenía amigos con pasta. Sin duda el dueño del rancho, fuera quien fuera, tenía dinero. Y Preston no había tenido que forzar ninguna valla, tenía su propia llave. Parecía evidente que, en tiempos, había disfrutado de acceso libre al rancho, y que ahora ya no era bienvenido. Era probable que, al toparse con Jacobs, hubieran discutido de eso. Y así había empezado todo. Esa tarde, en el Club Tahiti, se habían vuelto a encontrar y habían terminado con aquel asunto. En cuanto a los riesgos que Preston había decidido asumir al llevarlo al rancho, estaba claro que había calculado mal. Era justo como le había dicho el día que él había visto la figura vestida de blanco desde el claro: no se esperaba que hubiera tanta gente por allí. Ike le explicó a Barbara sus conclusiones. Ella apartó la mirada mientras él hablaba. Cuando Ike terminó, ella se quedó allí sentada con los ojos cerrados y la frente apoyada en la mano.

—Gilipollas —dijo finalmente.

Después se quedaron un rato en silencio, hasta que ella dijo que necesitaba ir al baño. Ike la observó cruzar la habitación. Cuando volvió, Barbara le preguntó si quería irse a dormir. Él se encogió de hombros.

—Como quieras —le dijo.

Ella le puso la mano en el hombro.

—Está bien —contestó ella—. Y gracias.

Fue una noche extraña. Ike le cedió la cama a Barbara y él durmió en el suelo, pero solo concilió el sueño a trompicones, despertándose cada poco con la sensación de que ella le decía algo o seguía despierta. Pero cada vez que se incorporaba y la miraba, veía que estaba dormida. Y al final él mismo se quedó dormido, profundamente, supuso, porque cuando se despertó la vio ya vestida y rebuscando en el armario que había encima del mueble que pasaba por ser el fregadero de su cocina.

—¿No hay café? —le preguntó.

—Lo siento.

—No pasa nada, vamos a mi casa y lo tomamos allí.

Aunque lo del café le daba un poco igual, Ike dijo que sí. Parecía lo más apropiado. Se puso la camiseta y bajaron las escaleras. Fuera estaba muy nublado. Soplaba un aire frío que traía el olor del mar. Parecía más temprano de lo que había pensado en un primer momento y de camino a su casa solo se cruzaron con un par de coches.

Cuando llegaron a los dúplex, lo primero que vio fue que la moto de Morris estaba aparcada junto al bordillo y que Morris bajaba por el camino de entrada. Detuvieron la camioneta y se apearon. Le pareció que Morris lo miraba con gesto sorprendido antes de volverse hacia a Barbara.

—Por el momento, lo único que tienen contra él son cargos por ebriedad y alteración del orden público. Quieren endosarle el apuñalamiento, pero por lo que parece nadie ha abierto la boca. Yo mismo no vi nada. Estaba en la otra punta del bar. Frank y Hound estaban delante, pero no les han contado nada a los maderos. —Sacudió la greñuda cabeza—. No sé.

Morris tenía aspecto cansado y resacoso. El sol comenzaba a quemar por detrás de las nubes y el día se volvía húmedo y pegajoso. Las gotas de sudor le recorrían la cara grande y grasienta. Durante un momento, se produjo un silencio algo incómodo.

—Iba a preparar café —dijo Barbara—. ¿Quieres entrar, Morris?

Morris negó con la cabeza.

—Solo pasaba un momento a decirte cómo estaban las cosas —dijo—. He pensado que podría interesarte.

Ike creyó notar un cierto tono sarcástico en sus palabras y entonces cayó en la cuenta de que a Morris probablemente le parecía bastante raro verlos a los dos juntos a esas horas de la mañana. Se quedó allí de pie un momento y luego dio media vuelta y echó a andar con paso arrogante hacia su moto. Ike lo observó alejarse y después recorrió el trecho que lo separaba de la casa de Barbara. Sin embargo, de repente le pareció demasiado raro estar ahí. No quería entrar.

—Creo que me voy a saltar lo del café —dijo—. Voy a ver cómo está Morris y si necesita ayuda con la tienda.

Ella se encogió de hombros.

—Vale —dijo—. Y gracias. Necesitaba compañía anoche, estar con alguien en quien pudiera confiar. —Luego entró en casa y cerró la puerta.

De inmediato, Ike echó a correr para ver si todavía podía alcanzar a Morris, pero ya era demasiado tarde. Para cuando llegó a la calle solo pudo verlo alejarse por la carretera. De golpe se sintió agotado y muy sucio, como si no hubiera dormido en toda la noche, y decidió pasar de la tienda e irse a su apartamento. Cuando llegó al Sea View se cruzó con el cartero, y al mirar el buzón vio que tenía una carta. Era la primera que recibía y venía de San Arco. Subió con ella a la habitación y la leyó sentado junto a la ventana. Era de Gordon. Había reconocido enseguida la letra grande y desmañada, tan familiar. Según contaba, había escrito dos cartas, una a Washington D. C. y otra a la embajada norteamericana en México. Por lo visto, en los registros no les constaba ninguna Ellen Tucker, ni muerta ni en prisión. Gordon no tenía idea de qué podía significar eso, pero suponía que a Ike podría interesarle saberlo. Y eso era todo. A Gordon no le iba mucho la cháchara. Al pie de la página le ponía que se cuidara.

Ike leyó la carta varias veces y después la dobló, la metió otra vez en el sobre y la dejó junto al trozo de papel con los tres nombres. Luego se acercó a la ventana y apoyó la yema de los dedos contra el cristal. Observó los feos bloques de edificios que ocultaban la vista del mar y se la imaginó allí, en esa ciudad, caminando por las mismas calles que él, viendo las mismas cosas y pensando... ¿qué? En otro tiempo habría podido adivinarlo, porque eran muy parecidos. De hecho, ese había sido uno de sus juegos favoritos: adivinar qué estaba pensando el otro. Aunque no solo lo adivinaban, sino que lo sabían de verdad, y eso era algo especial. Pensó, como había hecho tantas veces, lo mucho que habían cambiado las cosas después de la noche en la llanura, y cómo la última vez que ella se había marchado, sin molestarse siquiera en despedirse, él la había visto por casualidad desde la puerta de la tienda, a plena luz del día, con una bolsa de viaje raída colgando del brazo, los vaqueros desteñidos y las botas rojas. Se había perdido por aquel camino polvoriento, bajo el calor asfixiante, mientras él la observaba alejarse desde el desvencijado porche de Gordon, muerto de miedo al imaginar lo solo que iba a estar a partir de entonces.

Se quedó un buen rato junto a la ventana, hasta que notó el cristal caliente y húmedo bajo sus dedos. Se había apoderado de él una sensación que era incapaz de articular con palabras, parecida a la que había experimentado con Ellen en el desierto, como si, de alguna forma, hubiera contribuido a poner en marcha una serie de acontecimientos que tenían que ver con él pero no podía controlar. Eso mismo sucedía ahora, pensó, y supo que la carta de Gordon no cambiaba nada y que no iba a hacer lo que le había pedido Preston. Pensó en las tormentas del desierto, cuando el vendaval azotaba la superficie y levantaba remolinos del suelo, pero fue incapaz de decidir si en este caso la tormenta se había desatado en el exterior y lo retenía allí, o bien era algo que sucedía dentro de él y lo impulsaba hacia delante, aunque por algún motivo seguía atrapado allí, como si de pronto hubiera algo más que lo ataba a ese lugar, algo más aparte de encontrar a su hermana. Por primera vez se daba cuenta de eso. No solo estaba buscando a Ellen Tucker: se estaba buscando a sí mismo. Observó el perfil de los destartalados edificios de Huntington Beach recortado a lo lejos, más allá del pequeño patio, mientras en los oscuros recovecos de su mente volvía a sonar el intenso zumbido eléctrico de las letras de neón del Club Tahiti y se le aparecieron de nuevo aquellos ojos de mirada oscura que había sido incapaz de enfrentar.

Segunda parte

17

Mazatlán, San Blas, Puerto Vallarta, Cabo San Lucas. Aquellos nombres tenían algo mágico. Flotaban en el aire cargado de humo como una especie de mantra religioso. Ike siguió escuchando. Se imaginaba aguas tropicales, selvas brumosas atravesadas por carreteras llenas de baches y lagartos verdes enroscados en las sombras.

Cuando abrió los ojos, Hound Adams lo estaba mirando. Estaban sentados alrededor de un mapa extendido sobre el suelo. Michelle estaba a su lado. Lo tenía agarrado del brazo y reposaba la barbilla sobre su hombro. Hound Adams había montado por fin otra fiesta y había invitado a Michelle y a Jill, y Michelle había llevado a Ike. Era muy tarde, o muy temprano. Al otro lado de la ventana Ike vio que el día empezaba a clarear.

La fiesta había sido bulliciosa y concurrida, pero casi todos los invitados se habían marchado ya, y solo quedaba un pequeño grupo de admiradores sentados en el suelo del salón, donde Hound había desplegado un mapa sobre el que iba indicando la ruta del viaje surfero que haría en invierno, justo como había dicho Preston.

Terry Jacobs no había ido a la fiesta. Después de casi una semana, seguía en la UCI del hospital de Huntington Beach. La pelea había sido uno de los temas recurrentes aquella noche, aunque nadie tenía muy claro cómo había empezado. Todas las historias que circulaban eran diferentes. Lo único que estaba claro era que Preston Marsh era un hombre marcado. Según contaban, Terry Jacobs tenía una familia bastante chunga, y algunos de sus miembros ya habían llegado a Huntington Beach procedentes de las islas. Ike había pedido que se los señalaran: eran varios tipos enormes con camisas de flores, morenos y callados.

Ike solo había visto a Barbara una vez después de la noche de la pelea. Se había pasado un momento por el Sea View para decirle que Preston seguía en la cárcel y que aún no había aparecido ningún testigo del apuñalamiento, y él se había acordado de las palabras de Hound, de que quería a Preston en la calle. En ese momento, mientras observaba a aquellos tipos siniestros en el sofá, volvió a recordarlas.

A Morris no lo había visto desde la mañana siguiente a la pelea; había abandonado la idea de pasarse por la tienda y se había quedado casi toda la semana recluido en su habitación, pensando, mientras observaba desde la ventana el pozo de petróleo, la hierba raída del patio y los pajarillos. Y entonces había aparecido Michelle y le había invitado a la fiesta.

La fiesta le había permitido observar a Hound Adams de cerca por primera vez: lo había visto paseándose entre sus invitados, saludando a algunos con un abrazo o un choque de manos en plan colegas, y a otros con un frío gesto de cabeza. Parecía muy contento de que Michelle hubiera ido, y en más de una ocasión Ike lo vio ponerle la mano en el hombro o en la espalda mientras se paraba a charlar un rato con ella. Empezó a pensar que a lo mejor las chicas tenían razón y Hound le había echado el ojo a Michelle. Más de una vez, también, lo había pillado mirándolo fijamente a él. Estaba seguro de que no eran paranoias suyas. Y ahora Hound estaba sentado a lo indio junto al mapa extendido, el pelo rubio brillante bajo la tenue luz, y no le quitaba la vista de encima.

—Todos son hermanos del mar* —dijo, sin dejar de mirarlo.

Ike no tenía ni idea de qué significaba aquello. Se quedaron en silencio, él sin saber qué decir, aunque parecía que esperaban que dijera algo. Notó cómo el sudor le goteaba por el cuello y se deslizaba hasta el centro de la espalda, mientras Michelle se acercaba más a él y se apretaba contra su brazo. Hound no dejaba de sonreírle, pero sus ojos parecían de piedra.

Ike también sonrió y se encogió de hombros, dando a entender que no había comprendido nada. Hound se rio.

—Todos somos hermanos del mar, ¿no? Es lo que dice la gente del pueblo.

Señaló con el dedo un punto del mapa. Ike sintió cierto alivio y miró con enorme interés el plano.

—Es un pequeño pueblo de pescadores —continuó Hound—. Un lugar muy bonito.

Cuando Ike levantó la vista, Hound seguía mirándolo.

—He oído que haces surf —dijo.

Ike no tenía claro si era una pregunta.

—Estoy aprendiendo, nada más.

—Igual que todos.

Ike lo miró a los ojos negros, sin chispa de gracia, y no le pareció que estuviera bromeando con él. Durante un segundo, como había hecho en la puerta del club, le sostuvo la mirada y escrutó su cara. A lo largo de la noche se había dado cuenta de que aparentaba una edad u otra en función de la distancia desde la que lo mirase. Su pelo, rubio y con algunos mechones casi blancos por el sol, parecía el de un chaval o incluso el de una chica joven, y la combinación de aquel llamativo cabello con la piel morena y la constitución atlética le conferían un aspecto similar al de los muchos surfistas jóvenes que frecuentaban el

* En español en el original. *(N. de la T.)*

muelle o las tiendas de Main Street. Desde lejos, uno podría echarle dieciocho o diecinueve años, veintipocos como mucho, pero en cuanto te acercabas descubrías las arrugas en torno a los ojos, la fina cicatriz blanca sobre el puente de la nariz y los dientes ligeramente amarillentos. De cerca no era la cara de un hombre joven. Era un rostro serio y astuto, y a lo largo de la noche, Ike había tenido la impresión en más de una ocasión de que estaban jugando con él.

—He oído que tienes un buen maestro —dijo Hound.

Ike se quedó mudo. El tono de voz de Hound, como sus ojos, no revelaban nada. ¿Era eso? ¿Hound lo había estado provocando por eso? En el sofá, uno de los enormes samoanos se incorporó y abrió una lata de cerveza. Ike cambió de posición mientras trataba de pensar una respuesta.

Sin embargo, fue Hound Adams quien rompió el silencio con una breve carcajada.

—Está bien —dijo—. Todo el mundo necesita un maestro. El truco está en encontrar el adecuado.

Hizo una pausa.

—¿De dónde eres, Ike? —le preguntó a continuación.

Fue un giro tan abrupto de la conversación que por un momento Ike sintió que se había librado.

—Del desierto… —empezó, y luego dejó que su voz se desvaneciera, mientras hacía un gesto con la mano y señalaba hacia el extremo más alejado de la habitación, como si el desierto estuviera justo detrás de aquella pared.

—En el desierto hay energía —oyó que decía Hound después de un momento de silencio—, igual que hay energía en el mar.

Más tarde, cuando el sol empezaba a asomar por encima de la ciudad, salieron al porche. Hound ya se había puesto el bañador y el chaleco de neopreno. Uno de los samoanos estaba encerando una tabla en el patio delantero. Iban a bajar a hacer surf al muelle después de toda la noche de fiesta. Michelle seguía a su lado. Era curioso cómo se había acostumbrado a tenerla cerca a lo largo de la noche, y aún más curioso cómo lo hacía sentir. Había estado inusualmente callada, apoyándolo de alguna forma, y él se sentía agradecido y desconcertado al mismo tiempo. Y también estaba agotado y tenía resaca. No entendía de dónde sacaba Hound Adams la energía para irse a surfear.

—¿Te apetece venir con nosotros? —le preguntó Hound de repente, sacándolo de golpe del aturdimiento en el que había ido sumiéndose.

Por un momento Ike se quedó sin palabras.

—Me encantaría —dijo por fin—, pero no puedo.

—Se ha quedado sin tabla —añadió Michelle—, alguien se la birló.

Hound asintió, ladeando un poco la cabeza, y miró fijamente a Ike una vez más.

—Aquí tenemos tablas de sobra.

—Creo que hoy no. Entro a trabajar en unas horas. Pero gracias.

Hound Adams volvió a asentir.

—En otra ocasión, entonces —dijo—. Volved. Los dos.

Ike y Michelle ya estaban casi en la acera cuando Hound lo llamó. Ike se detuvo y se dio la vuelta. Hound Adams estaba de pie en el extremo del porche. Desde allí parecía alto y fuerte, como uno de los pilares que sujetaban el tejado de la casa.

—¿Por qué no te pasas por la tienda? —le dijo—. No puedes estar sin tabla. A lo mejor encontramos algo.

Ike se notaba medio anestesiado mientras avanzaban por las aceras desiertas. Aún notaba los efectos de la cerveza y la hierba, y a cada paso le daba la impresión de que el hormigón del suelo quedaba muy lejos. Miró de reojo a Michelle y no pudo evitar pensar qué diferente le parecía ahora, después de la fiesta. Todo aquello resultaba muy desconcertante.

La mañana era fría y estaba envuelta en una luz rosada. Unas pocas nubes desperdigadas, luminosas y metálicas, flotaban muy por encima de ellos como enormes zepelines. El cielo tenía un tono turquesa entreverado de naranja y rojo.

—Este amanecer me recuerda al desierto —dijo Ike.

—Nunca he estado en el desierto.

—No me lo creo.

—Es verdad. Mi padre nos abandonó cuando era pequeña y mi madre nunca va a ningún lado. No he estado en ningún sitio. Esa es una de las razones por las que me largué.

—Vale, pues imagínate la tierra tan vacía como el cielo y tan llena de color.

Se detuvo y miró a Michelle directamente a los ojos. Eran casi de la misma altura. Vio que ella le prestaba atención, pero no continuó, sino que se encogió de hombros.

—La mejor época es la primavera.

—Eres diferente —dijo Michelle.

Él la miró a los ojos un momento, y después desvió la vista.

—Lo digo en serio. No eres como los demás chicos de por aquí.

—A lo mejor es porque no soy de por aquí.

—Cuéntame cosas del desierto.

Ike se encogió de hombros otra vez.

—No hay mucho que contar.

—¿Y el colegio? ¿Cómo eran el resto de los chicos?

Ike se rio y pensó en la hilera de barracones blancos que hacían las veces de aulas, unos pequeños cubículos tan asfixiantes que, en ocasiones, los profesores encendían los aspersores antincendios del techo para refrescarlos un poco.

—La mayoría eran mexicanos —dijo—. Pero no hice muchos amigos. Si te digo la verdad, no sé muy bien cómo eran.

—¿No tenías amigos?

—Mi hermana. Éramos amigos.

—¿Tu hermana?

—Sí.

Ike dudó, siempre lo incomodaba hablar de ello, hablar de su familia, si es que podía llamarla así.

—Mi vieja nos llevó hasta allí un verano y luego se largó y nos dejó con su madre y su hermano, y no volvió nunca más.

—¿Y tu padre?

—No lo conocí.

Michelle pareció quedarse pensando en esto un momento.

—Así que erais solo tu hermana y tú.

Ike pensó que a continuación le preguntaría algo más sobre su hermana, pero no lo hizo. Se habían cogido de la mano mientras caminaban y notaba la palma húmeda y cálida de ella contra la suya.

—A lo mejor podemos ir juntos alguna vez y me lo enseñas —añadió.

—A lo mejor —respondió él, y se sintió raro diciendo algo así, aunque no sabía muy bien por qué.

Llegaron al Sea View, subieron las escaleras y se detuvieron delante de la puerta de la habitación de Michelle. Estaba abierta, y dentro vieron a Jill despatarrada en el sofá con la ropa puesta. Michelle miró a su compañera y luego miró a Ike. Arrugó la nariz y sonrió.

—Puedes entrar —dijo—, tengo mi propio rincón. ¿O tienes que irte a trabajar?

Ike miró la minúscula y desordenada habitación.

—He mentido. Lo que tengo que hacer es irme a la cama. Estoy muerto.

—¿Irás a hacer surf con ellos alguna vez?

Ike se encogió de hombros.

Michelle seguía apoyada en la puerta, con una mano en el picaporte. La miró y vio que estaba esperando algo, que él hiciera algo más aparte de darle las buenas noches. A él también le hubiera gustado hacerlo. Se produjo un momento extraño y cargado de tensión mientras ella le sostenía la mirada, y él podría haberse acercado y haberla tocado, pero lo dejó pasar, o más bien esperó demasiado, lo suficiente como para que el movimiento pareciera raro o torpe. Se dio media vuelta para marcharse a su cuarto y luego se volvió otra vez hacia ella desde una distancia más segura.

—A lo mejor podemos hacer algo mañana, ir a un concierto o algo.

—De acuerdo —contestó ella—, pásate cuando haya vuelto de trabajar.

Se despidió saludándolo con la mano y él hizo lo mismo.

Una vez en su cuarto, se sentó en la cama y repasó lo sucedido durante la noche. Mientras se desvestía, siguió dándole vueltas a las preguntas que le había hecho Hound Adams; estaba claro que Hound manejaba cierta información, aunque también tenía la impresión de que había intentado sonsacarle algo. ¿Qué era lo que sabía? ¿Y a qué venía lo de que se pasara por la tienda? La invitación tenía trampa, pensó, lo miraras por donde lo miraras.

18

Cuando por fin salió de la cama, Ike no se sentía especialmente descansado. Decidió darse una ducha y bajar a dar un paseo por el centro. La ducha y la brisa que soplaba desde el mar le sentaron bien. Pasó por delante del Curl Theater para ver qué películas ponían, pensando que a lo mejor a Michelle le apetecía ir con él a ver un documental de surf. Nunca había salido con una chica y se sentía raro y un poco nervioso. No se podía quitar de la cabeza lo distinta que le había parecido Michelle después de la fiesta. Jill también había ido, pero se había comportado como siempre, sin parar de hablar como una idiota. Pero Michelle no, Michelle parecía otra. De pronto se vio tratando de imaginar cómo sería tener una novia de verdad, incluso una esposa. Trató de proyectarse conduciendo un coche familiar cargado de *bodyboards* y niños rubios por la Coast Highway un domingo por la tarde, pero fue incapaz. Hasta donde sabía, nadie en su familia había llevado una vida normal y no veía por qué él iba a ser el primero.

El Curl era un edificio viejo y destartalado, con la pintura descascarillada y rodeado a ambos lados por solares vacíos. Proyectaban películas de surf casi todas las semanas y la que ponían ese día se titulaba *Standing Room Only*. Se quedó un rato mirando los carteles antes de decidirse, y después fue hasta

Del Taco, el restaurante donde trabajaba Michelle, y se pidió una Coca-Cola.

Michelle pareció sorprenderse al verlo, porque Ike nunca se había pasado por allí mientras ella estaba trabajando. Llevaba un uniforme naranja y marrón con una plaquita con su nombre prendida en el pecho. Ike se quedó un momento junto al mostrador, sorbiendo su Coca-Cola con una pajita y hablando con ella. Cuando le propuso lo de la película, ella contestó: «¡Genial!».

Mientras hablaban, Ike notaba todo el rato que otra chica, más o menos de la edad de Michelle, no dejaba de mirarlo. Estaba en la ventanilla del autoservicio, pero no le quitaba ojo, como tratando de decidir si lo conocía de algo o no. Ike no la había visto en su vida. Cruzó la mirada con ella un par de veces y las dos veces ella desvió la vista. Le resultaba muy agradable estar allí junto al mostrador hablando con Michelle y le hubiera gustado quedarse un rato más, sintiendo que las cosas se le ponían de cara, pero al final empezó a formarse cola detrás de él y tuvo que marcharse.

—Te veo esta noche —le dijo Michelle—. Será divertido.

Ike bajó los escalones del local hasta la acera y luego se giró para mirarla otra vez. Michelle le sonrió a través del cristal. Detrás de ella, pudo ver que la chica del autoservicio seguía observándolo.

En Main Street hizo otras dos paradas. Primero fue a una agencia de viajes, donde pidió varios mapas de México. Quería ver si era capaz de recodar los nombres y podía trazar el mismo recorrido que Hound Adams había dibujado la noche antes. Y después se dirigió a la tienda de surf.

Hound Adams no estaba allí. De hecho, no le pareció que en la tienda hubiera nadie; el local, como la primera vez, estaba vacío y silencioso. Se metió las manos en los bolsillos de los vaqueros y entró. No tenía muy claro a qué había ido. Supuso que tenía algo que ver con lo que le había contado Barbara, que, en tiempos, la tienda había sido de Preston.

Sus zapatillas de deporte no hicieron ningún ruido cuando pisó el oscuro felpudo de la entrada y luego el suelo de hormigón. El silencio que reinaba en la tienda era extraño, como si allí dentro cualquier ruido hubiera estado fuera de lugar. Le pareció que la decoración de las paredes contribuía a acentuar esa sensación: los trofeos, los viejos pósteres, las descoloridas fotografías, algunas de las cuales tenían frases escritas en la parte inferior de los paspartús que las enmarcaban. Se fijó en todo lo que lo rodeaba, prestando más atención que en su primera visita, y enseguida se dio cuenta de algo que, para su sorpresa, no recordaba de la otra vez. Una de las antiguas tablas de madera de balsa que colgaban del techo llevaba pegada una pegatina en la parte de arriba. Aunque el techo de la tienda era alto, como si antiguamente el local hubiera tenido otro uso, pudo distinguir fácilmente el diseño: una ola con la cresta terminada en una llama y rodeada por un círculo. Luego se acercó a mirar mejor las fotografías y vio que en varias de ellas aparecían más tablas con la misma pegatina y que el logo se repetía por lo menos una docena de veces en las fotos.

La tienda estaba dividida en dos espacios. El más grande, con moqueta y techo alto, estaba en la parte delantera, y detrás había otro cuarto más pequeño donde se apilaban las tablas de segunda mano y los trajes de neopreno. Ike fue hasta la parte de atrás, donde lo recibió el característico olor a goma de los neoprenos nuevos y el penetrante olor dulzón de la resina fresca. En la parte de arriba de la pared donde estaban colgados los trajes, en el lado derecho del pequeño cuarto, encontró la que le pareció la foto más extraordinaria de todas: una ampliación en papel barato de una foto que en tiempos debía haber sido en color, pero cuyos tonos se habían difuminado por completo; el azul del cielo era ahora de un tono muy pálido y las caras de las personas retratadas estaban completamente desvaídas. En

la imagen se veía a un hombre de mediana edad, a otros dos
más jóvenes y a una chica. Le costó un par de segundos darse
cuenta, pero antes de leer los nombres garabateados con letra
fina al pie de la foto ya estaba seguro: los dos hombres jóvenes
eran Hound Adams y Preston Marsh; ambos llevaban el pelo
corto e iban vestidos con bañador y la misma sudadera. Posaban
apoyados en una vieja ranchera Ford con paneles de madera en
los laterales y unas tablas de surf sobresaliendo en la parte de
atrás. La chica estaba en medio, subida al estribo del coche, con
un brazo por encima del hombro de Hound y el otro sobre el de
Preston. Era muy guapa, como una actriz; tenía las cejas finas,
la nariz recta y los dientes perfectamente alineados, y sonreía, o
más bien se reía con ganas. Preston y Hound también sonreían.

Por algún motivo, el hombre de mediana edad no parecía
encajar en la escena. Iba con pantalones largos y camiseta, y una
cazadora le colgaba del brazo. Tenía el pelo muy corto y negro,
peinado hacia atrás, y llevaba unas pequeñas gafas de sol de
montura redonda. Los labios, finos, dibujaban una línea recta
y solo se curvaban un poco en los extremos, en lo que debía de
ser una sonrisa. En la parte inferior de la foto ponía: «México,
Día del Trabajo, 1965. Hound, Preston, Janet, Milo».

La tienda seguía tranquila y en silencio, y Ike se quedó un buen
rato mirando la foto. Era sorprendente lo mucho que Hound y
Preston se parecían entonces. Preston le sacaba casi una cabeza
a Hound y era un poco más corpulento y ancho de hombros,
pero en esa época estaba más delgado y su constitución se parecía más a la de Hound. También tenía la nariz más recta, y con
el mismo corte de pelo y las sudaderas a juego, el parecido era
increíble. Pero había algo más en aquella foto, aunque no sabía
identificar qué era. A lo mejor la chica, la forma que tenía de
reírse, con el pelo alborotado por el viento. Por algún motivo,
tenía la impresión de que la imagen se había tomado al final del
día, pero no un día cualquiera, sino uno de los buenos. Era el
tipo de foto que hacía que desearas ser amigo de las personas

que salían en ella, y tener que conformarse solo con mirarla te hacía sentir excluido y solo. Justo estaba pensando en eso cuando una voz a su espalda lo sobresaltó, preguntándole si necesitaba algo. Ike se giró y descubrió que se trataba del mismo hombre de pelo rubio que había visto primero en el callejón hablando con Preston y luego la noche que había seguido a Hound y Terry, el hombre que, según él, tenía que ser Frank Baker, aunque todavía no podía estar seguro del todo.

Su voz retumbó en mitad del silencio de la tienda y Ike tardó un momento en responder.

—No, gracias. Solo estoy mirando.

El hombre se acercó y se quedó unos pocos pasos por detrás de él, con los brazos cruzados sobre el pecho, como si también estuviera mirando la foto. Ike fingió echar un vistazo a los trajes de neopreno que colgaban debajo, hizo un comentario dando a entender que aún necesitaba ahorrar y después se dirigió a la salida, mientras el tipo rubio se quedaba solo delante de la foto.

Antes de llegar a la puerta se fijó en otra foto, una en la que salía el mismo tipo mayor de pelo negro de la otra imagen. En esta aparecía solo, en mitad de una playa desierta. Ike no se detuvo a observarla con detenimiento, pero antes de salir de la tienda tuvo tiempo de fijarse en el nombre que había escrito debajo: Milo Trax.

19

El viento le aguijoneaba los ojos, secándoselos a medida que sobrepasaba la estación de autobuses Greyhound y se dirigía al norte, hacia los apartamentos Sea View. No se quitaba de la cabeza al hombre que acababa de ver en las fotografías ni tampoco la pequeña figura vestida de blanco que había distinguido desde el claro situado encima de la rompiente. El tipo con pasta. Pensó que estaría bien hablar con Barbara otra vez y echar un vistazo a ese álbum de recortes del que le había hablado.

Cuando llegó al apartamento de Michelle ella lo estaba esperando sentada delante de la puerta, con unos tejanos y una camiseta. Le había traído algo de comida del trabajo. Ike se sentó a la mesa plegable, junto a la ventana, y comió mientras ella lo observaba.

—¿Dónde está Jill? —le preguntó, para tratar de hablar de algo que lo ayudara a sacarse de la cabeza la tienda de surf y el rancho.

—Cortándose el pelo. Se lo corta una chica que hemos conocido. En plan punk.

Ike asintió y echó un vistazo a la habitación. Era pequeña y estaba desordenada, como la suya. El apartamento consistía en un solo cuarto con una diminuta cocina y un baño. Las chicas habían colgado una cortina para dividir el espacio principal.

Por lo visto, Jill dormía en el sofá grande y raído, y Michelle, en un colchón en el suelo. En la pared, encima del colchón, había colgadas unas cuantas fotos sacadas de revistas pornográficas. Ella se dio cuenta de que las miraba y sonrió, y a continuación cogió una lima del alfeizar de la ventana y empezó a arreglarse las uñas. Ike se fijó en que las llevaba pintadas de un rojo brillante y de repente se le empezó a parecer más a la Michelle que había conocido antes de la fiesta. No se le ocurría ni una puñetera cosa que decirle. Empezó a vislumbrar una larga tarde llena de silencios incómodos.

—¿Tienes algo de hierba? —le preguntó Michelle.

Ike negó con la cabeza.

—Yo estoy cultivando una planta, ¿quieres verla?

Él dijo que sí. Terminó de comer y se levantó para enjuagarse las manos en el fregadero.

Michelle descorrió la cortina y lo condujo hasta el alfeizar de una ventana que había junto al colchón, donde varias plantitas de marihuana crecían en vasos de plástico. Tocó una de las frágiles hojas verdes con un dedo y se rio. Ike trató de mostrarse interesado.

Se oyó un tintineo en la puerta y Ike se giró y vio que Jill entraba en casa. En efecto: se había cortado el pelo. Lo llevaba más corto que él, y por un momento sospechó que había ido conduciendo hasta San Arco para que se lo cortara su abuela. Lo llevaba más corto por un lado que por otro, y una parte se la había teñido de un horrible color naranja. Sin embargo, Michelle le dijo que le quedaba bien. Las dos chicas se metieron en el baño para inspeccionar el corte desde todos los ángulos posibles bajo la luz de la bombilla desnuda. Por lo que parecía, a Jill le habían hablado de una fiesta en algún sitio y estaba deseando ir para lucir su nuevo peinado.

—Va a tocar un grupo en directo —les dijo.

Ike se dio cuenta de que a Michelle también le apetecía ir. Lo miró, pero él hizo como si no se diera cuenta, y al final Michelle le dijo que ellos iban a ir al cine.

—Vosotros mismos —contestó Jill, dejando claro que le parecía un plan aburridísimo.

Salieron del apartamento en silencio y echaron a andar hacia el cine. Ike tenía la impresión de que Michelle estaba molesta por perderse la fiesta. No se dieron la mano, como habían hecho la noche antes, y se sintió un poco incómodo caminando a su lado, incapaz de pensar ni de decir nada, tratando de decidir si quien se comportaba diferente era ella o él. La noche anterior había estado medio borracho y colocado, y a lo mejor había percibido cosas que no eran. O a lo mejor era como el verso de esa canción —una de las muchas canciones country que se había visto obligado a escuchar una y otra vez en la tienda de Gordon—, la que decía que todas las chicas parecían más guapas a última hora. Era un pensamiento deprimente.

—Marsha dice que te conoce de algún sitio —dijo Michelle.

Estaban a medio camino entre el Sea View y el Curl Theater.

—¿Marsha?

—Trabaja conmigo. Estaba hoy, cuando has venido. Dice que te ha visto antes.

Ike se acordó entonces de la chica que había visto en el mostrador del autoservicio, la que no le quitaba ojo. De alguna forma, la visita a la tienda de surf había hecho que se olvidara de ella.

—No sé de qué puede a conocerme. ¿Ha estado alguna vez en San Arco?

—No lo sé. Lo dudo. Creo que te conoce de por aquí.

—No puede ser.

—Pues entonces te pareces a alguien. Dice que o te conoce, o te pareces a alguien que conoce.

—¿A quién?

—No me lo ha dicho.

Delante del Curl había una pequeña cola y les tocó esperar, de nuevo en silencio. Ike pensó en la chica del restaurante de tacos mientras Michelle se alejaba un poco para mirar los carteles de los próximos estrenos que colgaban tras unos cristales en la parte delantera del edificio. En ese momento Ike deseaba poder largarse de allí e ir a ver a aquella chica para preguntarle a quién se parecía. Y también quería ir a ver a Barbara. Empezó a ponerse nervioso; tenía la impresión de estar perdiendo el tiempo mientras esperaba allí de pie, como si Michelle y él ya no encajaran de ninguna de las maneras y pedirle que salieran juntos hubiera sido un error.

Al final, lo gracioso fue que la película era tan buena que en cuanto empezó, prácticamente se olvidó de todo lo demás. Hasta podría haberse olvidado de que estaba con Michelle si ella no se hubiera pasado todo el tiempo haciendo comentarios en voz alta. Era un hábito muy molesto. En cualquier otro cine hubiera sido incluso peor, pero el Curl era de por sí un lugar bastante ruidoso, y el público jaleaba y animaba las mejores olas. Aun así, a Ike le molestaba que Michelle hablara. Se comportaba como si nadie la hubiera llevado antes a un maldito cine.

Pero no dijo nada. Mantuvo la boca cerrada y se limitó a mirar la pantalla. En su vida había visto olas como las que aparecían en la película. Había imágenes filmadas en todas partes del mundo, en Australia, Nueva Zelanda, Bali. Algunas eran parecidas a las que había visto en el rancho, huecas, perfectas, y recordó la electrizante sensación que se había apoderado de él allí. Le volvió a la mente la imagen de Preston sentado sobre la tabla en mitad de un mar negro, levantando el brazo y saludando. En la pantalla, un tubazo de un tono ambarino bajo la luz del ocaso llenó el plano; profundo, cavernoso, despidiendo espuma a diez metros de altura y sin nadie que lo surfeara. Era imposible explicarle aquello a alguien que no supiera lo que era.

Cuando acabó el documental, Ike decidió que llevaría a Michelle directamente a casa, se metería pronto en la cama y lo primero que haría a la mañana siguiente sería ir a ver a Barbara. Iban camino de la salida cuando Michelle distinguió a Hound Adams entre la gente. Estaba con el mismo tipo rubio que Ike había visto esa misma tarde en la tienda, y antes de que pudiera impedírselo, Michelle se acercó a hablar con ellos. Hound Adams, por supuesto, tenía hierba, y al poco ya estaban los cuatro en la calle camino del norte de la ciudad, siguiendo una ruta casi idéntica a la que Hound había tomado la noche que Ike lo había seguido hasta su casa desde la playa. Al salir del cine, Hound Adams les había presentado a su amigo y Ike le había estrechado la mano a Frank Baker.

Durante el camino, Hound y Michelle llevaron casi todo el peso de la conversación. Ike tuvo la sensación de que Frank no estaba especialmente contento de tener compañía, y en cuanto llegaron a la casa desapareció en alguna de las habitaciones y ya no lo volvió a ver. Michelle y él acabaron otra vez sentados en el suelo del salón, y de nuevo tuvo la sensación de que Hound intentaba ligar con Michelle. Cada poco encontraba un motivo para tocarla, para ponerle la mano en el brazo o la rodilla. Y a Ike eso empezó a cabrearle. Era de locos. Solo un rato antes se había dicho que no la invitaría a salir más veces y ahora estaba celoso. No tenía sentido.

Hound hablaba de la película y de México.

—¿Te acuerdas de lo que te dije? —preguntó, volviéndose hacia él—. Sobre el desierto, sobre la energía y el ritmo que tiene, igual que el mar. Es como si el surf te acompasara a ese ritmo, siempre y cuando aprendas a dejarte llevar. Pero fíjate que he dicho «aprender». La mayor parte del tiempo se nos enseña a pensar solo con la cabeza. Estamos desconectados de otras áreas de la percepción, de otras formas de mirar. —Se detuvo un momento y dio una calada a la pipa—. Esa es una de las cosas buenas de México —continuó—. Una combinación de las dos cosas, el mar y el desierto, una mezcla de ritmos. Al principio, cuando llego, siempre me resulta extraño. Me cuesta unos cuantos días adaptarme, un par o tres; pero es una adaptación necesaria. México también es un buen sitio para tomar setas. ¿Las has probado?

Los miró a los dos, luego cambió de posición y sonrió.

—En ese pueblo tienen de dos tipos. Derumba y San Ysidro, así se llaman. San Ysidro es la más fuerte de las dos.

Se interrumpió para dar otra calada a la pipa y Ike miró a Michelle. Se dio cuenta de que no perdía ni un detalle de la conversación. Hound continuó y les habló de unas cuantas experiencias místicas que había tenido con la poderosa San Ysidro. Les contó que una mañana había surfeado mientras, al mismo tiempo, se veía a sí mismo surfear, y que otro día había visto el fondo del mar a través de su propio cuerpo transparente.

—Quiero ir —dijo Michelle de pronto, interrumpiendo a Hound en mitad de una de sus historias.

Hound sonrió y se inclinó hacia delante para colocar la pipa en mitad del círculo, apartándose el pelo de la cara con una mano mientras lo hacía.

—Deberías. Y tú también —dijo, mirando a Ike—. Allí abajo puedes aprender cosas sobre el surf que aquí te costaría años aprender.

Ike asintió. Michelle le había puesto la mano sobre la pierna y podía sentir el calor de su palma quemándole a través de los tejanos. Pensaba en el rancho, en cómo se había sentido allí arriba, y le pareció que lo que decía Hound era verdad, pero que, por algún motivo, hablar de ello no funcionaba. Era como si Hound estuviera representando un espectáculo delante de ellos, y Ike no dejaba de preguntarse qué habría pensado Preston de aquello, o incluso si Hound habría contado las mismas cosas si no hubiera estado hablando con un par de chavales a los que doblaba la edad.

—Por cierto —dijo Hound—, ¿encontraste tu tabla, Ike?

Ike contestó que no.

—¿Y recuerdas mi propuesta?

Ike contestó que sí. Hound se lanzó entonces a otra de sus descripciones sobre México, pero en ese momento sonó el teléfono y se ausentó durante unos minutos. Cuando volvió al salón, Ike se percató enseguida de que algo iba mal. Hound ya no sonreía y parecía que la piel de la cara se le había estirado, tirante, sobre los huesos. De pronto, aquel gesto endurecido lo hacía parecer mayor que unos minutos antes.

—Era el hermano de Terry Jacobs —dijo con un tono apagado—. Terry ha muerto.

20

Ike y Michelle se quedaron de pie en el pasillo, igual que la noche anterior. Las bombillas desnudas lanzaban estrechos haces de luz hacia la cálida e inestable oscuridad y Ike tenía la sensación de que el edificio se balanceaba ligeramente, primero hacia un lado, luego hacia el otro. Le fallaban un poco las rodillas, y no sabía si era porque Michelle lo ponía nervioso o porque no se quitaba de la cabeza la cara que había puesto Hound cuando les había dicho que Terry había muerto.

De nuevo, ella lo invitó a entrar, y de nuevo él dudó.

—Vale —dijo Michelle—, entonces voy yo a tu habitación. No puedes escaparte dos noches seguidas.

Se rio. Se había sonrojado un poco, y había algo un poco salvaje en su gesto. Ike se fijó en que una pequeña gota de sudor le perlaba el labio superior. Tenía una mano en el picaporte y la otra en la cadera. Eran unas manos largas y fuertes, como las de un chico, salvo por la piel suave y delicada. Le miró las manos porque le resultaba mucho más fácil que mirarla a los ojos, y pensó en su cuarto, en la pila de ropa sucia y la bolsa de basura que se le había olvidado tirar.

—Hay cervezas en la nevera —dijo ella—. Venga.

Él la siguió y entraron en la habitación, que parecía aún más pequeña y caótica que la noche anterior. Jill no estaba.

—Siéntate en la cama, es el único sitio cómodo.

Ike se sentó en un extremo del colchón y la observó mientras sacaba las cervezas de la nevera; las dejó en el suelo, junto a sus pies, y luego fue hasta la ventana y cogió una vela del alfeizar. La puso en el suelo y la encendió, apagó la luz del techo y corrió la cortina que dividía el cuarto. De forma inmediata, todo cambió. La habitación se convirtió en un espacio cálido y acogedor. La suave llama amarilla bailaba en la oscuridad, creando extraños patrones de luz y sombra que se proyectaban sobre el cristal oscuro de la ventana. Michelle se sentó a su lado, de modo que sus hombros se tocaban y él notaba el calor de su cuerpo junto al suyo. Se bebió de un trago la cerveza. Estaba fría, y sintió cómo le quemaba mientras le bajaba por la garganta. Apoyó una mano en el colchón, justo por detrás de ella, con el brazo estirado, y Michelle se reclinó contra él. La miró a la cara —la boca pequeña y perfectamente delineada, los pómulos marcados— y ella le sostuvo la mirada, y Ike pudo ver la llama de la vela reflejada en sus pupilas y el pequeño punto oscuro que había dejado como cicatriz el accidente con el palo. Se concentró en ese pequeño punto negro, que se movía muy despacio, agrandándose de pronto a medida que ella se inclinaba hacia él y presionaba sus labios contra los suyos. Saboreó su aliento, su lengua. Se tumbaron sobre el colchón y él tuvo la sensación de que se precipitaba en el vacío. Sintió lo mismo que había sentido al bajar la primera ola en el rancho. Estaba fuera de control. Era de locos sentir algo así con la misma chica que un rato antes lo había incomodado tanto en el cine. La besó en la boca, en el cuello, en los párpados, y de pronto fue como si el descenso se detuviera y simplemente estuviera allí, a su lado, totalmente petrificado. Se quedó muy quieto; oía los latidos del corazón de Michelle y también podía sentir sus propios latidos contra el brazo de ella. Después de un momento, Michelle empezó a separarse de él. Se apoyó en su hombro y lo apartó, como si quisiera mirarlo mejor desde una distancia mayor.

—Nunca he conocido a un chico como tú —le dijo.

—Lo siento.

—¿Por qué?

—Bueno... —Se detuvo—. A ver... sé lo que quieres, pero creo que no puedo hacerlo.

—¿Por qué no?

—No lo sé.

Michelle lo atrajo de nuevo hacia ella.

—Supongo que en el desierto no había muchas chicas.

Él negó con la cabeza.

—No.

—¿Y entonces nunca has tenido novia?

Él dudó. Notaba que la sangre se le había subido a la cabeza y cuando cerró los ojos fue como si el polvo rojo de San Arco se le colara detrás de los párpados, secándole e irritándole los ojos.

—Tuve una. Pero se marchó.

Se daba cuenta de que ella lo estaba observando y que no se creía su historia.

—Debiste quedarte muy solo cuando se fue.

Él asintió de nuevo.

—Sí —dijo.

Había abierto los ojos y ahora estaba mirando el techo. Hacía tiempo que no se sentía tan miserable e inútil, probablemente desde el primer día en la ciudad, cuando los moteros se habían reído de él. Mierda. Si era incapaz de follar ni pelear no veía cómo iba a poder llegar a nada en la vida. Se imaginó a Gordon mirándolo desde donde se suponía que estaba el cielo, su enorme cara roja meneándose de un lado a otro y luego girándose para escupir en el polvo.

Michelle se había incorporado, apoyándose sobre un brazo, con el mentón sobre la palma de la mano.

—Supongo que a mí me pasó justo lo contrario. O sea, que lo hice antes de los trece. —Pareció pensar en ello un momento—. ¿Esa chica y tú nunca os acostasteis?

Ike se encogió de hombros.

—Una vez.

—¿Una vez? —La oyó reírse—. Lo siento. Ay, no me estoy riendo de ti, pero... ¿una vez?

—Se marchó.

—Eso es verdad. Y entonces tu hermana y tú os quedasteis solos otra vez. Ahí fuera, en mitad de toda esa nada. —Hizo una pausa y luego le preguntó—: ¿Y te gustó?

—¿El qué?

—Lo que hicisteis. Lo que hiciste con tu amor perdido.

Ike se giró para mirarla y vio que ella sonreía, pero era una sonrisa como la que le había lanzado el primer día en el patio, no altiva, sino sincera.

—A lo mejor solo necesitas un poco más de práctica —le dijo—. ¿Y sabes qué?

Él contestó que no sabía.

—No voy a dejar que te marches de aquí hasta que me folles.

Se deslizó fuera del colchón, apagó la vela y después se irguió para quitarse la camiseta y lanzarla lejos. Cuando se puso de pie para desabrocharse los pantalones, la única luz de la habitación era la de la luna, que se filtraba a través del ajado cristal de la ventana y le iluminaba un lado de la cara y los pechos, pequeños y redondos e increíblemente blancos en la zona donde el bikini los había ocultado del sol. Después de quitarse los pantalones se tumbó junto a él, y así, bajo aquella pálida luz, Ike hubiera jurado que parecía tan pura como un ángel. Le deslizó las manos por las piernas, acariciando la fresca piel de los muslos, y luego, cuando se colocó entre ellos y ella lo guio dentro y sintió el calor de su cuerpo y de sus brazos aferrándose en torno a él, cerró los ojos y notó como si el ardiente polvo rojo del desierto se levantara e intentara ahogarlo, y mientras su cuerpo se movía siguiendo un ritmo propio le pareció oír, procedente de un pasado lejano y mohoso, la voz de la vieja pronunciando su nombre. Y era una voz llena de sorpresa, de dolor y de rabia.

21

Michelle se quedó dormida. Notaba su piel caliente y suave contra la suya, y estar así tumbado en la oscuridad, sin hacer nada más, solo escuchándola respirar a su lado, era algo maravilloso. Durante un rato él también se debió de quedar dormido, porque tuvo conciencia de despertarse y tener que recordarse que aquello había ocurrido de verdad, que de verdad estaba allí, que Michelle tenía una pierna sobre la suya, que notaba su aliento en el cuello y sus dedos apoyados en su pecho. Era un descubrimiento de lo más placentero. Se movió un poco y ella se revolvió a su lado. «¿Estás despierto?», le preguntó. Él contestó que sí. Ella se rio de algo y deslizó los dedos hasta su estómago.

—¿Me harías un favor? —le preguntó Ike.

—¿El qué?

Notó cierto tono juguetón en la respuesta.

—Preguntarle a tu amiga a quién se supone que me parezco.

—¿En serio?

Él le dijo que sí. Notó que ella lo apretaba con los dedos.

—Eres raro.

Ike se volvió hacia ella, buscando su boca con la suya.

Cuando volvió a despertarse era temprano. Michelle todavía dormía, boca arriba, con los labios entreabiertos, un brazo sobre la cabeza y un pecho asomando fuera de las sábanas bajo la luz grisácea. La misma sensación agradable que había experimentado antes volvió fácilmente y dedicó un buen rato a observarla y a estudiar el cuarto. Decidió que era una de las habitaciones más extrañas en las que había estado. La mitad recordaba a algo que uno esperaría encontrar en un burdel, y la otra parte pertenecía a una chica joven. El armario era un buen ejemplo, alto y estrecho, con varios estantes, también estrechos, uno encima de otro. En uno había un par de medias de rejilla encima de un guante de béisbol; en otro, un par de zapatos de tacón de aguja rojos junto a unas zapatillas blancas con unas desvaídas iniciales en la parte de atrás. Junto a la cama había una pequeña cómoda con una colección de frasquitos de perfume y maquillaje, y una foto de un equipo de *softball* femenino, y sobre la cómoda, una foto de una pareja montándoselo. Debajo de la foto, con letras recortadas, ponía: «Taaan sexi». Junto a la cortina había una pegatina que decía: «La castidad es un desperdicio».

En cierta manera, ella era como la habitación, una caótica mezcla. Y eso hacía que fuera difícil juzgarla. Cambiaba rápido. En un momento dado podía parecer jovencísima, más joven de los dieciséis años que tenía, y al minuto siguiente más fuerte y con más experiencia de lo que él se había imaginado. Y no solo era que tuviera más experiencia sexual. Era más que eso, algo más profundo. Tenía algo que lo hacía sentir bien a su lado.

Examinó la habitación un rato más y repasó la noche anterior. Michelle seguía dormida. Trató de imaginarse cómo serían las cosas si fueran siempre así: días cálidos y soleados bajo la sombra del muelle. Series perfectas de olas de izquierda. Agradables noches en la cama de Michelle. Y le pareció que por un momento había conseguido todo aquello, o al menos algo parecido. Durante un instante sintió que estaba totalmente a solas con ese momento, inmerso en él, libre de la confusión del desierto.

Fue una percepción fugaz, muy breve, y cuando se hubo desvanecido, la alegría que había experimentado momentos antes también pareció extinguirse. Lo que la sustituyó fue la imagen de la cara de Hound Adams, con el mismo gesto que cuando les había dado la noticia de la muerte de Terry. Su rostro parecía haberse colado por la estrecha ventana, igual que la luz del sol, hasta llenar la habitación entera.

Se decidió a salir de la cama y empezó a buscar su ropa. Un escalofrío le recorrió el cuerpo mientras se vestía de pie sobre el frío linóleo del suelo. Luego fue hasta el fregadero y se lavó la cara lo más cuidadosamente posible para no despertar a Michelle. Cuando terminó, volvió junto a la cama para mirarla una vez más. Seguía dormida, pero ahora se había girado de lado, y su pelo se extendía a su espalda como un delicado abanico sobre las sábanas. Le hubiera encantado tocarla, alisarle el cabello con los dedos cerca de las sienes, donde se le rizaba, pero algo lo detuvo. En lugar de eso, se dirigió a la puerta y salió, cerrando con suavidad detrás de él.

Fuera, en el pasillo, todavía estaba oscuro y hacía frío. Una corriente de aire se colaba por el hueco de la escalera y recorría de abajo arriba el edificio. Fue a su habitación y permaneció dentro solo el tiempo necesario para cambiarse de camiseta; luego salió otra vez y, entre bostezos, echó a andar hacia el dúplex de Preston. Esa mañana no dejaba de pensar en la mansión que había visto sobre el pico y en la conexión que podría tener con la tienda de surf de Main Street. Y en el álbum de recortes del que le había hablado Barbara; quería echarle un vistazo. Apretó el paso, con los ojos clavados en el pálido hormigón de la acera, todavía intentando sacudirse de encima la imagen de la cara de Hound Adams, que le había arruinado la mañana.

El dúplex de Preston estaba orientado al este y cuando llegó, una atmósfera brillante y cálida envolvía el porche. Barbara no tenía buen aspecto. Estaba pálida y tenía ojeras y ronchas en la cara. No se mostró especialmente contenta de verlo, pero tampoco dio la impresión de estar molesta. Más que nada, parecía cansada. Lo invitó a pasar. Llevaba puesta una camisa de cuadros, supuso que de Preston. Le llegaba justo por encima de las rodillas y la llevaba remangada en amplias vueltas a la altura del codo. Se sentó en la cocina mientras ella preparaba café y, por algún motivo, verla allí, tan menuda y con ese aspecto cansado, le hizo sentir culpable por haber ido. Pensó en su noche con Michelle y se preguntó si para Barbara y Preston también había sido así alguna vez.

Barbara ya se había enterado de la muerte de Terry. Ike le preguntó por Preston y ella contestó que seguía sin haber testigos. Al parecer, Hound Adams incluso le había dicho a la policía que no creía que Preston fuera el culpable del apuñalamiento, que había alguien más implicado y que había huido por la puerta trasera. También le contó que la policía no había encontrado el arma y que soltarían a Preston muy pronto.

—A lo mejor incluso ya lo han soltado —añadió.

—¿Y entonces no estaría ya aquí?

—No necesariamente, igual está en la tienda.

—Me temo que solo lo quieren fuera —dijo, y le habló de su encuentro con algunos parientes de Terry.

Ella se quedó impactada con la noticia, como si no hubiera acertado a entender por qué nadie había dicho nada, y Ike se sintió estúpido de inmediato por haberlo mencionado.

Permanecieron un rato sentados en silencio, Ike con la mirada fija en el suelo de linóleo lleno de marcas.

—Escucha —dijo—, una de las razones por las que he venido aquí esta mañana es porque quiero preguntarte algo.

La miró y ella le devolvió la mirada, con un codo apoyado en la mesa y una taza de café en la mano.

—Una vez me dijiste que Hound y Preston habían sido socios. ¿Qué más sabes de eso? ¿Tienes idea de qué pasó entre ellos?

Barbara se levantó y fue hasta un armario que había sobre la nevera. Rebuscó dentro y al final sacó un libro grande y ajado, una especie de archivador de cartón atado con un lazo oscuro.

—Su álbum de recortes —dijo—. Cuando me vine a vivir aquí con él, hizo limpieza y tiró un montón de cosas, y esto lo encontré en la basura. —Dejó el álbum encima de la mesa—. No sé si encontrarás algo interesante, pero todo tuyo. Porque yo no tengo ni idea de nada de lo que me preguntas. No sé qué pasó con Hound ni con el negocio. Sé que ahora no se hablan. Estaba con Preston un par de veces que se cruzaron por la calle, y pasaron uno al lado del otro sin ni siquiera mirarse, como intentando fingir que el otro no estaba ahí. Es raro, pero no sé de qué va el asunto.

Ike abrió el álbum y empezó a hojearlo.

—Me dijiste que Preston no es de por aquí, que se vino solo.

Ella asintió.

—Creo que se crio por Long Beach. Al menos ahí es donde viven sus padres. Aunque no te lo creas, su viejo es una especie de predicador.

—¿Te lo contó él?

—No de forma voluntaria. Cuando me mudé me dijo que sus padres habían muerto. Pero un día su vieja llamó preguntando por él y dijo que era su madre. Lo estuve incordiando con eso un día entero, y al final admitió que sus padres estaban vivos. Fue entonces cuando me contó que su padre era pastor. Le pregunté por qué me había dicho que estaban muertos, y se limitó a encogerse de hombros. Es imposible intentar sonsacarle cosas, porque se cabrea.

—Lo sé —contestó Ike.

Estaba encontrando cosas interesantes en el álbum. Había unas cuantas fotos de la tienda, y descubrió que, en otra época, había tenido la mitad del tamaño actual. La pared de ladrillo que ahora dividía el espacio en dos había sido, en tiempos, el escaparate. En una de las fotos la pared estaba desnuda; en otra, aparecía pintada y con el viejo logo de la tienda, la ola dentro del círculo y la frase «Conectar con la fuente».

El álbum también estaba lleno de fotos de Preston, muchas de ellas recortadas de revistas de surf, en las que aparecía el mismo chaval joven y moreno que Ike había visto en la foto de la tienda. Ahora entendía lo que le había dicho Barbara, que todo el mundo sabía quién era Preston, y también por qué se habían sorprendido tanto al verlo regresar tan cambiado. La piel desnuda y limpia de las extremidades, los movimientos gráciles. Míster California del Sur. No había ni rastro de tatuajes en el álbum de recortes. Estaba a punto de pasar la página cuando un nombre le llamó la atención. Aparecía en el anuncio de una película de surf, donde ponía: «El campeón nacional, Preston Marsh, en *Wavetrains*, una película de Milo Trax».

—Este tipo —dijo Ike—, Milo Trax. ¿Es el mismo del Rancho Trax?

Barbara se inclinó sobre la mesa y se fijó en el nombre.

—No lo sé. Creo que no me había fijado nunca en él.

Ike le explicó lo de las fotos de la tienda y le describió el aspecto de Milo Trax en esas imágenes. Barbara se encogió de hombros.

—No me suena, pero hubo una época en que un montón de gente rara empezó a pulular por la tienda. Me refiero a tipos mayores, gente de ciudad, que parecían más de Los Ángeles que de la costa. Recuerdo que el sitio empezó a tener mala fama. Coincidió con la época en que mucha gente comenzó a drogarse; formaba parte de todo aquello. Según parece, Hound y Preston vendían un montón de droga y ganaron mucho dinero. Vamos, que los veías a los dos por la ciudad conduciendo Porsches nuevos y todo eso. Creo que Hound sigue metido en el tema. Según he oído, tiene unas cuantas casas por aquí, y no se gana tanto dinero con una tienda.

—¿Y Preston?

—¿Su dinero? Ni idea. Se lo fundió. Creo que ya te conté que lo reclutaron. Recuerdo que aquello sorprendió a mucha gente. Supongo que todo el mundo pensaba que Hound y Preston eran lo suficientemente listos como para librarse, pero me acuerdo de que un día, sentada en el muelle, oí decir a una chica que Preston estaba en los marines, que lo mandaban al frente y que nadie podía creer lo estúpido que era aquello. Se marchó y luego volvió, y fue entonces cuando lo conocí. El resto ya te lo he contado.

Barbara había contado todo esto bastante deprisa, y se detuvo para tomar aliento y dar un sorbo a la taza de café. Ike siguió mirando el álbum.

—En la tienda hay una foto de Hound y Preston juntos —le explicó—, y sale también una chica, se llama Janet.

—Se *llamaba* Janet.

Ike enarcó una ceja.

—Doy por hecho que hablas de Janet Adams. ¿Era guapa?

Él asintió.

—¿La hermana de Hound?

—Está muerta. Sucedió hace bastante tiempo. Por esa época yo todavía estaba en el instituto y no la conocía. Fue una sobredosis o algo parecido. Tuvo que ver con las drogas, eso lo recuerdo, y fue un buen lío.

Ike se quedó en silencio un momento. Aquella información le resultaba extrañamente perturbadora. Pensó de nuevo en la foto de la tienda, en la risa de la chica, su pelo ondeando al viento y cubriéndole un lado de la cara.

—¿Sabes algo más?

Barbara negó con la cabeza.

—No. No la conocía. Fue hace mucho. Solo me acuerdo del suceso, de que todo el mundo estaba impresionado de que una chica como Janet tomara drogas. —Se detuvo un momento y bajó la vista hacia la mesa—. ¿Puedo preguntarte algo? —dijo a continuación—. ¿Por qué te interesa tanto todo esto?

Ike cerró el álbum y se encogió de hombros. Por un momento pensó en explicárselo, pero luego cambió de idea.

—No lo sé —dijo—. Pura curiosidad, supongo. Es decir, me has hablado de lo distinto que era Preston antes. ¿Nunca te has preguntado qué lo hizo cambiar?

Ella lo miró con gesto amargo, como si fuera una pregunta estúpida.

—Claro, por supuesto que me lo he preguntado. Pero estuvo fuera mucho tiempo, pasó dos veces por Vietnam. Mucha gente volvió cambiada de allí.

—Estaba pensando más bien en por qué decidió irse la primera vez, por qué dejó el negocio. A lo mejor tuvo algo que ver con Janet Adams. Dices que Hound y él trapicheaban con drogas.

Barbara se levantó, le quitó el álbum de las manos y lo devolvió a su sitio. Cuando hubo cerrado el armario, se apoyó de espaldas contra él y miró a Ike.

—Puede que tuviera que ver, sí. Hace seis meses a lo mejor habría estado más interesada en pensar en ello. Ahora me parece que, de algún modo, ya no viene al caso. Si alguien no cuida de sí mismo, al cabo de un tiempo una empieza a perder el interés.

Ike se levantó de la mesa. De repente tenía un montón de cosas en las que pensar y quería estar solo. Aun así, deseó poder decirle algo a Barbara. Pero no sabía qué. Se despidió, le dijo que seguiría en contacto y ella lo acompañó a la puerta.

El sol bailaba en las aceras y las casas parecían flotar como retazos de papel de colores por efecto de las ondas de calor. Puso rumbo al centro de la ciudad, sin apenas prestar atención adónde se dirigía, mientras pensaba en lo que le acababa de contar Barbara. Seguía con la imagen de aquella chica en la cabeza, con un brazo rodeando a Hound Adams, con el otro a Preston, convencido de que ella era la clave. Su muerte era lo que se había interpuesto entre Preston y Hound. Y de alguna forma, aunque era incapaz de decir cuál era la razón concreta, estaba seguro de que Janet Adams había sido el motivo que había ensombrecido el gesto de Preston el día que él le había contado lo de su hermana y le había enseñado el trozo de papel con los nombres.

Apretó el paso y, antes siquiera de darse cuenta, ya estaba en el centro, caminando en dirección a Main por las sucias calles laterales, entre solares llenos de hierbajos, pozos de petróleo dispersos y una solitaria cervecería. Estaba casi a la altura del bar cuando de repente Morris salió del interior del local y se plantó en la acera. Llevaba una gorra con la visera vuelta hacia atrás, unas gafas de sol de montura metálica y su chaleco vaquero. Parecía que iba bastante bebido. Se tambaleó un poco bajo la brillante luz del sol mientras Ike se acercaba a él, y hubo algo indudablemente agresivo en la forma que tuvo de bloquearle el paso en la acera mientras una sonrisa estúpida se dibujaba en mitad de su apelmazada barba rubia. Ike pensó que no tenía sentido darse media vuelta y echar a correr. Conocía a Morris. Eran todo paranoias suyas. Se acercó un par de pasos más y le dijo hola.

Morris se quitó las gafas con gesto metódico, las dobló con mucho cuidado y las metió en el bolsillo del chaleco. Luego, puso el puño de la mano derecha en la izquierda y se crujió los nudillos. Ike retrocedió, pero Morris se lanzó a por él, tambaleándose y sonriendo ahora con una mueca enorme.

Todo sucedió muy rápido. Quitarse de en medio ni siquiera fue una opción. El puño atravesó el aire caliente y de repente el cielo se oscureció. Al instante siguiente, Ike se encontró tirado de espaldas en el suelo, aunque en un primer momento no sintió ningún dolor. Estaba como anestesiado. Notaba que le sangraba la cara y le resultaba muy difícil enfocar la vista, como si su cuerpo no se decidiera a perder la conciencia del todo. Su campo de visión se oscurecía, luego volvía la luz y después se iba a negro otra vez. La cara grande y sucia de Morris se le apareció por encima y se dio cuenta de que, con un grueso dedo le apuntaba al pecho.

—Sabía que la cagarías —le dijo.

Lo agarró por el cuello de la camiseta. Daba la impresión de que lo iba a golpear otra vez. Ike pensó en el cemento que tenía detrás de la cabeza. Luego oyó que alguien le decía algo a Morris.

—Creía que habías dicho que podías dejarlo KO, pardillo.

—Ah, tío, me he resbalado.

—Y una mierda.

Ike comenzó a recuperar poco a poco la visión y distinguió la silueta de otro hombre junto a Morris. Era Preston, con su vieja camiseta de tirantes y su pañuelo rojo anudado a la cabeza.

—Déjame volver a intentarlo —suplicó Morris—, que esta vez le parto la cabeza.

—Que te den, has perdido. Me debes una birra —Preston se dio media vuelta y entró otra vez en el bar. Morris soltó a Ike.

—¿Lo pillas, maricón?

22

De vuelta en su habitación, Ike se miró al espejo. Había sangre por todas partes. El golpe le había impactado justo encima del ojo derecho y tenía un corte muy feo cerca de la ceja. La piel abierta y en carne viva dejaba asomar una fina esquirla blanca. La imagen le revolvió el estómago y vomitó en el fregadero. Luego puso unos cuantos hielos en una toalla y se tumbó, aplicándose el hielo en la cabeza, que finalmente había empezado a palpitarle de dolor. Estaba demasiado desorientado como para pensar con claridad. Por encima de todo, se sentía traicionado y no sabía por qué. ¿Morris le había contado algo a Preston sobre Barbara y él? Y si lo había hecho, ¿Preston lo había creído? Pero no, no podía ser eso. Había algo más y no sabía qué era.

Debió de quedarse dormido, porque cuando abrió bruscamente los ojos vio que el cielo se había tornado rojo al otro lado de la ventana. La habitación estaba a oscuras y el ambiente cargado olía a vómito. Los hielos se habían derretido, empapándole la camiseta y la almohada, pero parecía que había dejado de sangrar. Se levantó para abrir la ventana y estuvo a punto de caerse al suelo. Se apoyó en la cama y esperó un rato y, por fin, al segundo intento, consiguió incorporarse. Después se tambaleó hasta la puerta y también la abrió, con la esperanza de crear un poco de corriente cruzada. Luego se tumbó otra vez. Se quedó así durante un buen rato, pensando, mientras el color del cielo se tornaba púrpura y después negro y las polillas revoloteaban alrededor de la bombilla desnuda del pasillo. Había algo en esa bombilla, en el zumbido de las polillas en mitad del halo de luz y en la oscuridad de detrás, que le recordaba al desierto. Se acordó del patio de tierra compacta de Gordon y del deteriorado porche, donde, por la noche, la luz abría un agujero en la oscuridad y atraía a los insectos de toda la ciudad, que hendían las sombras con su repiqueteo metálico.

Se quedó adormilado otra vez, pensando en el desierto, y cuando volvió a abrir los ojos fue porque Michelle lo estaba observando. Estaba justo en el umbral de la puerta, vestida con su uniforme de trabajo. Llevaba el pelo recogido con unas horquillas, y Ike no recordaba habérselo visto así nunca. Le hacía la cara más redonda y menos adulta.

—Me han pegado.

Ella encendió la luz y se acercó para mirarlo más de cerca; luego abrió el armario y rebuscó hasta encontrar una camiseta limpia y unos pantalones.

—Ponte esto —le dijo, y se los lanzó a la cama.

—¿Por qué?

—Porque voy a coger el coche de Jill y te voy a llevar al hospital.

—No necesito ir al hospital.

—Sí, te tienen que poner puntos ahí.

—No necesito puntos —insistió él.

Se había incorporado sobre el codo y la observó mientras ella se dirigía a la puerta. Michelle se detuvo un instante y se dio la vuelta para mirarlo.

—No los necesitas si lo que quieres es que te quede una cicatriz enorme. No discutas, ¿vale? Mi madre es enfermera.

—Mierda. Tú no sabes conducir.

—Sí que sé. Haz el favor de levantarte y vestirte. Ahora.

Cerró la puerta al salir y Ike la oyó bajar al vestíbulo. Se sentó en el borde de la cama y se quitó la camiseta. Y seguía allí sentado cuando Michelle volvió a entrar en la habitación. Lo ayudó a terminar de vestirse y él encontró absurdamente placentero ver cómo lo hacía. Le miró las manos y los brazos, que eran casi como los suyos, o incluso más fuertes. Cuando ella hubo terminado, se levantó y la siguió fuera.

El coche de Jill era un Rambler del 68, y Michelle no se manejaba demasiado bien con la palanca de cambios. El hospital estaba a unos ocho o diez kilómetros y las marchas se le atascaban todo el rato. Lo llevó al Huntington Community, el mismo hospital al que habían llevado a Terry Jacobs la noche de la pelea.

El proceso no resultó tan desagradable como Ike había imaginado. Lo sentaron en la camilla blanca en una luminosa habitación blanca y le examinaron la herida. Después de limpiársela y coserle, le pusieron una inyección y le recetaron Nembutal.

Mientras esperaba a que le entregaran la receta en el mostrador, echó un vistazo al pasillo que llevaba a la entrada de Urgencias, y desde allí los vio entrar. Lo primero que distinguió fue la desgastada mezcla de vaqueros manchados de grasa y camisetas, y eso fue suficiente para que le flaquearan las piernas. Porque de inmediato supo lo que había pasado. Y entonces vio a Barbara. Llevaba un pañuelo apretado contra la cara. Ike se alejó del mostrador y echó a andar hacia ella. Recorrió el estrecho pasillo y cruzó las puertas grises bajo la luz de los fluorescentes, con Michelle agarrándole del brazo, y Barbara lo miró con los ojos muy abiertos y enrojecidos, aunque cuando habló y le contó lo sucedido lo hizo con voz serena: los samoanos habían pillado a Preston en la tienda, solo. Morris había salido a buscar piezas. Alguien que pasaba por el callejón había oído el escándalo y había avisado a la policía. Esa llamada de teléfono probablemente le había salvado la vida a Preston, aunque tenía una herida en la cabeza y aún no estaba claro el alcance de la lesión. Por desgracia, sus manos no se habían librado a tiempo. Le habían metido las manos en el torno y había perdido todos los dedos, todo menos los pulgares.

El camino de vuelta a casa lo hizo totalmente aturdido. Se sentía paralizado por completo en mitad de la oscuridad que lo rodeaba. Michelle lo ayudó a bajar del coche y a llegar a su habitación. La medicación había empezado a hacerle efecto, y se acostó en la cama mientras el cuarto giraba lentamente a su alrededor. Michelle se tumbó a su lado y notó cómo sus dedos fríos le acariciaban la frente. La oyó decirle que todo iba a ir bien y lo mucho que le gustaba. Y entonces fue como si todo se le viniera encima a la vez. Se arrastró hasta el baño y cerró la puerta, y allí se quedó, de rodillas, mientras la luz comenzaba a tornarse grisácea, vomitando hasta las entrañas en el interior de las cloacas de Huntington Beach, dándole a aquel lugar algo por lo que ser recordado.

23

Ike Tucker se quedó escondido en su habitación durante una semana. Se sentía como si hubiera sido a él al que le hubieran reventado la cabeza y amputado los dedos. Tirado en la cama, se dedicaba a observar cómo avanzaban y cambiaban de forma las sombras del techo. O iba hasta la ventana y observaba los pájaros y la silueta de los pozos de petróleo a través de los sucios cristales. Si hubiera tenido su tabla a lo mejor habría sido diferente. Echaba de menos las sesiones matutinas, y recordaba con amargura el viaje que habían hecho al rancho.

La única persona que lo visitaba era Michelle. Le traía comida del trabajo y trataba de convencerlo de que saliera a la calle. Hacia mediados de semana, el tiempo se había vuelto particularmente caluroso.

—¿Por qué no bajas a la playa? Al menos así te refrescas un poco.

Ike se encogió de hombros, de pie junto a la ventana, y observó las palmeras, inmóviles bajo el calor tórrido.

—¿Te da miedo encontrarte con Morris?

El tono de Michelle no era insolente, pero, aun así, la pregunta lo irritó.

—Son unos gilipollas. Los dos, Morris y Preston.

—Preston no.

—Dios, ¿qué necesitas para darte cuenta? ¿Por qué te empeñas en convertir a ese tipo en un héroe? No es más que otro estúpido motero, ¿es que no lo ves?

—No. —Ike seguía junto a la ventana, vuelto hacia el patio—. No tienes ni puta idea de lo que estás hablando.

—¿Yo? ¿Que yo no tengo ni idea de lo que estoy hablando? Esa sí que es buena. Mira, siento lo que le han hecho. Pero se quedó ahí plantado mientras Morris te pegaba un puñetazo. Me lo dijiste. Se habían apostado algo, ¿no? Habían apostado a que Morris te dejaba inconsciente.

Ike deseó no haberle contado que había visto a Preston en el bar. La verdad era que no sabía qué pensar. A lo mejor Michelle tenía parte de razón. Quizá tanto tiempo en el desierto le había afectado, tanto alimentar fantasías con libros, tanto anhelar a un padre al que nunca había conocido, hasta el punto de que, durante una época, había intentado que Gordon hiciera ese papel. Igual se le habían mezclado todas esas cosas. O a lo mejor era un mariquita o algo por el estilo y no lo sabía. Pero aun así, había algo más; no podía atribuirlo todo a esa clase de cosas y estaba mal siquiera intentarlo. De lo que sí estaba seguro era de que Preston no era solo otro estúpido motero. Michelle se equivocaba en eso. Pero no intentó corregirla. Se quedó en silencio, absorto en la inmóvil atmósfera del exterior, hasta que ella se acercó y se colocó a su lado.

—¿Por qué no vas a hablar con Hound? Te dijo que lo hicieras. Puedes conseguir otra tabla.

—¿No lo entiendes? —contestó él, volviéndose para mirarla a la cara—. Está metido en lo que le han hecho a Preston.

—No, no lo entiendo. Preston dejó que Morris te pegara. Apuñaló al amigo de Hound. Es igual que todos esos moteros gilipollas. No sé por qué quieres mezclarte con él y no con Hound. Y a Hound le gustas.

Esta vez Ike pasó por alto el comentario sobre Preston.

—¿Qué te hace pensar que a Hound le caigo bien?

—Se nota, por algo te llama «hermano» todo el rato.

—Llama así a todo el mundo.

—No, no lo hace.

Ike se quedó mirando el pozo de petróleo que había debajo, tratando de decidir si lo que decía Michelle era cierto o no. A veces podía resultar complicado hablar con ella, sobre todo cuando se le metía algo en la cabeza. Pero le parecía que esa terquedad estaba directamente relacionada con su fortaleza, y esa fuerza era uno de los rasgos que más admiraba en ella. Se acordó otra vez de la mala impresión que le había causado al principio. No era una niñata descerebrada. Era joven. Estaba sola. Había muchas cosas que nadie le había explicado. Pero pensaba por sí misma. Y era dura. Nunca la había oído quejarse. En su armario solo tenía un par de pantalones decentes y un llamativo vestido que se había comprado en una tienda de segunda mano y, aun así, era ella quien le había pagado las medicinas cuando él estaba demasiado jodido como para comprárselas, y siempre sin pedirle que le devolviera la pasta. Y mientras había permanecido allí postrado, había descubierto unas cuantas cosas más que no habían hecho sino acrecentar su admiración por su aguante y fortaleza. Se había hecho una idea de la clase de mierdas que una chica joven y sola tenía que aguantar: el acoso sexual de sus compañeros de trabajo, por ejemplo, unos imbéciles que sabían que podían liártela sin que pasara nada, porque las chicas que se habían escapado de casa no solían ir a la policía. En uno de esos trabajos, una tienda de dónuts abierta veinticuatro horas, el encargado había intentado violarla poniéndole un cuchillo entre las piernas. Michelle había agarrado la hoja con una mano y le había arañado los ojos con la otra antes de salir corriendo. Le había enseñado la larga cicatriz que le cruzaba la palma de una mano. Y a veces, cuando le contaba cosas así, él se acordaba de Ellen. Sobre todo cuando le contó lo del cuchillo: agarrar así la hoja era algo que Ellen podría haber hecho. También era una chica dura, pensó.

Y de repente, mientras le daba vueltas a esas cosas junto a la ventana, quiso que Michelle supiera lo de Ellen y lo de Hound Adams, y por qué estaba él allí. Se dio media vuelta, dando la espalda a la vista del patio, y fue hasta el armario. El sol entraba por la ventana e incidía de forma directa sobre la maltratada madera, y al tocar el pomo de la puerta se quemó los dedos. Abrió el armario y vio el trozo de papel con los nombres. Miró a Michelle por encima del hombro.

—Si te cuento algo, ¿guardarás el secreto? No se lo puedes decir a nadie, ni si quiera a Jill. —La vio asentir. Cogió el papel y se lo dio—. Tiene que ver con mi hermana.

Le contó toda la historia, como en su momento se la había contado a Preston Marsh. Le explicó lo del chico del Camaro blanco y lo del viaje a México con Hound Adams. Mientras hablaba, ella lo miraba sin soltar el papel que tenía en la mano.

—Hasta ahora la única persona que sabía algo de esto era Preston. Pensaba que me ayudaría.

—¿Eso pensabas?

Ike se encogió de hombros.

—No sé. No sé bien qué pretendía. Preston es un tipo raro. No siempre es fácil hablar con él. Y ahora ya ni siquiera puedo intentarlo.

—No creo que «raro» sea la palabra correcta —dijo Michelle. Después se quedó en silencio, mirando el suelo—. Así que por eso querías que Marsha te dijera a quién te parecías, ¿no?

Él asintió.

—A lo mejor sabe algo —dijo—. Pero ¿por qué tu tío te dejó venir solo? Me has dicho que estaba allí contigo cuando el chaval te lo contó todo. ¿Por qué no quiso hacer nada al respecto?

—Porque cree que Ellen está loca y que cualquier cosa que le haya pasado es culpa suya. Y porque le importa una mierda.

—¿Y tú también le importas una mierda?

—No lo sé.

—Te ha criado.

—Y buscó la forma de sacarle un dinero al Estado por eso.

—¿En serio?

Ike asintió.

—Ellen lo oyó una vez hablando de eso con mi abuela y me lo contó.

—Mierda. —Michelle sacudió la cabeza—. Eso me recuerda a algo que podría haber hecho mi vieja perfectamente. Le importa una mierda dónde estoy. También piensa que estoy loca. Pero lo mío no es nada en comparación con ella. ¿Sabes a qué se dedicaba antes de que me fuera? Estaba tan mal que intentaba meterle ficha a todos los tíos que yo llevaba a casa. Cuando no estaba en el trabajo, estaba en casa paseándose medio desnuda todo el día. Una tarde volví del instituto y me la encontré follándose a un tipo con el que yo había estado. ¿Te lo puedes creer?

En lugar de pensar en eso, Ike se acordó del día que Ellen le había contado lo de Gordon y el dinero de la pensión y cómo se había sentido él al enterarse de eso. Se preguntó si sería parecido a lo que había sentido Michelle.

—Pero qué más da, no vamos a pensar en eso ahora. A la mierda tu tío y mi vieja. —Se acercó y se apoyó en él—. Una cosa sí sé, y es que me gusta que hayas venido. Me gusta que seas así.

Ike se deslizó bajo su brazo, preguntándose cómo era él en realidad, porque, claro, no le había contado todo lo de Ellen.

—Y hablaré con Marsha —añadió Michelle—. Y puedo preguntarle a más gente. Te ayudaré. —Parecía hasta entusiasmada con la idea.

—¿Y acabar como Preston?

—No sabes si eso es lo que ha pasado. Ni siquiera sabes si de verdad estaba tratando de ayudarte.

—Solo te digo que no preguntes demasiado por ahí. ¿Sabes a lo que me refiero? Ten cuidado.

—Sí —contestó ella—. Sí, sí, sí.

Dejó que las palabras salieran despacio, con suavidad, y apoyó la cabeza en su hombro de forma que sus caras quedaron muy juntas. Ike le acarició el pelo, sintiendo el ritmo de su respiración y aspirando el aroma de su piel, mientras ella le susurraba una vez más que estaba muy contenta de que hubiera venido, que era diferente, que a lo mejor ella podía ayudarlo. Y antes de que él tuviera tiempo de protestar, le dijo alguna tontería sobre que debía hacer más ejercicio y que no era sano estar ahí tirado todo el día, mientras poco a poco comenzaba a desvestirlo. Luego dejó que lo empujara hasta la cama y se le pusiera encima, y trató de mantenerse lo más quieto posible mientras ella se movía rítmicamente sobre él, poniendo a prueba su capacidad de mantenerse inmóvil, hundiéndose en el colchón a medida que ella empujaba y él entraba cada vez más adentro. Observó cómo el sol iluminaba una pequeña porción de su hombro desnudo y el diminuto punto negro de su ojo. Michelle entrecerró los parpados, como si estuviera meciéndose a sí misma para ir cogiendo el sueño, y Ike pensó en lo loco que era estar haciendo el amor cuando había tantas cosas en las que pensar, y encima con ese calor. Finalmente, la rodeó con los brazos y la atrajo hacia sí. Ella enterró la cara en su cuello y él arqueó la espalda, y lo único que quedó entonces fue el sonido de sus cuerpos húmedos y sudados golpeando uno contra el otro y el chirrido del viejo somier.

Cuando terminaron, Michelle se tumbó a su lado y se quedaron así, uno junto al otro, durante un largo rato. Hacía mucho calor. La luz fue cambiando y el cuarto se tiñó con el oscuro resplandor ocre del ocaso. Al final, fue Michelle quien habló.

—Entonces, ¿qué vas a hacer cuando encuentres a tu hermana? ¿Volverás al desierto?

Después de tanto rato en silencio, le resultó extraño oír su voz.

—No lo sé —contestó.

Podía parecer raro, pero no había pensado mucho en eso.

—Algo querrás hacer. Dedicarte a las motos, abrir tu propia tienda.

—No sé. Eso creo que no.

—Entonces ¿qué?

Michelle se había incorporado sobre un codo y lo estaba mirando. Él se encogió de hombros, pensando en lo que le había dicho Preston en el rancho.

—Viajar, a lo mejor. Hacer surf.

—¿Tanto te gusta?

Ike asintió.

—¿Y tú? ¿Qué quieres hacer?

—Viajar estaría bien, ver cosas que nunca he visto.

—¿Cómo qué?

Ella tardó un momento en contestar. Volvió a tumbarse a su lado.

—¿No te vas a reír?

—No.

—Lo que me gustaría hacer es domar caballos.

Ike no dijo nada.

—¿Te parece una idea estúpida?

—No.

—A mi madre sí se lo parecía.

—¿Sabes algo de caballos?

—Puedo aprender. ¿Crees que no sería capaz?

Ike negó con la cabeza.

—Pues ha sonado como si pensaras que no soy capaz.

—No. Claro que puedes. Pienso que sí serías capaz. Si es lo que quieres.

Después de eso se quedaron otro rato callados. Ike observó sus piernas desnudas iluminadas por las últimas luces. Se sentía medio paralizado, pero de una forma muy placentera. La habitación se volvió naranja y luego se tornó de un tono rosa pálido a medida que el sol se hundía en el mar, en algún punto al otro lado de la ventana. Michelle se levantó y fue hasta el fregadero para beber un vaso de agua. Cuando volvió se sentó en el borde de la cama. Ike observó su perfil recortado contra la débil luz rojiza.

—A lo mejor es una locura —dijo Michelle.

—¿El qué?

—Lo de los caballos. Es lo que todas las niñas quieren, ¿no? Qué estupidez.

Ike se incorporó y le puso una mano en el hombro. Algo en el tono de ella lo había hecho reaccionar.

—A la mierda con eso. Eres joven. Puedes hacer lo que te dé la puta gana.

Y al instante se acordó de Preston. Era lo mismo que le había dicho él.

A finales de semana Ike tenía que ir a quitarse los puntos y no le quedó más remedio que salir de la habitación. Michelle trabajaba, así que cogió el autobús hasta el hospital. Era la primera vez que pisaba la calle en días, y estaba convencido de que iba a encontrarse a Morris detrás de cada esquina.

Después de que le quitaran los puntos había pensado en ir a ver a Preston, pero cuando llegó el momento empezaron a fallarle los nervios. Aun así, merodeó un rato por el hospital, con la esperanza de que la falta de valor fuera solo algo momentáneo. Se metió en el baño y se miró al espejo. La nueva cicatriz sobre el ojo derecho, pegada a la ceja, apenas se notaba. Había confiado en que le diera un aspecto más rudo y dejar de parecer así un maldito niñato, que era exactamente lo que su hermana le había dicho una vez. En realidad, su apariencia había cambiado también por otros motivos. Tenía el pelo mucho más largo, más fuerte y ondulado, y en algunos puntos el color castaño se había aclarado hasta parecer rubio. Lo llevaba con la raya al medio y le llegaba ya hasta debajo de las orejas. Estaba moreno y le pareció que tenía los brazos y los hombros más fuertes, quizá de tanto remar. Seguía siendo bastante escuálido, eso no había cambiado, pero tenía mejor aspecto. O a lo mejor era que ahora se parecía más a los chicos de Huntington Beach. Ya no tenía pinta de paleto de pueblo, y se preguntó si Michelle también se habría fijado en él si no hubiera cambiado en nada y no hubiera empezado a parecerse a los demás surfistas que frecuentaban el muelle. Era curioso lo importante que resultaban esas cosas allí, la necesidad de parecer algo —punk, surfero, motero—, lo que fuera con tal de no tener pinta de paleto.

Se quedó un buen rato en el baño pensando en Preston. Lo veía ahí plantado, en la puerta del bar, detrás de Morris. Más que cabreado con él, estaba confundido. No podía evitar sentir que en parte era culpa suya, que él había sido quien había metido a Preston en eso, aunque no era capaz de saber exactamente cómo ni por qué. Cuando por fin salió del baño, recorrió el pasillo y se acercó a uno de los puestos de enfermería.

La enfermera que estaba en el mostrador era una mujer gorda; el pelo rojo y ralo le asomaba por debajo de la cofia, y Ike se descubrió pensando en la madre de Michelle mientras la mujer pasaba el dedo por una lista de nombres, tratando de localizar a Preston. Se preguntó si también le daría a la bebida y se dedicaría a insinuarse a chavales de dieciséis años.

—La doscientos catorce —le dijo sin mirarlo.

Después lo acompañó hasta un carrito lleno de batas y mascarillas quirúrgicas situado al final del pasillo. Justo detrás había una pesada puerta gris y una pequeña luz roja en la pared.

—Antes de entrar tienes que ponerte esto —le dijo—, una de las manos se le ha infectado. Y no puedes quedarte mucho tiempo. Lo operaron anteayer, ya sabes. Le han tenido que colocar una placa en la cabeza.

Ike se puso la bata encima de la camiseta y los vaqueros, luego la mascarilla y los guantes. Se sentía raro así vestido. El calor se condensaba bajo la mascarilla. La enfermera abrió la puerta y él entró en la habitación. Dentro se estaba más fresco y la luz era mucho más tenue. Había tres camas, pero dos de ellas estaban vacías. Preston ocupaba la que estaba más alejada de la puerta y parecía dormido. Ike cruzó la habitación muy despacio. Preston tenía las dos manos sobre las mantas, las palmas hacia abajo, los brazos estirados y pegados al cuerpo. En una llevaba un vendaje no muy aparatoso; la otra la tenía envuelta en una especie de plástico y de entre las vendas asomaba un tubo que bajaba hasta el suelo por el otro lado de la cama.

En la cabeza llevaba un gorro quirúrgico verde pálido y por debajo se veían los bordes blancos del vendaje. Tenía la cara prácticamente irreconocible; los ojos morados e hinchados, y puntos en el puente de la nariz. Ike se dejó caer pesadamente en la rígida silla verde que había junto a la cama. Miró más allá del cuerpo yaciente de su amigo, hacia las persianas venecianas que cubrían la ventana, a través de las cuales se filtraban unos débiles patrones de luz. La habitación olía a medicina, y Ike se ajustó la mascarilla. Notaba el sudor por debajo. Cuando miró otra vez la cara de Preston, se dio cuenta de que había movido ligeramente la cabeza sobre la almohada y ahora parecía estar observándolo con un solo ojo. El blanco del ojo lo tenía completamente rojo, de un rojo oscuro, así que resultaba difícil distinguir dónde comenzaba la pupila. De pronto, Ike tuvo miedo de ponerse a llorar o vomitar en el suelo. Le ardía la garganta y notaba el cuello tenso. Sin embargo, antes de poder decir nada, Preston movió otra vez la cabeza y la orientó hacia el techo.

Ike se levantó. Era como si toda la habitación diera vueltas. Se acercó a la cama y le puso una mano en el hombro a Preston. Lo notó tenso y duro debajo de su palma. Le habían remangado la bata hasta los codos y Ike pudo ver los tatuajes perdiéndose por debajo de las vendas. Preston no dijo nada ni volvió a mover la cabeza. Era difícil decir si lo estaba mirando o no. Ike le apretó el hombro.

—Lo siento —dijo.

Preston tragó saliva. Lo hizo como si le costara mucho esfuerzo. Parpadeó y Ike vio que se le escurrían las lágrimas. Notó cómo a él también se le empañaban los ojos. Tenía un nudo en la garganta y supo que no iba a ser capaz de decir nada más.

—Nos vemos —murmuró—. Andaré por aquí.

En cuanto salió de la habitación, se arrancó los guantes y la mascarilla, hizo una bola con la bata y lo arrojó todo contra la pared. Un celador le lanzó una mirada desaprobadora, pero no le dijo nada. Ike le sostuvo la mirada y después recorrió el pasillo a grandes zancadas, cruzó las pesadas puertas y salió al exterior, bajo el sol cegador.

24

—Tenías razón con Marsha —le dijo Michelle.

Era mediodía. Ike había vuelto del hospital hacía aproximadamente una hora.

—Dice que te pareces a la chica que trabajaba con ella en la tienda de ropa, y que se llamaba Ellen. Le he preguntado si tenía idea de dónde podría estar. Ha dicho que no, que oyó que se había marchado de la ciudad. Pero estaba pensando que a lo mejor podíamos pasarnos por la tienda y hablar con...

—Olvídate de la tienda.

Michelle se lo quedó mirando.

—¿Cómo dices?

—Digo que a la mierda. Vamos a ir la tienda y el dueño nos va a decir «ah, sí, Ellen Tucker. Ya no trabaja aquí, creo que se marchó de la ciudad». De puta madre. Nadie sabe nada, Michelle. Nadie sabe más de lo que sé yo. Por eso el chaval condujo hasta el desierto buscando a la familia de Ellen, porque tampoco había podido descubrir nada, y eso que vivía aquí. ¿Ves a lo que me refiero? La clave es Hound Adams. Hound Adams y Frank Baker. La única manera de enterarme de algo es acercándome lo suficiente a ellos como para que me lo cuenten. Todo lo demás es una pérdida de tiempo.

Michelle se había sentado en el borde de la cama. Tenía las

piernas cruzadas y movía uno de los pies mientras se miraba fijamente la punta del zapato.

—¿Y eso cómo lo vas a hacer?

—Voy a empezar por aceptar la oferta de Hound. Me acercaré a la tienda y echaré un vistazo a las tablas. —Hizo una pausa—. Y después de eso, no sé.

Guardó silencio y a continuación se golpeó la palma de la mano con el puño.

—Maldito Hound Adams. ¿Por qué quiere darme una tabla?

—Ya te lo he dicho, a lo mejor le gustas.

—O a lo mejor le gustas tú. O igual es otra cosa. Estoy seguro de que Hound sabe perfectamente bien que yo estaba en el rancho con Preston. Es como si estuviera jugando a algún maldito juego.

Miró a Michelle un momento, pero ella no dijo nada, así que se dio la vuelta y fue hasta la ventana.

—A lo mejor Preston tenía razón —la oyó decir finalmente—. Quizá lo mejor es que te vayas. —Hizo una pausa—. Podría irme contigo.

Ike negó con la cabeza. El problema era que ahora, por primera vez desde que se había montado en aquel maldito autobús mientras la vieja no dejaba de gritarle en la oscuridad, sentía algo más aparte del miedo. Primero se habían llevado a su hermana. Luego habían jodido a su amigo. No estaba bien que él demostrara ser tan inútil. No iba a dejar que las cosas se quedaran así. Se lo dijo a Michelle. Ella siguió estudiando la punta de su zapato, con la cara suave y pálida iluminada por el sol. Por fin, levantó la vista y lo miró.

—Tipo duro —dijo—. Ten cuidado, solo eso.

Se puso en marcha esa misma tarde y encontró a Hound Adams sentado en un banco enfrente de la tienda, hablando con dos chicas jóvenes vestidas con bañadores de una sola pieza. La tela tenía varios agujeros y unos ángulos imposibles, de forma que dejaba un montón de piel a la vista. Según parecía, eran ellas las que llevaban la iniciativa de la conversación. Ike podía distinguir sus bocas moviéndose y los cambios de expresión. A medida que se acercaba, comenzó a oír sus risas. Hound Adams parecía encontrar cierta diversión en su compañía. Sonreía, y cuando Ike estuvo lo suficientemente cerca, dirigió la sonrisa hacia él. Hizo un gesto con la mano señalando el extremo del banco e invitándolo a que se sentara. Ike se sentó.

—Tengo que ocuparme de un asunto con mi socio —dijo Hound después de presentarlo, y las chicas se marcharon.

Ike y Hound observaron cómo sus delgados traseros se perdían entre las ondas de calor. Cuando desaparecieron, Hound se volvió a mirarlo.

—¿Qué puedo hacer por ti?

Ike le aguantó la mirada. Hound tenía los ojos marrón oscuro, casi negros. A Ike le recordaban a esas piedras negras y pulidas que la gente vendía como souvenir en el desierto; «ágatas», las llamaban.

—Me dijiste algo de una tabla.

Hound asintió. Su sonrisa, ligeramente desconcertada, se ensanchó de forma casi imperceptible. Con la palma de la mano señaló la puerta abierta de la tienda y luego se levantó y entró. Ike lo siguió dentro.

El interior de la tienda estaba fresco. Frank Baker se encontraba detrás del mostrador de cristal. Los vio entrar sin alterar el gesto y luego se agachó para examinar unas cajas que tenía a los pies. Ike estableció contacto visual con él, pero fue incapaz de leer nada en sus ojos, ni siquiera si lo había reconocido. Luego Frank se colocó detrás de Hound Adams mientras este le señalaba a Ike el expositor de tablas nuevas.

—Elige —le dijo.

Las tablas estaban ordenadas por tamaño, desde las más largas, las *nose riders* y *rounded pins*, hasta las *twin fins* y las *knee riders*.

—Y echa un vistazo también a las de segunda mano, si quieres —añadió, y Ike se giró para mirarlas.

Casi de inmediato, localizó la *nose rider* que había utilizado en el rancho. La habían limpiado y colocado entre el resto de las tablas de segunda mano. Se acordó de la conversación que había tenido un rato antes con Michelle. Jugar al gato y al ratón con Hound Adams. Desvió rápido la mirada, con la esperanza de que su gesto no lo hubiera delatado. Pensó en Preston, tumbado en esa habitación con olor a medicina, y lo invadió la rabia. Se acercó al expositor y bajó una *rounded pintail*. La apoyó en el suelo y retrocedió un paso, inspeccionándola desde la cola a la punta, como había hecho Preston el día que había elegido la otra tabla. Al inclinarse para examinarla, notó que Frank Baker salía de detrás del mostrador y lo observaba con los brazos cruzados sobre el pecho, igual que la última vez que Ike había estado en la tienda.

Era una *single fin* de color azul pálido con rayas blancas en la parte de arriba. Hound Adams la miró.

—Es una tabla bonita —dijo—, pero creo que podrías pillarte algo más corto.

Fue hasta el expositor y bajó otra tabla de una quilla, también *rounded pintail* pero con *wings*.

—Esta también te dará estabilidad en la pared, pero cuesta menos girar. La azul va mejor para olas grandes. Pero puedes probar las dos para ver cuál te gusta más. Elige la que quieras.

Ike echó un vistazo a las etiquetas de los precios. Las dos superaban con holgura los doscientos dólares.

—¿Y qué pasa con el dinero? —Se estaba quedando sin pasta y en breve tendría que buscar una solución.

—Te dije que podríamos arreglarlo. Depende de ti, hermano. Sin una tabla es difícil aprender algo.

—Ahora mismo estoy sin trabajo.

—Eso he oído. El hombre de las máquinas. Pero hay otras formas de ganarse la vida en esta ciudad aparte de tener la cabeza pegada a un motor todo el día. Mira, ¿por qué no te llevas una de las tablas? Ven mañana a surfear con nosotros y la pruebas. Y después podemos hablar del dinero.

Allí plantado en mitad de la tienda, con la tabla a sus pies, Ike tuvo la impresión de que Hound Adams parecía distinto a otras veces, más hombre de negocios que gurú. Miró la tabla que Hound le había sugerido. Era una tabla bien pulida, la más cara de las dos, pintada con aerógrafo en una gama de colores que iba del amarillo brillante de la punta al rojo de la cola, pasando por una bonita combinación de tonos en el centro. La cogió y la sopesó colocándosela debajo del brazo. Parecía hecha para él. Miró una vez más hacia el fondo de la tienda, hacia las tablas de segunda mano y los trajes de neopreno y las fotos, que sabía que estaban ahí pero que no distinguía desde ese ángulo. Se preguntó cuándo habrían quitado el logo original y la frase «Conectar con la fuente» de la pared de la tienda; las tablas nuevas llevaban otro símbolo, una especie de garabato en forma de V y las palabras *Light Moves* escritas debajo.

Cogió la tabla y se dirigió hacia la puerta de la tienda. Era perfectamente consciente de que Frank y Hound no le quitaban ojo.

—Pues mañana te vemos con ella ahí dentro, hermano. Pillaremos unas cuantas olas juntos —dijo Hound, sonriendo, ahora sí, abiertamente.

Acompañó a Ike hasta la puerta y se despidió de él con la mano. Ike también saludó con la mano que tenía libre y salió a la calle. Desde la acera, se volvió a mirar a Hound por el rabillo del ojo y vio que Frank seguía junto al mostrador con los brazos cruzados. Él no sonreía.

Cuando llegó al Sea View, Michelle ya se había ido a trabajar y la habitación estaba vacía. Se preguntó si vería a Marsha ese día y si las dos chicas hablarían. Y también si había hecho lo correcto al contárselo todo. Pero ya estaba hecho. Y había otra cosa que también estaba hecha: había aceptado la tabla de Hound Adams. Ya no había marcha atrás. Colocó la tabla encima de la cama y deambuló por la habitación, examinándola desde todos los ángulos. Con la excepción de la chopper enorme que lo esperaba en el desierto, era la cosa más llamativa que había tenido nunca.

25

A la mañana siguiente, Ike se levantó temprano. Recorrió las calles del centro de Huntington Beach con la tabla bajo el brazo para ir al encuentro de la patrulla del amanecer y surfear con ellos por primera vez. Por encima del Golden Bear y el Wax Factory, el incipiente amanecer comenzaba a apropiarse del cielo. Unas finas franjas azules se fundían con los tonos amarillos, y las notas de color rasgaban poco a poco el gris oscuro. Se dio cuenta de que el amanecer se repetía y duplicaba en el escaparate de cada tienda y en la luna de cada coche, hasta que todo Main Street cobró vida con él.

Mientras caminaba, oía romper las olas al otro lado de la carretera, e intentó adivinar qué tamaño y dirección tendrían por el ruido que hacían y contando los intervalos entre cada una. Dejó atrás el Club Tahiti, los amplios callejones y, por fin, también la carretera, hasta llegar a lo alto de los escalones de hormigón, desde donde contempló la vacía extensión de arena. Como siempre, una descarga de adrenalina le recorrió el cuerpo. La notó en cuanto vio las primeras líneas de oleaje avanzando desde el horizonte, el cielo y el mar fundiéndose en uno, la ciudad como una mera manchita colisionando contra el borde de esa fuente enorme y pura, como una minúscula marca de suciedad frente a la eternidad.

La marejada, que durante los últimos días había entrado desde el oeste, había girado durante la noche y se había vuelto mucho más fuerte, y ahora procedía del suroeste. Las olas superaban los dos metros y eran más grandes que todas las que había surfeado en Huntington. Las observó mientras bajaba los escalones. Vio que la patrulla del amanecer ya estaba en el agua, disputando sobre sus tablas la posición más cercana al muelle. Las olas no superaban en tamaño a las que había surfeado con Preston el primer día en el rancho, pero eran de un tipo distinto. En el rancho las olas rompían todas en la punta, tenían brazos muy largos y había un canal para remontar. Sin embargo, ese era el primer día de una fuerte marejada que bombeaba largas series de olas. Las huecas y trituradoras que rompían como camiones. Ike todavía no tenía traje de neopreno, y un escalofrío le recorrió el cuerpo cuando se puso de rodillas sobre la arena mojada para atarse el invento. Creía que estaba listo, pero se equivocaba.

Cometió el primer error de la mañana antes incluso de meterse en el agua. Por alguna extraña razón que más tarde sería incapaz de recordar, cruzó por debajo del muelle y entró por el lado sur, unos cuarenta y cinco metros playa abajo, calculando mal la fuerza con la que la corriente arrastraba en esa dirección. Después de remar con fuerza durante unos quince minutos aún no había conseguido superar la rompiente, sino que se había ido acercando peligrosamente a los pilares. El viejo muelle, por el que había desarrollado cierto cariño, de pronto era una presencia amenazante. Estaba lo suficientemente cerca como para ver las grietas, las cagadas de las palomas y las manchas de verdín, y el ruido de la espuma batiendo contra el corredor de hormigón que formaban los pilares era como la descarga de un cañón.

Por encima de él podía ver las caras impasibles de media docena de pescadores observando sus progresos. La patrulla del amanecer seguía unos veinticinco metros por delante de él, y Ike era plenamente consciente de haberse quedado atrapado y solo en mitad de aquellas aguas. Fue justo en ese momento cuando vio lo que más había temido: una serie de olas enormes avanzando desde el horizonte. Era imposible que lo consiguiera. Siguió remando —no sabía qué otra cosa podía hacer—, pero ya no le quedaba fuerza en los brazos. Ahora lo veía claro: estampado contra los pilares y enganchado a la tabla con el invento. Tendrían que enviarlo de vuelta a San Arco en una caja de zapatos.

Ya casi estaba debajo del muelle cuando lo alcanzó la primera ola. Empezó a remontarla, mientras veía cómo el labio se curvaba sobre él como una columna de hormigón. Remó con todas sus fuerzas con el brazo izquierdo, mientras con el derecho se aferraba a la tabla, y dándose un impulso con uno de los pilares consiguió al fin sobrepasarla y verse al otro lado, en la depresión formada entre esa ola y la siguiente. Notó cómo la fuerza de la primera lo succionaba hacia atrás pero, por primera vez esa mañana, hizo lo correcto. Siguió remando como un loco hacia el extremo norte del muelle, con la esperanza de avanzar lo suficiente antes de que lo golpeara la siguiente ola, y lo consiguió. Por los pelos, pero lo consiguió. Salió por el lado norte desde la cresta sin tiempo de remontar el labio de la siguiente ola, y la caída fue tan fuerte que sintió como si le hubieran dado una patada en los huevos y se le hubieran encogido dentro del cuerpo. Pero había conseguido escapar del muelle.

La ola lo tuvo atrapado debajo del agua un buen rato, y cuando por fin emergió, todavía entre los remolinos de espuma y avanzando hacia la playa, había perdido buena parte de su entusiasmo por esta marejada en particular. Una vez en la arena, se sentó sobre la punta de la tabla, y así estaba cuando vio aparecer a Hound Adams, que salía del agua y se dirigía hacia él. Llevaba un bañador azul y el chaleco oscuro con el que siempre lo había visto surfear.

Hound dejó la tabla junto a la suya y se sentó.

—Te ha dejado fuera de juego, ¿eh? —le dijo.

—Eso parece.

—Has entrado por el lado del muelle equivocado, hermano. Vamos a descansar un minuto y luego entramos juntos y te enseño cómo hacerlo.

Ike estuvo a punto de rechazar la oferta, pero se sentía igual que cuando Preston lo había estado esperando en el rancho después de aquella primera ola. Cuando Hound por fin se levantó, Ike lo siguió hasta la orilla.

—Es un estado mental —le dijo Hound mientras la espuma le cubría los pies—. Estas olas exigen un cierto compromiso. En cuanto hayas elegido una, no pienses en nada más, no dudes de que lo puedes hacer. Rema lo más rápido y lo más fuerte que puedas. Entrarás con más velocidad y más control en la ola. No ofrezcas resistencia, forma un todo con ella. ¿Lo entiendes?

Ike asintió y lo siguió dentro del agua. El sol continuaba su ascenso justo por detrás de ellos, imprimiéndole al cielo una tenue tonalidad amarilla que parecía quedarse flotando sobre la arena en forma de bruma dorada. Por encima de la superficie del agua se formaban pequeños arcoíris en el espray que dejaban los labios de las olas, y debajo del muelle se había desplegado un asombroso juego de luces y sombras en lo que parecía una infinita progresión de azules y verdes atravesados por los rayos del sol.

Ike imitó todos los movimientos de Hound y de esa forma le resultó mucho más fácil entrar. Avanzaron por el lado norte del muelle, unos diez metros mar adentro, con las tablas orientadas unos cuarenta y cinco grados en esa dirección, y Ike enseguida llegó al pico, moviéndose con el resto del grupo. Ya no era uno de los espectadores del muelle: ahora formaba parte de aquel baile.

Prácticamente desde el primer día, cuando aquel surfista le había dado un puñetazo, Ike había seguido el consejo de Preston y se había mantenido alejado del muelle. Pero lo que sí había hecho a menudo había sido observar a los otros desde arriba. Las cosas allí abajo solían ponerse muy intensas y competitivas, y los surfistas no paraban de moverse, buscando la mejor posición y gritándose unos a otros. Y ahora estaba allí con ellos, intentando mantenerse en el pico, y podía distinguir unas cuantas caras conocidas, entre ellas, la de Frank Baker y la de uno de los samoanos.

A pesar de que la rompiente del muelle siempre estaba muy llena, había establecida una especie de jerarquía. Ya se había dado cuenta antes: podía haber unos cuarenta surfistas en el agua, pero siempre era la misma docena la que cogía las mejores olas. Una parte tenía que ver con el nivel y el criterio, pero otra con la intimidación. Y una de las cosas que Ike descubrió esa mañana fue que, aunque había otros surfistas jóvenes que eran igual de buenos, nadie cogía más olas que Hound Adams.

Para Ike fue una jornada dura, una mañana de izquierdas como trenes de mercancías, de intentar bajar paredes que luego rompían de golpe y lo borraban del mapa. A lo mejor aquello sí era un estado mental, como había dicho Hound. Pero también exigía un esfuerzo enorme, y por eso no prestó demasiada atención cuando, en un momento dado, distinguió una mancha brillante en la carretera, que identificó como metal brillando al sol. Y después, cuando la mancha se hizo más grande y definida, de forma que se pudo distinguir que no se trataba de un solo objeto enorme, sino de varios más pequeños, ya ni siquiera estaba mirando, y tampoco lo hizo cuando las manchas dejaron la carretera para meterse en el aparcamiento de debajo del muelle. De hecho, hasta que Hound no dio por terminada la mañana y Ike lo siguió y salieron del agua, no se fijó en las motos y, en particular, en la Panhead de asiento bajo de Morris.

Al dejar atrás la arena y entrar en la zona asfaltada del aparcamiento, que fue cuando Ike reconoció la moto, Hound y uno de los hermanos Jacobs iban unos pasos por delante. Fue un mal momento y notó cómo la angustia se apoderaba de su cuerpo exhausto. Llamó a Hound, y mientras este se giraba, los moteros —Morris y otros tres que Ike no conocía— ganaron posiciones. Se imaginó que venían a por el samoano, pero, en cualquier caso, él estaba atrapado en medio.

En mitad del aparcamiento había una construcción de ladrillo con unos aseos, y los moteros se habían escondido detrás mientras esperaban. Aparecieron en ese momento, dos por cada lado, y lo hicieron muy deprisa. Da la nada surgieron también cadenas y llaves inglesas refulgiendo al sol. Una tabla golpeó el suelo con el característico chasquido de la fibra de vidrio al romperse. A Ike le pareció que era la del samoano, pero por alguna razón resultaba difícil saberlo. Estaba intentando captar toda la escena a la vez para ver qué opciones tenía. Retrocedió unos pasos, pero sin echar a correr. Parecía que las piernas se le habían quedado sin fuerzas. Era la misma sensación que había tenido antes en el agua, mientras trataba de superar la primera serie con la vista fija en las mandíbulas de piedra del viejo muelle. Por un momento le resultó imposible registrar qué estaba pasando exactamente, más allá del puro movimiento: un borroso revoltijo de tejanos manchados de grasa, piel tatuada y destellos metálicos. Y después, la acción pareció dividirse en dos peleas independientes, una a cada lado de él.

Los moteros habían preparado la emboscada asegurándose de doblarlos en número. Primero fueron a por Hound y Jacobs, y dejaron a Ike para el final. A su izquierda, Hound se movió tan rápido que no le resultó fácil distinguir qué estaba pasando; por lo visto se había girado y había lanzado su tabla en dirección a los dos moteros. Uno de ellos pudo esquivarla y el otro la interceptó y la tiró al suelo, pero después se trastabilló y tropezó con ella. Justo en ese momento Hound se agachó e hizo un movimiento hacia la izquierda, como si fuera a echar a correr, y el otro motero clavó los talones de las botas en el suelo y extendió los brazos como para bloquearle el paso. Pero Hound no echó a correr, sino que se levantó de nuevo, se adelantó un paso y luego rotó y le lanzó una violenta patada a la altura de la cabeza. Ike vio cómo al motero se le desencajaba la mandíbula y caía de rodillas, chorreando sangre por la boca mientras se quedaba mirando el suelo con una expresión desconcertada.

A la derecha de Ike, el samoano tenía problemas. Había tirado su tabla al suelo y después, mientras se preparaba para recibir el ataque, había pisado uno de los cantos y había perdido el equilibrio. Morris había aprovechado el momento y, mientras el samoano trataba de estabilizarse con las piernas abiertas, le había dado una contundente patada en la entrepierna. Jacobs se quedó sin aliento y se desplomó en el suelo sobre un hombro, y al instante los dos moteros se le echaron encima. Uno le enroscó una cadena de bici alrededor del cuello y el otro le pateó las costillas con las pesadas botas.

Ike también tropezó al intentar retroceder, aunque nadie le había tocado un pelo, y golpeó con la tabla uno de los coches aparcados. Para entonces había un montón de gente corriendo hacia el aparcamiento —pescadores, turistas, unos cuantos surfistas— que querían acercarse a mirar. Ike se aferró a la tabla como si fuera capaz de salvarlo y golpeó otra vez el coche. En el solar reinaba la confusión y el miedo; docenas de personas corrían desde todas las direcciones y las palomas revoloteaban y alzaban el vuelo como hojas en el viento. Desde algún punto llegó el ruido de una sirena y el destello de la luz roja de un jeep. Hound Adams daba vueltas en círculo, propinando patadas y tratando de mantener a raya, de forma desesperada, a los tres moteros. Al principio, con uno de ellos fuera de juego y otro tratando de recuperar el equilibrio, había tenido ocasión de escapar corriendo, pero se había quedado, y ahora él era lo único que se interponía entre Ike y la llave inglesa de Morris.

Sin embargo —y eso Ike no lo pensaría hasta más tarde—, los moteros habían sido tan tontos como para montar su encerrona cerca del muelle, a plena vista de las torres de salvamento. Quizá habían pensado que lo solucionarían rápido, sin contar con que Hound Adams ofreciera tanta resistencia, o quizá no habían pensado nada en absoluto. En cualquier caso, en ese momento llegaron varios coches de la policía derrapando por el aparcamiento, y de la nada surgieron un montón de agentes con casco.

Los moteros ni siquiera intentaron escapar, y de repente, de la misma forma inesperada en que todo había comenzado, la cosa acabó. No debía de haber durado más de un par de minutos, y Ike se encontró junto a Hound Adams, mientras veía cómo a los moteros los ponían con los brazos y las piernas abiertos sobre el capó de los coches.

Aunque había sido capaz de levantarse por sus propios medios, a Jacobs se lo llevaron en ambulancia, y Ike y Hound se quedaron solos en la acera que bordeaba el aparcamiento.

—Estúpido. Muy estúpido. Y esos son sus amigos.

Hound no lo miraba, sino que tenía la vista fija en el mar, pero Ike sabía perfectamente de quién hablaba. Le resultó extraño notar cierto tono de decepción en su voz, casi como si hablara de un familiar que se hubiera echado a perder. La delicada luz del amanecer se había extinguido por completo. El horizonte era ahora una línea recta de color azul y el sol brillaba en lo alto.

—El tío me daba mil vueltas —dijo—. Era tan jodidamente original y creativo… pero nunca tenía ni idea de lo que hacía. Por ejemplo, hacía el *bottom turn*, cuando la ola era grande, cambiando el peso sobre los cantos y avanzando hacia el canto exterior un segundo antes de bascular hacia el de dentro. Era una forma de conseguir un giro más amplio y mayor proyección al salir de la maniobra. Lo vi en un documental y se lo dije, y él no tenía ni puta idea de lo que hablaba. Simplemente lo hacía, por instinto o por lo que fuera. No creo que nunca llegara a saber lo bueno que era. Y lo tiró todo por la borda, tío, se lo cargó todo. Y ahora tiene amigos como Morris.

Para entonces, Ike no tenía claro si Hound Adams le hablaba a él o más bien a sí mismo. Lo único que sabía era que esa era la primera vez que lo escuchaba sin tener la impresión de que estaba representando un papel o burlándose de él. Simplemente hablaba, nada más. Aquellas eran las primeras palabras sinceras que le oía pronunciar y tenían que ver con Preston.

26

Ese mismo día por la tarde, Ike se sentó en los escalones del Sea View a esperar a que Michelle volviera del trabajo. El sol comenzaba a esconderse detrás de los edificios que bordeaban la carretera. Llevaba todo el día pensando en lo que había sucedido en la playa e intentando no imaginarse qué habría pasado si Hound no hubiera plantado cara a los moteros o si los polis no hubieran aparecido cuando lo habían hecho.

Seguía allí cuando llegó Michelle. La acompañó a su habitación a cambiarse de ropa y regar las plantas, y mientras tanto le explicó la pelea y cómo se había enfrentado Hound a los moteros.

—A lo mejor te has equivocado con él —le dijo Michelle.

—No lo sé. Pero desde luego hoy me ha salvado el culo. Se podría haber largado. Le habría dado tiempo a salir corriendo, pero no lo hizo. Se quedó. Eso es lo que sé.

—Ya te lo dije, le caes bien.

—¿Por qué?

—¿Alguna vez has pensado en preguntárselo?

—Se me ha pasado por la cabeza, sí.

—¿Y?

—Todavía no es el momento. —Se acercó al colchón y se sentó—. Me ha pedido que me pase por su casa esta noche.

Ha dicho que quiere verme por algo, para reparar la tabla, supongo.

—Llévame contigo.

—No sé. Creo que a lo mejor debería ir solo.

Michelle se estaba cambiando de ropa. La observó mientras se ponía unos vaqueros desteñidos y los deslizaba por encima de la marca triangular blanca que le había dejado el bikini sobre el culo desnudo, y de repente lo único que deseó fue quedarse allí con ella. Lo que tenía claro era que no quería que lo acompañara, no soportaba ver cómo Hound Adams le ponía los ojos encima.

Michelle se sentó a su lado.

—Venga, quiero ir.

—Lo que quieres es colocarte.

Michelle se dejó caer de espaldas sobre el colchón, rebotando.

—¿Y qué problema hay con eso? Al menos Hound siempre tiene buena hierba.

—Creo que debería ir solo, eso es todo.

—Lo que pasa es que no quieres llevarme a casa de Hound porque estás celoso.

—Mierda.

Ike se levantó y fue hasta la ventana. Odiaba cuando le hablaba como una maldita niñata. Se giró y la contempló tirada en la cama, apoyada ahora sobre los codos, con el pelo cayéndole sobre los hombros. Quería ir hasta allí y borrarle esa sonrisa. Y una de las razones por las que quería hacerlo era porque sabía que tenía razón. Estaba celoso. Hound Adams era un espabilado. Si quería meterle ficha a alguna tía, se acabaría saliendo con la suya. Desvió la mirada y se concentró otra vez en el cristal oscuro de la ventana. Michelle se levantó y se puso a su lado.

—No tienes por qué estar celoso —le dijo con voz suave—. Ya sé que le gusto. Me doy cuenta, pero sé lo que quiere. Es muy fácil colgarse de tipos así.

Ike solo quería que cerrase la boca. Era increíble, a veces se sentía tan próximo a ella, como si fueran muy parecidos, y en cambio otras era como si ni siquiera hablaran el mismo idioma.

—Quiero decir... he tenido novios así y...

—Vale, vale.

No tenía ningunas ganas de que le hablara de todos sus exnovios.

—¿Por qué te pones así? Ya sabes que he estado con muchos chicos. Es porque crecimos en sitios muy diferentes, nada más. ¿Crees que eso significa que no me gustas?

Ike le pasó un brazo por los hombros.

—No. Mira, no me importa, pero creo que esta noche no deberías venir conmigo, ¿vale? No era mi intención darle tanta importancia.

Michelle se dio media vuelta y se sentó otra vez en la cama.

—No has comido nada.

—Tomaré algo más tarde.

—Luego pásate por aquí, ¿sí?

—Está bien. Si no es demasiado tarde, sí.

—Da igual, ven de todas formas.

Se quedó mirándola desde la puerta. Ella seguía en la cama, apoyada en los brazos estirados. Con esas piernas y esos brazos tan largos y morenos, el pelo aclarado por el sol, la camiseta de tirantes y los vaqueros cortados parecía una más de las muchas chicas que veía a diario en el muelle, sentadas en la barandilla o caminando con una radio a cuestas. Pero no, ella no era como las demás. Para él era especial, y eso nunca cambiaría.

La casa de la calle Quinta estaba a oscuras. Estuvo a punto de darse media vuelta y marcharse, pensando que era demasiado tarde y en las ganas que tenía de volver con Michelle y estar con ella. Pero le pareció que antes de irse al menos debía llamar a la puerta.

Para su sorpresa, casi al momento le abrió una chica delgada de pelo castaño a la que no había visto antes. Lo dejó pasar sin decir una palabra y lo condujo a una de las habitaciones traseras. Frank Baker, Hound Adams y dos de los hermanos Jacobs estaban sentados en unos sillones bajos pasándose una pipa. Ike trató de localizar al hermano al que habían pegado, pero no lo vio. Se quedó en la puerta, sintiéndose extraño y fuera de lugar.

—Entra —dijo Hound—. Siéntate.

Ike se acomodó en el suelo y esperó.

Los otros apuraron el contenido de la pipa. Nadie se la ofreció, y él permaneció en silencio, sintiéndose más incómodo por momentos.

—¿Qué tal está Michelle? —le preguntó Hound.

Oyó que uno de los hermanos Jacobs soltaba una risita.

—Bien.

—¿Solo bien?

—Se refiere en una escala del uno al diez —dijo Frank.

Hubo otra risa ahogada. La chica de pelo castaño sonrió.

Hound Adams se puso de pie. Llevaba unas joyas color turquesa y un grueso poncho mexicano.

—Vamos a dar una vuelta —dijo, mirando a Ike.

Lo condujo a través del patio trasero en dirección al callejón y un pequeño garaje de madera. La luna se alzaba como un fino gajo plateado por encima de ellos. No corría ni una pizca de viento y la noche era pura quietud. En el garaje había un Stingray descapotable. Ike esperó en el callejón mientras Hound arrancaba el coche y lo sacaba marcha atrás. Luego cerró la puerta del garaje y se subió.

Atravesaron las desiertas calles residenciales, bajaron por la Coast Highway y luego enfilaron hacia el norte, en dirección a los acantilados y los pozos de petróleo. Las luces de la ciudad quedaban ya muy lejos cuando Hound dio la vuelta y aparcó en el lado de la carretera que daba al mar. En ese punto, estaban por encima de los pozos de petróleo y de las playas que

Ike solo había visto de día; eran los dominios de las pandillas del interior.

Dentro del coche reinaba el silencio y hacía calor. Ike abrió un poco la ventanilla. Le llegó el ruido de las olas y el rastro ocasional de una música procedente de las playas de abajo que una corriente de aire había arrastrado a través de las plataformas petrolíferas. De vez en cuando también oía voces. Pensó en los ennegrecidos círculos de piedra para las hogueras que había visto de día y se imaginó cómo tendrían que ser de noche, cubiertos de llamas. Esperaron dentro del coche. Hound seguía en silencio, mirando el reloj. Ike notaba cómo el sudor le bajaba por la espalda y le humedecía las palmas de las manos. El aire que se colaba por la ventanilla abierta venía cargado de los olores de los campos petrolíferos y traía el aroma pesado de algún gas muy desagradable. Hound alargó un brazo por encima de él y abrió la guantera. Un objeto sólido se deslizó sobre unos cuantos papeles y golpeó el metal de la tapa. Bajo la titilante luz de la guantera Ike pudo ver que se trataba de una pistola. Hound no dijo nada. Cogió la pistola, se la metió en el amplio bolsillo frontal del poncho y luego cerró la guantera.

Después de lo que pareció un rato larguísimo, Ike se fijó en que había movimiento en la zona de la playa. Distinguía varias figuras moviéndose entre las plataformas petrolíferas y lo que parecían unas vallas metálicas.

—Venga, vamos —dijo Hound.

Antes de salir del coche se giró hacia el asiento trasero y cogió una bolsa grande de papel. Cerraron de un golpe las puertas y caminaron hacia el borde de los acantilados. Había un puñado de personas entre las sombras. Ike contó seis, todos vestidos con camiseta blanca y pantalones oscuros.

Una vez que estuvieron lo suficientemente cerca, distinguió que se trataba de un grupo de chavales, adolescentes o incluso más jóvenes, y que eran mexicanos. Estaban dispersos en un amplio medio círculo. En cuanto Hound y Ike llegaron hasta ellos, se dieron la vuelta y se acercaron más al borde del acantilado. Ike y Hound los siguieron. Cruzaron unos raíles y luego se ocultaron detrás de una de las torres. En ese punto no podían verlos desde la carretera. Cerca había un barranco que dividía en dos el acantilado y dejaba a la vista una porción de la playa. Ike distinguió una fogata, varias parejas bailando en la luz anaranjada y, más allá, las líneas blancas de las olas rompiendo en un mar oscuro.

Los chicos le dieron dinero a Hound y Hound les entregó la bolsa. Ike estaba sorprendido de lo jóvenes que parecían; no tenían nada que ver con lo que se había imaginado. Uno de ellos fumaba de una pipa. Se la pasaron y le dio una calada antes de cedérsela a Hound.

—Hound —le dijo uno de los chavales—, Tony quiere saber si puedes conseguir más fotos de esas, de las buenas, tío, como esta.

Les enseñó una foto. Un coro de risas se elevó entre el grupo. Estaban acuclillados bajo la luz de la torre, pero aun así, a Ike le costó distinguir algo de la imagen. Era una escena porno. Le pareció ver un par de muslos abiertos y una mata de pelo negro. Hound asintió.

—Claro, si tienes la pasta, sí.

—Tendrías que dárnoslas gratis, hombre, un regalo para tus clientes.

Se oyeron más risas.

—No hay nada gratis —contestó Hound.

Ike seguía pensando en la foto. Había sido un visto y no visto. Pero ¿qué había ahí? ¿Una mancha de color sobre la piel, roja como la sangre? Le hubiera gustado echarle otro vistazo, pero la foto había desaparecido y Hound ya se estaba levantando para marcharse. Los chavales también se pusieron de pie y enseguida desaparecieron, perdiéndose entre las sombras por el camino de raíles que conducía al barranco, y de ahí a la playa. Ike se limpió las rodilleras de los pantalones e intentó recordar al menos una de las caras que acababa de ver, y se dio cuenta de que no era capaz. Solo podía acordarse de las voces, de las manchas blancas de las camisetas y de los destellos de luz en sus zapatos negros y puntiagudos.

De vuelta en el coche, Hound le pasó a Ike el fajo de billetes.

—Cuéntalos —le dijo.

Mientras Ike lo hacía, él se inclinó sobre la guantera y volvió a guardar la pistola.

—No está mal para una noche de curro, ¿no?

Ike asintió.

—Ahora te toca a ti.

Mientras se preguntaba qué había querido decir con eso, arrancaron y condujeron de vuelta a la ciudad, hasta que llegaron al cruce iluminado que marcaba la intersección entre Main y la Coast Highway y conducía hacia la larga y elegante hilera de luces del muelle de Huntington Beach, frente al Pacífico.

Circularon despacio por delante de la entrada del muelle y luego dieron la vuelta y volvieron a pasar en la dirección contraria. Esta vez, Hound giró a la izquierda, salió de la carretera y se metió en uno de los aparcamientos rectangulares que había debajo del muelle, el mismo donde habían tenido la pelea con los moteros. Una vez que hubo aparcado, apagó el motor y se volvió para mirar a Ike a la cara, con una mano sobre el pequeño compartimento que había entre los dos asientos.

—¿Qué tal te ha ido hoy con esa tabla? —le preguntó.

—Bien. Me gustaría probarla con olas más fáciles.

—Cuando pase la marejada.

Ike asintió.

—Tienes potencial. Hoy has conseguido mantenerte ahí fuera. El surf tiene tanto de parte mental como de parte física.

Hound se interrumpió un momento y Ike miró por encima del capó, hacia el oscuro trecho de playa.

—Te he traído conmigo esta noche porque quiero que veas algunas cosas. Hay una idea en la que quiero que pienses.

Volvió a hacer una pausa y Ike lo miró un momento. Había algo desconcertante en la intensidad con que Hound Adams parecía estar observándolo.

—Trabajas con motores —dijo—. Eso requiere cierta habilidad y ciertos conocimientos. Tienes que entender cómo funcionan las distintas piezas que lo forman y cómo interaccionan entre ellas. Lo fundamental es comprender primero los principios sobre los que opera todo lo demás, y eso, como en el surf, como en todo, es una operación mental, además de física. El problema siempre es el mismo: hay que entender los principios que operan por debajo. ¿Tengo razón o no? ¿Me sigues?

Ike asintió. Volvió a mirar la playa a oscuras, mientras se preguntaba adónde llevaría esa nueva divagación de Hound y cómo iba a enlazarla con el tema de la tabla nueva, que, asumía, iba a tener que empezar a pagar esa misma noche.

—Muy bien, echa un vistazo a tu alrededor —continuó Hound—. Ya te dije que había otras formas de ganarse la vida por aquí aparte de arreglar motos. Debería haber dicho que hay otro tipo de máquinas con las que puedes trabajar, porque esta ciudad es como un motor. Puedes hacer que trabaje para ti, que haga lo que tú quieras que haga. Y para conseguirlo no hace falta que te manches las manos de grasa. Ni que te putee un neandertal como Morris. Lo que necesitas es tener bien claros los principios sobre los que opera la máquina.

Hound hizo otra pausa, esperó un momento y luego continuó:

—Esta noche has visto cómo funciona uno de esos principios. Uno muy sencillo: oferta y demanda. Yo tengo lo que quieren esos latinos de los pozos de petróleo. Sé lo que quieren y cómo conseguirlo. Ellos lo único que saben es lo que quieren. Todo lo demás lo ignoran. Se rompen el culo durante todo el día en algún trabajo, siempre a merced de la máquina. Lo cierto es que esos tipos están en el escalafón más bajo del proceso, pero los principios son los mismos para todos, funcionan desde abajo hasta lo más alto. El principio de la oferta y la demanda siempre está presente. Pierdes una tabla y quieres otra. Yo puedo dártela. De hecho puedo darte la que has elegido, pero ahora eres tú el que puede hacer algo por mí.

Hound abrió el pequeño compartimento que había entre los dos asientos y le enseñó una bolsa de plástico con una media docena de porros.

—Lo que puedes hacer esta noche —le dijo— es darte una vuelta por el muelle y encontrar a unas cuantas chicas que tengan ganas de fiesta.

Ike se quedó mirando la bolsa de plástico con gesto estúpido. Le parecía que aquello no tenía mucho sentido. Nunca hubiera dicho que a Hound Adams le faltaran chicas con las que irse de fiesta y tampoco le parecía que ese fuera el caso ahora.

Hound pareció adivinarle el pensamiento.

—A los samoanos les gustan jóvenes —sonrió—. No es algo raro. Así que podría pagar por ello o podría invitar a chicas que ya conozco. Pero ninguna de esas opciones me parece interesante ahora mismo. En esta ciudad hay un movimiento constante de chicas y me gusta conocer tías nuevas. Ese es otro aspecto de la máquina que he aprendido a manejar, y para conseguirlo puedo servirme de alguien como tú, un chaval joven y atractivo que puede conocer chicas sin problema.

Ike seguía con la vista clavada en los porros. Una gota de sudor le recorrió la sien. Por primera vez desde que había llegado a Huntington Beach sentía que estaba a punto de conseguir algo, alguna cosa que nadie le había contado o que quizá nadie supiera. La posibilidad parecía materializarse delante de él casi de una forma tangible.

—¿Hay algún problema? —le preguntó Hound.

—No... —De pronto Ike sudaba profusamente—. No sé si puedo hacerlo.

—No digas tonterías. Déjame que te lo explique: te he conseguido una tabla. Es tuya. No quiero que me la devuelvas. Me da igual. La tabla es un mero objeto. De lo que estamos hablando es del espíritu detrás del don. Ahora te estoy pidiendo algo, algo muy sencillo, pero por algo se empieza. Encuentra unas chicas y tráelas a casa. Si no lo consigues, siempre puedes traerte a Michelle y a su amiga. La cuestión es que no vengas solo. Pero lo estás complicando mucho. Es muy fácil, de verdad. Encuentra a unas cuantas tías, dales palique y diles que sabes dónde hay una fiesta. No tiene más. —Le puso una mano en la rodilla—. Te veo en casa, hermano.

27

De pie en mitad del aparcamiento, Ike observó cómo las luces traseras del Stingray de Hound se perdían en la oscuridad, mientras era intensamente consciente del peso que llevaba en el bolsillo de la camisa. Empezó a caminar despacio hacia el muelle, con la sensación de que había llegado el momento de tomar una decisión. Podía hacer lo que Hound Adams le había pedido o podía marcharse de la ciudad. Ahora ya no quedaban opciones intermedias. Aunque, por otro lado, ¿no era eso lo que quería, conseguir acercarse a Hound Adams, descubrir qué se traía entre manos y encontrar algo que poder usar contra él? Mierda. Soltó despacio el aire entre los dientes. Lo raro era que, de alguna manera, a pesar de toda la ansiedad que le provocaba aquello, de la ligera sensación de incomodidad de estar viéndose envuelto en una actividad poco lícita, una parte de él no se mostraba indiferente ante la idea de Hound de considerar la ciudad como una enorme máquina que uno debía aprender a manejar en beneficio propio. Y también había algo más, una especie de extraña curiosidad hacia sí mismo. Ahí estaba él, Ike Tucker, un paleto salido de la nada, merodeando por las orillas del océano Pacífico con un buen puñado de hierba y la misión de llevar a unas cuantas chicas a una fiesta. Había algo terrorífico a la par que salvajemente excitante en todo aquello.

Subió los peldaños de hormigón que llevaban al muelle. La pasarela estaba atestada: había gente en monopatín, parejas abrazadas dando un paseo, punks jóvenes y bronceados apoyados en las barandillas. La música llegaba desde los locales cutres de *fish and chips* situados en la entrada del muelle y de un montón de radiocasetes. Al otro lado de la carretera, la ciudad era una hilera de luces que destacaba contra la oscuridad del cielo.

Avanzó por el muelle en dirección al mar. Se sentía como borracho, pero no lo estaba, como mucho, un poco colocado todavía por la hierba que había fumado junto a la torre petrolera. Pero la sensación era distinta, como si se le hubiera roto algo dentro y lo hubiera liberado, aunque no habría sabido decir de qué. No notaba la pasarela bajo los pies. En lugar de eso, sentía cómo la sangre le bombeaba por los brazos y las palmas de las manos. Dos chicas se deslizaron en monopatín a su lado y él se estrujó el cerebro tratando de pensar una frase con la que empezar la conversación. Vio un grupo de cuatro chicas a lo lejos. También llevaban monopatines y, como él, iban en dirección al oscuro final del muelle. Se puso detrás de ellas y las siguió. Se detuvieron en un punto donde la pasarela se ensanchaba y se inclinaron sobre la barandilla para mirar a un grupo de surfistas que había debajo.

Ike se acercó a ellas. El corazón le latía con tanta fuerza que le sorprendió que no lo oyeran.

—Buen oleaje —dijo.

La frase pareció interrumpir su conversación y las cuatro chicas se dieron la vuelta, primero para mirarlo a él y luego unas a otras. Finalmente, una de ellas dijo:

—¿Qué?

—Digo que hay buen oleaje.

No hubo respuesta. Las chicas siguieron mirándose entre ellas, como si necesitaran deliberar sobre lo que había dicho.

—Buenas olas —insistió Ike, suponiendo que ya era demasiado tarde para echarse atrás—. O sea, que tienen un buen tamaño y todo eso.

Siguió sin recibir respuesta, y empezaba a sentir que algo iba terriblemente mal. A lo mejor pensaba que estaba hablando, pero en realidad solo las estaba mirando fijamente.

Las chicas le devolvieron la mirada. Una de ellas soltó una risita. Ahora que habían pasado de ser un objetivo en movimiento a quedarse quietas, con tiempo para observarlas bien, comenzaba a sospechar que había calculado mal su edad. La mayor del grupo no debía de tener más de doce años. Supuso que los monopatines las hacían parecer mayores, o al menos más altas.

Sin embargo, se libró de hacer aún más el ridículo cuando un hombre se acercó desde el otro lado del muelle y les dijo: «Venga, chicas, vamos a comer algo». Le lanzó una mirada asesina a Ike y las cuatro chicas lo siguieron. Una de ellas le dijo adiós antes de irse.

Ike se desplomó sobre la barandilla. El corazón le seguía latiendo a mil por hora y había empezado a sudar otra vez. Se quedó así un rato, dejando que la brisa le enfriara la cara mientras intentaba ordenar sus pensamientos, con la maquinaria de Huntington Beach zumbando a su alrededor.

En un momento dado, se fijó en tres chicas que estaban de pie junto a la barandilla frente a él. Al instante le parecieron mejores candidatas. Parecían jóvenes, pero desde luego no estaban con sus padres. Dos de ellas, vestidas con unos vaqueros muy ajustados y camisetas de tirantes muy cortas, estaban apoyadas contra la barandilla, fumando. La tercera, una pelirroja, estaba de perfil. Llevaba unos pantalones cortos de tela suave y un top de color claro.

Ike se acercó a ellas y dijo hola, dirigiéndose a la pelirroja. Era la más guapa de las tres. Tenía el pelo de un rojo oscuro, rojo sangre, y la piel muy blanca. Los labios y las uñas también eran de color rojo. Las otras dos podían haber sido hermanas. Eran delgadas y tenían el pelo rubio decolorado y de aspecto quebradizo. La pelirroja sonrió y le dijo hola. Las otras dos se lanzaron una sonrisita, como si ya supieran de qué iba aquello.

Ike se puso a un lado y apoyó una mano sobre la barandilla. Todas lo miraban.

—¿Queréis colocaros? —les preguntó.

Había decidido no andarse con rodeos. Las chicas se miraron. Una de las rubias y delgadas lanzó una colilla por encima de la barandilla.

—A lo mejor —contestó la pelirroja—. ¿Dónde?

—Donde sea. En la playa.

—¿Tienes buena mierda?

—Colombiana.

La pelirroja miró a sus amigas y levantó las cejas.

—¿Por qué no? —dijo otra.

Era como Hound le había dicho, la cosa no tenía mucho misterio. Se fumaron un porro y les contó que su hermano era camello y que se suponía que luego daba una fiesta en su casa. Las chicas lo discutieron mientras él esperaba a un lado, fingiendo aburrimiento. Estaban en la arena, bajo la estructura del muelle, y podía oír sus risas mezcladas con el ruido de la espuma batiendo entre los pilares. Al final decidieron que irían, y oyó que una de ellas decía: «Es mono», mientras regresaban a su lado saliendo de entre las sombras.

«O sea que así se hace», pensó. Caminó junto a la pelirroja, que debía de ser un poco más baja que él sin los zapatos. Con ellos puestos era casi tan alta como Michelle, le hacían las piernas largas y sexis, y pensó que Michelle siempre tenía ese aspecto, incluso cuando iba descalza. A lo mejor fue por pensar en Michelle, pero de repente, mientras caminaban por la Coast Highway en dirección a casa de Hound, lo embargó una enorme sensación de culpabilidad, anegándolo en oleadas intermitentes de frío y calor. El entusiasmo que había sentido un momento antes pareció extinguirse por completo, dejándole solo una incómoda, desagradable y pegajosa sensación en las palmas de las manos. ¿Qué estaba haciendo? En realidad no sabía qué iba a pasar en casa de Hound. Como un fogonazo, le vino otra vez a la mente la foto que había visto bajo la luz de la torre petrolera. ¿Y si pasaba algo malo? Se acordó de su hermana. De algún modo, las dos chicas rubias y delgadas le recordaban a ella. Ellen era así. Podía imaginársela en la barandilla del viejo muelle, con un cigarrillo entre los labios y aspecto salvaje, una presa fácil. ¿Cómo encajaba ella en esa gran maquinaria, en el sistema de oferta y demanda? Un escalofrío le recorrió la espalda y se le extendió por los hombros, y le resultó difícil pensar o decir algo. ¿Y si se encontraba con Michelle o Jill? Se preguntó si estaba corriendo el riesgo de echarlo todo a perder. ¿Michelle se creería que eso era lo que Hound Adams quería como pago por la tabla? Y también se acordó de algo más, en términos de pago de favores: Hound plantando cara a los moteros en el aparcamiento e interponiéndose entre él y Morris. ¿Dónde ponías el límite cuando alguien te había salvado la puta vida? ¿O todo eso no eran más que excusas para su falta de convencimiento?

Para cuando llegaron a la calle de Hound se sentía como un miserable. Detrás de él, las dos chicas rubias habían empezado a cotillear sobre el novio de la madre de alguien. Una estaba contando una historia bastante larga sobre cómo la chica había pillado al tipo tratando de espiarla en la ducha o algo parecido. Hablaba en un tono de voz muy alto y a Ike le pareció que en parte lo hacía para que él la oyera. La pelirroja lo miró un momento y puso los ojos en blanco. Sin embargo, antes de llegar a la casa, la conversación cambió de tercio y todas se pusieron a hablar de una fiesta a la que habían ido la noche anterior. Según contaban, en realidad, tampoco era una fiesta de verdad, sino solo un puñado de tíos salidos esperando que aparecieran unas cuantas tías.

—Eso es lo único que hacen esos tipos —dijo una de ellas—. Bajan todos los días a la playa y les dicen a un montón de chicas que hay un fiestón en su casa. Luego, cuando llegan allí, no hay nadie más que ellos ahí sentados, intentando parecer guays.

—Y ni siquiera es su casa —dijo otra—, sino un apartamento turístico alquilado. Ellos son de Santa Ana, según he oído, o de algún estúpido lugar de ese tipo.

—Y nunca tienen hierba decente —añadió la pelirroja.

Ike empezaba a ponerse nervioso con el rumbo que había tomado la conversación. ¿Y si llegaban a la casa y se asustaban o se cabreaban? ¿Qué diría Hound? ¿Lo mandaría a buscar a Michelle?

Cuando llegaron, la casa estaba a oscuras. Solo había un par de velas encendidas en el salón y algo de música puesta, uno de esos temas punk que Ike había escuchado en el Sea View pero nunca en casa de Hound. A pesar de todo, a las chicas pareció gustarles la casa. Se daban cuenta de que no era un apartamento de vacaciones. «¿Vives aquí?», le preguntó la pelirroja. Ike contestó que sí. No había ni rastro de Hound o de los samoanos. Pero a las chicas no pareció importarles. Ni siquiera le preguntaron por la fiesta. La pelirroja se sentó en el sofá y las otras dos se pusieron a mirar los discos.

Ike se sentó con la pelirroja. Se notaba las palmas de las manos frías y sudorosas. Seguía sin saber muy bien qué decir y ya no le quedaban más porros. Entonces apareció Hound. Tenía un aspecto muy parecido al de la noche de la otra fiesta, cuando lo había conocido. Iba impecable, con unos pantalones de algodón blanco y una de sus elegantes camisas mexicanas. Llevaba un collar de cuentas y otros cuantos abalorios en la pechera de la camisa. Tenía el pelo bien peinado, limpio y sujeto con una bandana tipo indio. Ike lo presentó como su hermano. Hound sonrió a las chicas, se sentó en el suelo y sacó una pipa y una cerilla. Luego le dijo a Ike que había unas cervezas en la nevera. Ike fue a buscarlas y, cuando volvió, las dos chicas rubias estaban sentadas en el suelo con Hound y la pipa había empezado a rular. Ike volvió al sofá con la pelirroja y empezó a abrir las cervezas.

La pipa estaba cargada con hachís y enseguida todo el mundo se colocó bastante. A Ike le subió muy rápido. No había cenado, y después de cada calada bebía cerveza a grandes sorbos para enfriar el ardor que le quemaba la garganta. Las dos chicas rubias se levantaron y empezaron a bailar, sus cuerpos cimbreándose como esbeltas llamas lamiendo la pared. Cada poco, la pelirroja se inclinaba por encima de Ike para coger la pipa o la cerveza, presionando sus pechos contra su brazo, y un rato después ya estaban besuqueándose. En un momento dado, Ike distinguió por el rabillo del ojo que uno de los samoanos había entrado en el salón y estaba bailando con una de las chicas rubias. También se percató de que Hound se había marchado. Ya se le habían olvidado los nombres de todas las chicas, incluso el de la pelirroja, pero para entonces ya no sentía dolor ni remordimiento alguno. No sabía cómo, pero la pelirroja se había bajado el top y lo tenía enrollado en la cintura, y con una mano le había agarrado la polla; nunca en su vida las cosas habían ido tan rápido. Era como si un minuto antes estuvieran tranquilamente sentados en el sofá y al siguiente se hubieran abalanzado uno sobre el otro como locos y él se hubiera olvidado por completo de Michelle, que lo estaba esperando en su habitación del Sea View.

—Vamos —le dijo a la pelirroja, susurrándole al oído.

La cogió de la mano y la levantó del sofá. Ella se quitó la camiseta y la dejó sobre los cojines, y luego lo siguió a una de las habitaciones de la parte de atrás de la casa. Era la misma en la que Ike había estado unas horas antes aquella noche. Ahora los sofás estaban vacíos. La chica se sentó con ímpetu y lo arrastró con ella, pero Ike se escabulló, se arrodilló frente a sus piernas y empezó a bajarle los pantalones cortos y a quitarle los zapatos de tacón rojos. Una parte de su cabeza seguía pensando en la locura que era todo aquello, en cómo unas semanas antes aquella escena le habría parecido inconcebible. Pero ahí estaba, quitándole los pantalones a una chica de la que no recordaba ni el nombre, a punto de follársela, y supo, con una leve punzada de culpabilidad, que había sido Michelle quien le había enseñado cómo hacerlo y quien le había dado la seguridad necesaria para que aquello funcionara. Pero no tenía tiempo de pensar en todo eso. Bastaba con saber que esas dos cosas, lo que había pasado con Michelle y lo que fuera que fuese aquello, no eran lo mismo ni tenían nada que ver.

Se había tumbado otra vez en el sofá junto a la pelirroja, con una mano entre sus piernas. Estaba caliente y húmeda, y no paraba de moverse y de apretarle los dedos contra su culo mientras le metía la lengua en la boca sin dejar de gemir. Era como si todo se moviera al mismo tiempo, la habitación entera daba vueltas, caliente, oscura, jadeante. Un rayo de luna se coló por la ventana y le iluminó un pecho, bordeándole justo el pezón. Y en ese momento fue cuando notó que una mano le tocaba el hombro. Más tarde intentaría recordar cómo había sucedido exactamente. Durante un instante pensó que se trataba de la mano de ella, pero enseguida se dio cuenta de que no. Se incorporó un poco en el sofá, con la chica todavía contorneándose y gimiendo a su lado, y se sobresaltó cuando vio que se trataba de uno de los samoanos. El tipo estaba justo detrás de él, desnudo; luego bordeó el sofá y se arrodilló en el suelo cerca de la chica. Sonreía. Ike no podría olvidar el blanco de sus dientes destacándose en la habitación a oscuras. Fue un momento muy confuso. Ni siquiera sabía cómo se llamaba el samoano. Observó cómo se le tensaban los músculos del pecho al deslizarse por encima de ellos para ir a sentarse al lado de la chica, que por fin pareció darse cuenta de lo que estaba pasando. El samoano la atrajo hacia sí, de forma que su cuerpo quedó rotado, con la parte superior del torso vuelto hacia él y la parte inferior hacia Ike.

Para su sorpresa, la chica no se resistió, sino que dejó que el samoano la besara. De hecho, pareció que aquello la excitaba aún más. Ike todavía tenía los dedos dentro de ella y ella seguía moviéndose, incluso con más intensidad que antes. Entonces el samoano también comenzó a moverse, moviendo a la chica a su vez. Todavía no habían cruzado ni una palabra entre ellos, pero el hombre parecía tener muy claro lo que quería. Se las arregló para poner a la chica de rodillas delante de Ike y con una mano en su cuello la empujó hacia su polla. Ike le sacó los dedos y rápidamente se le quedaron secos en mitad de la oscuridad del cuarto. Notó cómo la chica se metía su polla en la boca; nunca en su vida había experimentado algo semejante. Era como si su cuerpo entero ardiera y se moviera por su cuenta y él fuera incapaz de pensar en nada más. Y entonces, de repente, la habitación ya no estaba a oscuras, sino iluminada por algún tipo de luz blanca estroboscópica. Los destellos de luz le perforaron los ojos y salieron expulsados por la base del cráneo. Cuando se producía el resplandor la habitación entera quedaba iluminada, como si fuera de día, igual que cuando en el desierto había una de esas tormentas eléctricas. Con los fogonazos podía ver al samoano a unos pocos centímetros de él, follándose a la chica por detrás, con un movimiento lento y constante y el rostro como una máscara. Y a la chica, con el pelo pelirrojo meciéndose de un lado a otro y chupándole la polla, hasta que llegó un momento en que esa era la única parte de su cuerpo que tenía vida propia; estaba a punto de correrse y eso era lo único que importaba. Cogió la cara de la chica con las dos manos y empujó más adentro. Y cuando se corrió fue como si lo hiciera desde lo más profundo de su ser, tanto que le dolieron los ojos y sintió un zumbido en los oídos. Por un momento pensó que el sonido solo estaba en su cabeza, pero luego se dio cuenta de que no, de que procedía de otra parte de la habitación. Y entonces descubrió a la otra chica.

La vio iluminada por la luz estroboscópica, así que fue como ver una sucesión de fotogramas. Era la misma chica esbelta y morena que había visto antes con Frank Baker. Estaba junto a la puerta y tenía algún tipo de cámara de vídeo en la mano. El aparato emitía un suave ronroneo. Hound Adams estaba junto a ella, con los brazos cruzados sobre el pecho, el pelo rubio y todos sus abalorios cobrando vida bajo la luz blanca antes de desvanecerse de nuevo en la oscuridad.

Ike se despertó en el suelo. En la habitación hacía calor y el sol entraba por una ventana y formaba un charco de luz junto a su cabeza. En cuanto abrió los ojos, empezó el dolor. Le ardían los ojos y notaba el cuello como si alguien se lo hubiera pisoteado. Se incorporó muy despacio hasta sentarse, intentando evitar que la habitación diera demasiadas vueltas a su alrededor. Pestañeó con fuerza y le volvió a la mente la noche anterior, y lo primero que recordó fue a la chica pelirroja vomitando.

Habían grabado más vídeos y fumado más hierba. Y luego uno de los samoanos había empezado con la cocaína. Las chicas habían esnifado con él, metiéndose tiros con una minúscula cucharita plateada. Ike había pasado. Había empezado con los gintonics y decidió seguir con eso. Luego, en algún momento, una o dos horas después de la cucharita, Hound Adams había vuelto a la habitación y él y el samoano habían empezado a mezclar la cocaína con unas gotas de agua en una cuchara, preparándola para un chute, y la pelirroja había querido probarlo. Ike se había quedado sentado a su lado en el sofá mientras el samoano le pinchaba la aguja en el brazo. Había visto cómo la sustancia desaparecía y luego la jeringuilla se llenaba de sangre, tan roja como las uñas de la chica destacándose contra su piel blanca, y cómo luego todo desaparecía otra vez mientras el samoano empujaba el émbolo. Y eso fue lo que le sentó mal, el chute, la sangre entrando de nuevo en su cuerpo y esparciéndolo todo en su camino. De pronto la chica perdió el conocimiento, se quedó rígida, congelada, como si alguien le hubiera enchufado una descarga eléctrica en el cuerpo, y Ike tuvo la certeza de que estaba muerta. La tenía justo a su lado —su piel se había vuelto mucho más blanca que antes, blanca como la tiza— y él solo era capaz de pensar que todo aquello era culpa suya. Por un momento dejó de sentirse borracho y colocado, y lo único que sintió fue esa terrible certeza y toda esa culpa. Luego descubrió que no estaba muerta, sino que lo miraba fijamente, temblando de forma incontrolable, y al instante siguiente empezó a vomitar por todos lados, sobre el sofá y sobre sus brazos, antes de que pudieran llevarla al baño que había en la entrada. Joder, si cerraba los ojos era capaz de revivir toda la escena: Hound y los samoanos tratando de entender lo que había pasado, Hound con pinta de estar mucho más asustado en ese momento, en su propia casa, de lo que había estado en el aparcamiento con los moteros, que lo superaban en número tres a uno. Y cuando las cosas se calmaron un poco y lo único que se oía era a la chica vomitando en el baño, llegaron a la conclusión de que alguien debía haber intercambiado las cucharas y en lugar de pincharle la dosis pequeña que habían preparado para ella le había inyectado la de Hound o la del samoano. La chica consiguió echarlo todo, y por fin volvió del baño enchufadísima, todavía temblando pero a mil, y eso era lo último que recordaba, que todo el mundo estaba superanimado menos él, y que al final se había desplomado en el suelo mientras el resto seguía de fiesta. No se había movido del sitio; ahora la habitación estaba en silencio, hacía calor y todavía olía a vómito. Y por alguna estúpida razón, en ese momento le vino a la cabeza el nombre de la chica. Se llamaba Debbie. Por Dios santo. Había estado a punto de morir encima de él y solo ahora se acordaba de su nombre.

Encontró a Debbie y a las otras dos chicas rubias en el salón, sentadas en el sofá bajo un enorme tapete indio que había en la pared, con una cita del *I Ching*. Todavía parecían un poco colocadas y lo miraron con ojos vidriosos mientras de la cocina llegaba el aroma del desayuno. El olor le revolvió las tripas.

Pasó por delante de las chicas sin decirles nada y fue a la cocina. La chica esbelta de pelo castaño estaba preparando huevos revueltos. «¡Empieza el día con alegría!», exclamó. Ike la ignoró. Lo que quería era salir por la puerta de atrás y desaparecer por el patio.

Para llegar al patio había que atravesar el porche cubierto que había detrás de la cocina. En cuanto se asomó, vio que Hound Adams estaba sentado a lo indio en el césped, de cara al sol y dando la espalda a la casa. Frank Baker estaba de pie delante de él. Ninguno de los dos lo había visto, así que se quedó observándolos desde el porche. Por un momento le pareció que estaban charlando, pero luego se dio cuenta de que el único que hablaba era Frank Baker; Hound se limitaba a estar allí sentado, mirando el patio. Frank estaba enfadado.

—Lo estás jodiendo todo, tío —oyó que decía—, joder, dejar que esa tía se pinche coca. Las cosas se están yendo de madre, ¿entiendes? Pensaba que habías dicho que podías mantener a raya a la familia de Terry.

Frank iba en bañador y detrás de él había un par de tablas en el suelo. Estaba muy cerca de Hound, casi encima. Hound tenías los brazos estirados y separados del cuerpo, con las manos vueltas hacia arriba, y el sol le daba directamente en el pecho y en las palmas blancas.

Cuando Hound habló, su voz sonó muy baja y Ike tuvo que hacer un esfuerzo por entender lo que decía. Pareció que pronunciaba una sola palabra, «después», o algo parecido. No estaba seguro.

Frank negó con la cabeza; parecía a punto de añadir algo, pero entonces levantó la vista y vio a Ike en el porche. Se dio media vuelta y caminó hasta donde tenía la tabla. No le dijo ni una palabra a Hound, pero cuando llegó a la puerta de la valla, se detuvo. Ahora estaba casi a la altura de Ike, un poco más bajo por el desnivel del porche, y lo miró mientras abría el pestillo de la verja.

—¿Anoche pagaste por esa tabla?

La pregunta lo pilló por sorpresa. Frank parecía estar esperando una respuesta. Ike se encogió de hombros.

—No lo sé.

Frank se rio al oír eso, fue una risa corta, como un ladrido, y cesó tan rápido como había empezado.

—Puede que te lleve un tiempo terminar de pagar una tabla como esa —dijo, y luego salió por la verja, dejando la puerta abierta.

Cuando Ike se volvió otra vez hacia el patio, vio que Hound se había levantado y que también llevaba puesto el bañador. Le parecía increíble, como ya le había sucedido después de la primera fiesta, que Hound tuviera energías para surfear después de una noche como aquella.

Bajó los escalones del porche y escrutó la cara de Hound en busca de signos de enfado o algún tipo de reacción frente a lo que Frank acababa de decirle. Pero su expresión estaba vacía. Solo entrecerraba un poco los ojos por culpa del sol mientras lo observaba.

—¿Dónde está tu tabla? —le preguntó.

Ike había sentido que el mundo se le venía encima cuando Frank Baker le había dicho que le iba a llevar mucho tiempo pagar la tabla. No sabía cuántas noches más como la anterior podría aguantar.

Hound sacudió la cabeza.

—Malgastas la energía en lo que no deberías, hermano. Ya hablaremos de eso en otro momento. —Y salió por la puerta dejándolo solo sobre los escalones de cemento.

Ike lo siguió y durante un momento lo observó alejándose en dirección a la playa. Luego dio media vuelta y se fue a casa.

Cuanto más tiempo llevaba despierto, peor se sentía, y había un motivo: cuanto más tiempo pasaba, más cosas recordaba, y cuanto más recordaba, más ganas tenía de olvidarse de lo que había pasado, pero era incapaz de hacerlo, y su cabeza se enredaba en un auténtico círculo vicioso. Y si pensaba que mientras tanto Michelle había estado esperándolo en su cuarto, la culpabilidad lo anegaba por completo. Pero aun así, en medio de tanta culpa y repugnancia despuntaba ese otro sentimiento, relacionado de alguna forma con esa curiosidad hacia sí mismo que había experimentado antes. Aquella cruda mañana le traía también una oscura sensación de satisfacción, casi de asombro por lo que había hecho, él, Low Boy, recogiendo a unas chicas en el centro de una ciudad surfera y follándoselas en mitad de la tórrida noche californiana. Había hecho eso. Era como descubrir de pronto un nuevo poder a su alcance. Resultaba extraño. Durante un momento se sentía terriblemente culpable y al instante siguiente experimentaba toda esa loca euforia. Era todo bastante complicado y además tenía una resaca horrible, y acabó vomitando detrás de un arbusto en la esquina de la Quinta con Rose.

Para cuando llegó al Sea View el sol ya estaba alto y había comenzado a calentar las calles. Los engranajes de la ciudad también se habían puesto en marcha y funcionaban a toda máquina. Los motores bombeaban a pleno rendimiento, engrasados con aceite de hachís y mantequilla de coco, alimentados con cocaína, resoplando al ritmo de algún himno New Wave, y su corazón iba marcando el ritmo, martilleando de forma errática mientras subía hasta su habitación y se metía dentro. Si de algo estaba seguro, apoyado contra la puerta mientras observaba el mugriento cuarto, era de que ya no era la misma persona que había salido de allí la noche anterior.

Tercera parte

28

«Unas son muy flacas, otras son más gordas, son todas iguales cuando las pongo de espaldas.» El hermano de Gordon solía cantar esa canción. Una vez, en la tienda de King City, Ike había pillado a Jerry y a un amigo suyo follando con una chica. Estaban en la parte de atrás, en el almacén, la chica de rodillas, Jerry detrás y el otro tipo delante, y Ike aún podía recordar el calor que hacía allí dentro y el extraño hedor que cargaba el ambiente. Había salido corriendo y había cruzado el patio hasta meterse otra vez en la tienda, con los dientes castañeteándole mientras la risa de Jerry seguía flotando en el aire. Ese mismo día, por la noche, había rememorado toda la escena en el cobertizo trasero de Gordon, convencido de que lo que había visto esa tarde seguiría siendo un misterio para siempre, igual que lo era en ese momento.

Resultaba curioso cómo había cambiado todo, cómo lo que una vez había sido algo tan extraño se había convertido en algo familiar. Aquel misterio insondable era ahora un puzle resuelto con una facilidad tan pasmosa que a veces todo el proceso le parecía estúpido y aburrido. Y en ocasiones le daba la impresión de que tenía algo dentro, en las tripas, que no era capaz de vomitar del todo.

No sabía. Al principio, después de aquella noche con la pelirroja, había intentado no follar con aquellas estúpidas y tristes crías, solo reclutarlas para las fiestas. Y se había reído de sí mismo por haber llegado a pensar que había algo más en aquello, algo mágico incluso, y mientras por un lado deseaba que la magia volviera, por el otro se despreciaba por haber creído alguna vez en ella. La mayoría del tiempo, sin embargo, resultaba demasiado difícil no follárselas. Cuando estaba muy pedo, por ejemplo. En esos momentos quería follárselas de todas las maneras, por arriba, por abajo, por detrás, como encadenando movimientos encima de una ola.

Frank Baker estaba en lo cierto con lo de pagar la tabla. No era sencillo, atrapado como estaba en el proceso, enredado en los engranajes de la máquina. «No se trata del dinero», le había dicho Hound, «sino del espíritu detrás del don». Y aunque ahora incluso estaba en nómina y Hound le pagaba bastante bien, era difícil saber cómo iba lo de la tabla. Todavía pasaba las mañanas con la patrulla del amanecer, entre las sombras del viejo muelle. Después volvía a casa y se metía otra vez en la cama, pero no en la suya, sino en la de Michelle. Y luego se iba a la tienda o bajaba a buscar chicas a la playa, con un puñado de hierba de Hound Adams y quizá una raya de coca encima, porque para entonces ya había descubierto de dónde sacaba Hound Adams la energía para pasarse la noche de fiesta y surfear de día.

También había aprendido otras cosas sobre Hound. Se había dado cuenta de que nunca se lo montaba con ninguna de las chicas. Siempre estaba allí, observando, pero nunca participaba. Aun así, era él quien decidía cuándo había fiestas y cuándo se grababan vídeos, y era bastante meticuloso con las chicas que seleccionaba para las películas. Le gustaba tener muchas donde elegir, pero solo invitaba a unas pocas a quedarse o a volver. Y si en algún momento alguna se asustaba o no estaba cómoda, Hound lo interrumpía todo de inmediato y se aseguraba de tranquilizar a la chica antes de mandarla a su casa. Lo que había pasado aquella primera noche con la pelirroja había sido una excepción y desde entonces no había vuelto a suceder nada parecido. Ese día Hound la había cagado mucho. Había estado a punto de estropearlo todo y se había asustado, Ike lo sabía.

El incidente le había demostrado que Hound era falible, que podía meter la pata, pero eso no le había servido de nada. Era una palabra rara, «nada». En ocasiones se la repetía para sus adentros, como evaluando su forma y peso, y la relacionaba con las semanas que llevaba al servicio de Hound Adams. Algunas preguntas se le presentaban solas. Eran cuestiones obvias y tenían que ver con la búsqueda de Ellen y con la venganza por la mutilación de Preston. Las respuestas eran más oscuras e inciertas, y la mayoría del tiempo se conformaba con decirse que las cosas habían cambiado, que ya nada era igual. Porque para él no lo era. Algo en él lo había abandonado, y al hacerlo, algo había cambiado. Era como si todo aquello que estaba en juego, tal y como lo había imaginado una vez, hubiera sido manipulado de nuevo. Había días en los que ya ni siquiera pensaba en su hermana y, cuando lo hacía, lo hacía de formas nuevas. Era como si hubiera visto demasiadas cosas. Todavía le costaba creerse el tipo de chicas que conocía en el muelle y en las fiestas, chicas con las que podías hacer cualquier cosa y a las que luego veías volviendo a rastras a por más; chicas que se dejaban pegar por los hermanos Jacobs, que permitían que se las follaran por el culo y que al día siguiente volvían y cambiaban una mamada por una raya de coca. Hacía ya dos años que no veía a Ellen, y cuando recordaba el día que se marchó, la veía pasar otra vez por delante de él sin ni siquiera decirle una palabra de despedida, perdiéndose en dirección a la ciudad con sus botas cubiertas de polvo y sus vaqueros ajustados, esperando que algún camión se detuviera a recogerla, y pensaba que a lo mejor Gordon tenía razón. Y recordaba las noches que había pasado en el desierto, solo, mientras Ellen estaba por ahí con algún chico, de fiesta, más allá de los oscuros límites de la ciudad. De fiesta. Aquellas palabras tenían ahora un nuevo significado para él.

No siempre se gustaba a sí mismo cuando pensaba estas cosas, pero aun así las pensaba. No podía evitarlo. A lo mejor era el karma de Ellen. Y a lo mejor lo que le había pasado a Preston también era cosa de su karma. De lo único de lo que estaba seguro era de que su forma de ver las cosas había cambiado, que el verano comenzaba a esfumarse y que, con él, se esfumaba también aquello para lo que había ido hasta allí, yendo a perderse en otro lugar y en otro tiempo, un lugar y un tiempo que cada vez le resultaban más ajenos y más distantes, menos conectados con la persona en la que se había convertido. Era como si hubiera perdido alguna pieza de sí mismo, o como si se hubiera desprendido de una antigua concha. Era como una serpiente mudando de piel.

Lo más fácil, sin embargo, era no pensar en nada de todo aquello. Lo más fácil era dejarse llevar, sacarle partido a la situación y que la cosa no lo afectara. Y eso fue lo que hizo. Se pasaba el día colocado, haciendo surf y dejando las cosas correr. Se había convertido en un espectador del zoo, como Preston había llamado una vez a esa colección de locos, en el mar y en tierra. Y algunas veces, por las tardes, cuando soplaba una suave brisa cargada con el aroma del mar, iba al muelle, reclutaba a algunas chicas y luego grababan vídeos para Hound Adams. Como Hound le había dicho una vez, la cosa no tenía mucho misterio, y podría haber seguido así durante mucho tiempo, demasiado, hasta que el verano se hubiera terminado. Pero entonces sucedió algo y la cosa llegó a su fin. Todo empezó cuando Preston Marsh regresó a Huntington Beach.

Había estado fuera más o menos un mes, y durante ese tiempo no dejaron de circular los rumores: que había perdido las manos; que había perdido los brazos hasta el codo; que había sufrido daños cerebrales y lo habían mandado a una residencia de soldados veteranos convertido en un vegetal para el resto de su vida. O, simplemente, que se había largado, harto de H. B., y que se había ido para siempre. Ike no sabía muy bien qué creer. Un tiempo antes, a mediados de julio, había vuelto al hospital y había descubierto que ya no estaba allí. Había intentado localizar a Barbara un par de veces, pero ella también parecía haber desaparecido. Aun así, no creía que se hubieran largado para siempre. En una de sus dos visitas al dúplex se encontró una pila de periódicos amarillentos en el porche, las cortinas echadas y el patio lleno de hierbajos. Estaba claro que allí no vivían inquilinos nuevos. Así que oyó los rumores y durante un tiempo se preguntó sobre su paradero, pero terminó por dejarlo al albur del karma y siguió su propio camino. Y sin embargo, un día, allí estaba: Preston Marsh, de pie en la acera, mirando fijamente la tienda de surf de Main Street.

Ike estaba dentro del local. No había demasiadas olas y tenía que ocuparse de unos cuantos encargos de Hound. En ese momento le estaba poniendo un invento a una tabla, arrodillado en el suelo cerca del mostrador, y fue al levantar la vista un momento cuando lo vio. El cambio que había sufrido su aspecto era impactante. Tenía la piel más oscura, pero con un tono poco saludable, como el de los borrachos a los que se les rompen demasiados capilares por culpa del alcohol, el sol y la suciedad. Llevaba una raída chaqueta del ejército y una gorra que, por algún motivo, a Ike le resultaba familiar. Era una boina verde oscuro con una pequeña insignia dorada cosida a un lado, cerca de la frente, y al final cayó en la cuenta de que era la misma que llevaba en una de las fotos que le había enseñado Barbara, tomada, según le había dicho, justo antes de que Preston se fuera al extranjero. También se fijó en que llevaba el pelo muy corto y se había abrochado la chaqueta hasta el cuello, aunque el día era caluroso. Estaba de pie con las manos hundidas en los bolsillos y escorado hacia un lado, y con la boina, la chaqueta y la cara sin afeitar parecía un revolucionario quemado y exhausto. Daba la impresión de estar fuera de lugar, y verlo ahí plantado casi provocaba escalofríos; era como ver un fantasma a plena luz del día.

Ike no se incorporó, sino que siguió de rodillas junto a la tabla. No sabía si Preston lo había visto o no, o si, en caso de haberlo visto, lo había reconocido. Simplemente estaba ahí plantado, mirando hacia el escaparate con su nueva cara de tez oscura. Y entonces, de la misma forma repentina en la que había aparecido, se esfumó.

Ike se levantó de un salto; era como si alguien lo hubiera abofeteado. Fue hasta la puerta de la tienda y observó a Preston alejándose por la acera en dirección a la cafetería de la estación de autobuses Greyhound. Distinguió que del bolsillo trasero del pantalón le asomaba una botella de whisky. La chaqueta, que debía de haberla cubierto, se le había metido por detrás y ahora el vidrio centelleaba al sol. En ese momento notó que había alguien más a su lado. Se giró y vio a Frank Baker, que había salido de la parte de atrás de la tienda y también se había acercado hasta la puerta. Juntos vieron a Preston dando tumbos y zigzagueando por la acera hasta que chocó con una pila de periódicos que había fuera de la estación. En realidad eran varios montones sujetos con cadenas, y al parecer, Preston se había enganchado en una. Lo vieron lanzar improperios y dar patadas a los periódicos. La gente que pasaba cerca se alejaba, mientras que los que estaban un poco más lejos se detenían a mirarlo y se reían. Después, un hombre mayor con delantal blanco salió de la cafetería y empezó a gritarle. Ike no pudo oír lo que decía; no sabía si el tipo estaba más cabreado por el follón que Preston estaba montando delante de su local o por la boina que llevaba. Ike vio que el hombre se señalaba la cabeza y luego señalaba a Preston. Y de pronto, Preston sacó una mano del bolsillo de la chaqueta e intentó golpear al tipo. Incluso a media manzana de distancia, Ike vio que se trataba de una mano con un aspecto muy raro, más un garrote que una mano, y así era como Preston parecía usarla, balanceándola de un modo inusual y muy extraño. El golpe, más un bofetón que un puñetazo, impactó en la clavícula del hombre con la suficiente fuerza como para lanzarlo de vuelta al interior de la cafetería, y el propio Preston, impelido por el impulso, también acabó cayendo al suelo. Ike oyó el ruido de la botella rompiéndose contra el pavimento. Vio cómo una familia que cruzaba en dirección a la estación se detenía y daba media vuelta. Pensó que debía hacer algo, pero no estaba seguro de qué, y cuando se volvió a mirar a Frank casi se quedó de piedra al ver cómo le había cambiado el gesto. No estaba seguro de haber visto antes semejante expresión de asco, aunque tampoco estaba seguro de que «asco» fuera la palabra adecuada. Era más que eso. Pero por lo visto Frank ya había tenido bastante. Sacudió la cabeza y desapareció en el interior de la tienda.

Cuando Ike se volvió otra vez hacia la calle, vio que Preston había conseguido ponerse de pie y que el hombre del restaurante había vuelto con una escoba e intentaba acercarse lo suficiente para golpearlo sin recibir ningún golpe más. Pero Preston ya no parecía prestarle demasiada atención. Trataba de ahuyentarlo con un brazo mientras miraba fijamente en dirección a la tienda. Y entonces, mientras Ike lo observaba, Preston levantó una de sus extrañas manos en el aire y la volvió hacia Ike como si estuviera haciéndole una peineta, salvo porque carecía de dedos para completarla. De alguna manera, en ese momento no le hacían falta. El significado del gesto estaba claro. Y después se marchó. Dobló la esquina y se perdió de vista, dejando al hombre del restaurante solo en la calle.

Ike entró en la tienda; le temblaban las piernas. Se encontró a Frank Baker en la parte de atrás, delante de la foto de la fiesta del Día del Trabajo. Se colocó a su lado. Aunque habían trabajado juntos muchas veces, Frank no era muy hablador, y Ike había llegado a la conclusión de que él no despertaba mucho su interés. En ese momento, sin embargo, tuvo la extraña sensación de que a los dos les había afectado ver a Preston y que era la ocasión de preguntarle algo que siempre le había rondado la cabeza:

—¿Fuiste tú el que hizo la foto?

Frank lo miró un momento y luego se volvió otra vez hacia los desvaídos colores de la imagen.

—Hice todas las que ves aquí colgadas.

Ike se quedó en silencio, sin saber muy bien cuántas cosas más podía preguntarle. Al final se decidió por otra foto que siempre le había interesado, una en la que se veía a Preston ejecutando un *bottom turn* sobre una enorme pared de color oscuro. Era una buena foto: podías sentir el poder de la ola, la velocidad con la que Preston salía del giro y la fuerza que imprimía a su tabla, con las rodillas dobladas y casi en cuclillas. Era un *bottom turn* de espaldas, y se distinguía su gesto de concentración, con el pelo echado hacia atrás como si estuviera encarando un viento poderoso, y el enorme remolino de espuma que salía despedido contra la cara de la ola desde detrás de la tabla.

—Me gusta esta —dijo Ike señalando la foto, y le explicó a Frank lo que Hound había dicho de los *bottom turns* de Preston.

—Me sorprende que se acuerde —contestó Frank, y a Ike lo sorprendió el poso de amargura de su voz.

—Hound dice que era bueno.

Frank siguió con la vista clavada en la pared.

—Era bueno.

—¿Mejor de lo que es Hound ahora?

—Preston era el mejor. ¿Sabes a lo que me refiero? Era el tipo que ganaba los concursos, el tipo que hacía que todo funcionara.

—¿Que funcionara el qué?

—El negocio. Si quieres ganarte la vida con el surf, necesitas a alguien de renombre. Y ese era Preston.

—¿Y Hound?

—Era bueno, pero le tiraba más la pasta. Fue él quien metió a Milo.

Se calló de repente cuando dijo eso, casi a mitad de frase, como sorprendido de verse a sí mismo hablando con un mequetrefe como Ike y respondiendo a demasiadas preguntas. Pero la nota de rencor con que había pronunciado el nombre de Milo Trax no pasó desapercibida. Trató de restarle importancia:

—Viejas historias de mierda —dijo—. Ahora todo eso se ha acabado. Ya ves lo que queda hoy de la estrella.

Ike no tuvo oportunidad de preguntar nada más. Frank salió de la tienda y lo dejó allí solo con las fotografías. Se acercó al escaparate y vio la delgada y rubia figura de Frank Baker cruzando Main Street y metiéndose en un bar.

29

Si el regreso de Preston había sido el principio, lo que sucedió con Michelle fue el final. Durante un tiempo ella había sido un inconveniente, el único aspecto de su vida que no cuadraba, que no se veía salpicado por lo que se traía entre manos con Hound Adams, o al menos eso le gustaba pensar. El asunto de su hermana rara vez se mencionaba, y cuando Michelle sacaba el tema, él se limitaba a decirle que seguía trabajando en ello, intentando enterarse de algo a través de Hound, y que eso llevaría tiempo. Y cuando le preguntaba por lo que había averiguado o lo que hacía, él respondía de forma vaga y se las arreglaba para cambiar de tema. Muy pronto ella dejó de preguntarle, aunque a veces tenía esa forma acusadora de mirarlo, como si supiera que estaba escurriendo el bulto. Sin embargo, contarle toda la historia, explicarle que lo que estaba aprendiendo con Hound Adams había afectado a la percepción que tenía de su propio pasado se le antojaba una tarea imposible. Lo más fácil, también en esto, era salir de fiesta, colocarse con la droga de Hound Adams, y hacer el amor y diseñar planes para un futuro lejano, cuando estuvieran los dos solos y viajaran a lugares exóticos. Porque la quería mucho y una parte de él seguía creyéndose esos planes conjuntos. Seguía pensando que Michelle era especial y que podía mantener su relación con ella al margen de lo que sucedía en casa de Hound y al margen de su forma de ganarse la vida.

Por supuesto, separar las dos cosas no era tarea fácil. Michelle sabía la cantidad de tiempo que pasaba con Hound, e incluso cuando dejó de preguntar por ello, Ike era consciente de que el hecho de que él no le contara nada la cabreaba. Y Hound Adams, por su parte, también veía que la mantenía al margen. Cuando surgía el tema entre ellos, como sucedía de tanto en tanto, Ike siempre se inventaba alguna excusa y Hound se limitaba a dejarlo pasar y a decir «en otra ocasión», y Ike veía reforzada su determinación de mantener las dos cosas separadas. Sin embargo, algunas veces lo atormentaba una imagen que regresaba periódicamente a su mente: la de Preston Marsh sentado junto a la hoguera explicándole cómo había cosas que solo las querías de una cierta manera y, si no, no las querías. Y para cuando se dio cuenta de lo loco e inviable que era todo, la historia había terminado. Lástima que no hubiera captado a tiempo las indirectas.

Por ejemplo, aquella mañana. Era tarde, hacía calor y las sábanas estaban empapadas de sudor. Habían estado haciendo el amor durante mucho rato, y mientras follaban él había comenzado a fantasear con la idea de que los estaban grabando y los hermanos Jacobs estaban delante. La idea le repugnaba y le excitaba al mismo tiempo. Quería follársela hasta que le doliera. Salió de ella y la puso a cuatro patas para poder follársela por detrás, pero por algún motivo aquello no fue suficiente. Un rectángulo de luz se proyectaba sobre su espalda, húmeda y resbaladiza por el sudor de ambos. Salió de ella otra vez. Le metió los dedos en el coño y el luego en el culo, humedeciéndolo. Ella intentó separarse, darse la vuelta, pero él la agarró con fuerza, la puso en la misma posición y entró despacio y dolorosamente. A él también le dolió un poco, pero sabía que a ella más, y eso era lo que quería. Embistió con fuerza, tan adentro como pudo, hasta que se corrió, y luego se desplomó sobre ella, jadeando como un loco y con el corazón martilleándole en el pecho. Después se levantó y salió al porche de madera, donde el sol y el viento le secaron las piernas y el pecho. Allí desnudo, al sol, con los ojos entrecerrados, oyendo el ruido del tráfico a lo lejos y más allá el rumor distante de las olas, lo único en lo que podía pensar era en que algo iba mal. Nunca había tenido que fantasear mientras estaba con ella. El mero hecho de estar juntos era suficiente. Miró el césped muerto y la grasienta maquinaria del pozo de petróleo e intentó pensar y aclarar su mente. Pero era difícil pensar nada con ese sol cegador y la cabeza como el muelle de un embrague después de dos días puesto de farlopa y sin pegar ojo. Y entonces Michelle apareció en el porche, envuelta en una toalla de playa, y pudo ver que había estado llorando. No dijo nada, solo se quedó mirándolo con los ojos verdes vidriosos e irritados. El sol iluminó el rastro de lágrimas que le corría por las mejillas y la punta de dos dientes que lo escrutaban desde debajo de su labio superior. Era como si estuviera esperando que él le diera una explicación, que le explicara algo que él mismo no era capaz de entender, al menos no con ese maldito calor. El sol abrasador del patio imprimía unas franjas de luz como neones sobre todas las cosas, desde la hierba a los árboles y la cara de Michelle, que no dejaba de mirarlo, inquisitiva, hasta que al final la apartó de un manotazo con la palma abierta, con tanta fuerza que el golpe resonó. Y al momento estaba de rodillas en el suelo, sin saber muy bien cómo había llegado hasta ahí, hundiendo la cabeza contra la toalla de playa que cubría la cintura de Michelle, llorando como un bebé mientras ella le acariciaba el pelo.

Y entonces todo terminó: todas las farsas y piruetas y el elegante juego de pies. Era un jueves, eso nunca lo olvidaría. La misma semana en la que Preston había regresado a Huntington Beach.

Se había levantado temprano para surfear unas olas pequeñas y fofas procedentes del oeste. Hound Adams no estaba en el agua. Había surfeado una hora más o menos y luego había regresado a casa. Le gustaba despertar a Michelle por las mañanas. Le encantaba el aspecto que tenía, aún medio dormida, el cuerpo cálido, mientras la luz del sol se filtraba por la ventana, y cómo sonreía, somnolienta, cuando él se deslizaba bajo las sábanas para que lo calentara con su cuerpo. Luego solían bajar a desayunar a una cafetería.

Colgó el traje de neopreno mojado en el balcón y se puso unos vaqueros y una camiseta. Luego recorrió el pasillo hasta la habitación de Michelle y giró el picaporte. Normalmente la puerta estaba abierta. Ese jueves por la mañana, sin embargo, las cosas eran diferentes. Oyó voces y pasos de pies desnudos sobre el suelo de madera. Estaba convencido de que pasaba algo malo y empezó a resultarle difícil coger aire en mitad de aquel estrecho pasillo. Lo primero que notó cuando Michelle abrió la puerta fue el penetrante olor a hierba, y lo primero que vio fue una de las camisas mexicanas de Hound tiradas sobre el sofá. No podía ver la cama, pero no le hacía falta; le bastaba con verle la cara a ella: le pareció que estaba ligeramente sonrojada y muy guapa. Tenía el pelo revuelto y un mechón húmedo y ondulado pegado a la piel a la altura de la boca. Se dio media vuelta sin decir palabra y se marchó. La puerta se cerró a su espalda.

Y así fue cómo acabó, ese fue el final de cualquier cosa especial que hubiera habido entre ellos. Era incapaz de estarse quieto. No aguantaba dentro de la habitación. No tenía cerca el desierto para irse a caminar, como había hecho el día que su hermana se había marchado, así que al final se puso el traje de neopreno húmedo y volvió a la playa. El oleaje había empeorado y se pasó la mayor parte del día rascando pésimas olas, maldiciéndolas e insultando a cualquiera que se acercara demasiado a él y fuera más o menos de su tamaño. Era la primera vez que le gritaba a alguien en el agua. Todo un surfista local, por fin.

A última hora de la tarde estaba tan cansado y congelado que se sentía enfermo. Encontró a un tipo al que conocía de la patrulla del amanecer y le pidió que le comprara un pack de seis cervezas Old English 800, el peor matarratas que se le ocurrió. Se pasó el resto de la tarde bebiendo en su habitación. Esperó. Vio cómo el sol se ocultaba detrás de los edificios que le tapaban la vista del mar. Esperó a oír los pasos de Michelle en el pasillo, pero ella no apareció. Ya tenía que haber vuelto del trabajo. O a lo mejor no había ido. Quizá todavía estaba con Hound Adams, en su casa. A lo mejor estaban grabando vídeos en ese mismo momento.

Lo invadió un impulso casi incontrolable de ir a buscarla. Toda clase de actos perversos y lascivos le anegaban la mente. Pero ¿cómo iba a culparla de nada? ¿Cómo iba a juzgarla si había sido él el que lo había echado todo a perder? Las fiestas, las películas. Se había dicho a sí mismo que lo hacía por un motivo. Pero ¿de verdad lo había? ¿No era todo fruto de su propio egoísmo? Debería haber cogido a Michelle y haberse largado de allí, tan lejos de Hound como fuera posible, terminando de una vez con la farsa de la búsqueda de su hermana, una farsa que se había convertido en una mera forma de enmascarar su propia lujuria. Joder, se había quedado porque le gustaba. Las chicas, las películas, todo aquello había sido una especie de viaje alucinado y ególatra, y ahora le tocaba pagar el precio. ¿Cómo podía haberla cagado tanto? ¿Qué mierdas le pasaba? Toda su estancia allí había sido una gran mentira. Ahora se daba cuenta. No había sido más que una huida. Había aguantado las miradas de odio de la vieja y el silencio del desierto hasta que había podido y luego se había largado. Era como si la desaparición de su hermana, la historia que le había contado el chaval aquel, le hubieran dado el empujón necesario para hacer lo que cualquiera con más agallas hubiera hecho mucho antes. De alguna forma, había algo torcido en él, tenía que haberlo. Era la herencia de su madre. En ese lugar había encontrado algo bueno y algo malo, y se había quedado con lo malo. A lo mejor después de todo la vieja tenía razón. A lo mejor era él el que se había equivocado en el rancho con toda aquella historia de la culpa y la responsabilidad. Mierda. Se había marchado porque no podía estar allí sin Ellen. La responsabilidad y la culpa no tenían nada que ver con aquello. Quizá la vieja tenía razón con respecto a todos ellos: su madre era una puta del montón, su hermana no era mejor y él era un maldito degenerado, el último eslabón de ese linaje pervertido. Se había ido hasta Huntington Beach y había encontrado la forma de colocarse, follar y ganar dinero sin necesidad de trabajar para conseguirlo. Y se había puesto las botas. Pero, por supuesto, lo quería todo, también quería a Michelle. Y ahora llegaban los lamentos y los lloriqueos porque las cosas habían salido mal. Dios. Llorando como el maldito mocoso que, en el fondo, sabía que era.

Siguió dándole vueltas a este tipo de cosas mientras se bebía la última cerveza. De vez en cuando daba un puñetazo a una silla o una patada a la pared, mientras la imagen del precioso culo de Michelle en la cama de Hound se expandía en su interior como un cáncer, hasta que la habitación fue un espacio demasiado pequeño para contenerlo. Estaba a punto de salir del cuarto cuando vio la maldita tabla apoyada contra la pared y, por algún motivo, le sorprendió no haberse fijado en ella hasta ese momento. Aquella puta tabla. Esa mierda de tablón con los cantos afilados y el llamativo dibujo aerografiado. Verla lo ponía enfermo, y soltó una carcajada al recordar los motivos que lo habían llevado a ir a ver a Hound Adams. Mierda. Había sido como todo lo demás: una mentira. Quería la tabla y había encontrado la forma de conseguirla. La cogió con brusquedad y salió con ella al pasillo, dando tumbos y golpeando el marco de la puerta y luego empotrando la punta contra la pared del pasillo con la suficiente fuerza como para provocar un pequeño cráter en el revoque. No sabía si la tabla había crecido o el pasillo era ahora más pequeño, pero era incapaz de dar un solo paso sin golpearse con algo, y para cuando desembocó en el hueco oscuro al final de las escaleras, había gente insultándolo y gritándole que se callara. Se detuvo el tiempo justo para insultarlos él también y hacer una peineta a todo el puto edificio, y después salió con la tabla debajo del brazo y se alejó trastabillando por las calles de la ciudad en dirección a la casa de Hound Adams.

30

Mientras caminaba, toda clase de escenas grotescas tomaban forma en su mente, perversiones innombrables que quizá fuera a interrumpir con su presencia. Pero no estaba en condiciones de sopesar las consecuencias. No se molestó en llamar: lanzó la tabla al suelo del porche y empujó con fuerza la puerta.

El salón estaba a oscuras, pero distinguió luz en una de las habitaciones traseras. Y allí fue donde los encontró. En el camino se había llenado la cabeza de tantas escenas extravagantes que le llevó un momento entender lo que tenía delante. Se quedó en la puerta, mirándolos, con el único sonido audible de la sangre martilleándole en la cabeza.

En realidad era todo muy sencillo. Michelle estaba sentada en el suelo cerca de Hound Adams. Uno de los hermanos Jacobs estaba en el sofá. Todos estaban vestidos. La habitación olía a hierba y a algún tipo de incienso. Se quedaron mirándolo. Sus caras flotaban delante de él en una neblina acuosa. Dio unos cuantos pasos vacilantes, luchando por mantener la imperiosa determinación que lo había llevado hasta allí en mitad de la noche.

—Venga, entra —oyó que decía Hound Adams—. Siéntate.

Ike lo miró un momento y luego miró a Michelle. Tenía claro que no quería sentarse.

—Quiero hablar contigo —le dijo a Michelle.

Notaba la garganta muy tensa y solo era capaz de pronunciar las palabras con mucha dificultad.

Michelle parecía flotar en algún punto por delante de él, en mitad de la densa niebla que llenaba la habitación. Su gesto era inexpresivo. Era incapaz de saber si estaba enfadada o avergonzada.

—¿Qué quieres?

—Tenemos que hablar.

—Podemos hablar aquí.

Ike vio que miraba a Hound y luego se volvía otra vez hacia él. Sintió el deseo de acercarse a ella y levantarla de un tirón. Era como si toda la situación se le escurriera entre los dedos, como si se ahogara en aquella densa niebla.

—Maldita sea. —Se dio cuenta de que ahora hablaba en un tono mucho más elevado—. He venido aquí a hablar contigo. ¿Vas a mover el culo o qué?

Michelle no movió el culo. Se quedó allí sentada, flotando, con aquella expresión de estar colocada. Era una expresión terrible, una que habría que borrarle con la punta del zapato. Echó a andar hacia ella sin tener muy claro qué iba a hacer, solo que sería algo que ella se merecía. Pero nunca llegó a su destino. Hound Adams se levantó y se interpuso entre ambos, cogiendo a Ike del hombro. Ike se lo quitó de encima de un manotazo. Estaba casi seguro de que Hound iba a matarlo, pero la cerveza se había llevado por delante casi todo su miedo; estaba dispuesto a morir. Sin embargo, Hound retrocedió un paso, sin levantar la mano.

—Los celos son un mal viaje, hermano. Piénsalo.

Su voz sonaba tranquila. Ike se quedó inmóvil, observándolo. Nunca lo había odiado tanto como en ese preciso instante.

—¿Qué pasa? —le preguntó Hound—. ¿Tienes ganas de liarla? ¿De que corra un poco de sangre, a lo mejor? Eso podemos arreglarlo.

Se dio la vuelta de forma brusca y se acercó a una cómoda que había junto al sofá, dejando a Ike allí plantado, con los ojos clavados en Michelle, que había girado la cara hacia la pared. Luego regresó y le puso algo en la mano. Era una pistola. Notó el metal frío contra la piel y se quedó mirándola con gesto estúpido. El arma parecía colgar de su mano como si la tuviera enganchada de alguna forma y en realidad no la estuviera sujetando. De pronto Hound se la quitó y apuntó contra una pared. La pistola se disparó con una explosión ensordecedora. Un nuevo tipo de olor invadió el cuarto y a Ike le pitaron los oídos por el ruido de la detonación. Hound le puso otra vez el arma en la mano.

—Tienes balas —dijo— y tienes la pistola.

Ike sentía como si ardiera de fiebre, como si nada en la habitación fuera real.

—Te piensas que soy tuya, que te pertenezco —dijo Michelle de pronto, rompiendo el silencio que se había apoderado de la estancia.

Se había vuelto a mirarlo, con la cara crispada de ira.

—Los hombres sois tan estúpidos, os pensáis que sois nuestros dueños, que os pertenecemos o algo parecido, y mientras os dedicáis a todas vuestras mierdas. Lo sé todo sobre tus fiestecitas. Así que por qué no te largas. No soy tuya. No soy de nadie. ¿Por qué no te vuelves al puto agujero del que vienes?

—Maldita puta.

Ike no pudo evitar que le temblara la voz. Era como si las palabras de Michelle golpearan demasiado cerca del blanco y quería estrangularla por ellas. La llamó maldita puta mientras ella, de rodillas, también le gritaba. No entendía nada de lo que se decían. De no haber habido nadie más en la habitación habrían acabado pegándose, rodando por el suelo y arañándose los ojos. Al menos la presencia de Hound les ahorró aquello; ya era todo bastante horrible. Notaba un nudo de dolor en el estómago. El suelo giraba bajo sus pies. Lanzó la pistola contra el sofá y, dando tumbos, deshizo el camino, salió de la casa, atravesó el porche y se perdió en la noche.

No había alivio a la vista ni lugar al que ir. Pisoteó el césped, dio patadas a varias macetas e insultó a unos cuantos perros pequeños que no dejaban de ladrar. Trastabilló por varios callejones, tirando cubos de basura a su paso. La gente le gritaba: voces incorpóreas que le llegaban en mitad de la oscuridad. Él también les gritaba, y su voz casi ronca se perdía entre los destartalados edificios.

Al final acabó desembocando cerca del estudio de tatuajes de la Coast Highway y una idea brillante se le pasó por la mente. Era como si de pronto supiera por qué cierta gente se cubría el cuerpo de tatuajes: porque eran unos fracasados y sabían que lo eran. Ahora entendía por qué esos tipos se sentaban alrededor de una mesa cuando estaban en la cárcel y se marcaban la piel. Sabían que eran unos imbéciles y se ultrajaban a sí mismos por ello. Tenía todo el sentido del mundo. Pensó que podría hacer lo mismo, meterse un poco de tinta con una navaja, pero luego supuso que probablemente no tendría agallas suficientes y que sería un desastre intentarlo y fallar. No, iría a que le hicieran uno en la tienda. Se encaramaría a la silla y todo habría terminado, no quedaría nada salvo el zumbido de la aguja. Sabía cómo funcionaba aquello. Primero elegías el diseño y pagabas al tipo. Comprobó sus bolsillos para ver cuánto tenía. Estaría bien hacerse uno grande, a poder ser muy estúpido, para empezar, cuanto más grande y más estúpido mejor. Socio vitalicio del club de los fracasados, y no habría forma de ocultarlo.

Dentro de la tienda hacía calor y la atmósfera estaba cargada de un olor medicinal, como si hubiera entrado en la consulta de un médico de segunda. Se acercó a la pared y examinó la selección de tatuajes, hasta que finalmente se decidió por unas alas Harley-Davidson que, en el centro, en lugar del pequeño escudo y la palabra «*motorcycles*», tenían una calavera y unos huesos cruzados; debajo de los huesos ponía «Harley puto Davidson». Había otro incluso mejor —las mismas alas, la calavera y los huesos cruzados, y encima de la calavera, una mujer desnuda con las piernas abiertas y el coño peludo bien a la vista—, pero era demasiado caro. Le preguntó al dueño si podía pagarle una parte en ese momento y el resto más adelante. «Ni de coña», fue la respuesta. Era un tipo mayor, calvo y con los brazos llenos de tatuajes. Se quedó allí mirándolo, mascando tabaco, mientras Ike terminaba de decidirse. Luego lo sentó en el sillón, comprobó una vez más el dibujo para asegurarse de cuál era el diseño y se puso a trabajar.

Ike lo quería en el hombro. Según se lo imaginaba, las camisetas se lo taparían la mayor parte del tiempo, y luego, cuando la gente ya hubiera empezado a pensar que era un tipo de lo más normal, lo enseñaría y los dejaría con la boca abierta. Sería un poco como tener una identidad secreta. El viejo le pasó una cuchilla por la piel y luego le limpió la zona con alcohol, antes de marcarle el dibujo con una especie de calcomanía. Ike tenía calor y estaba mareado. Echó un vistazo a través del grasiento cristal de la tienda hacia la calle. Había un par de tías muy raras fuera, mirándolo desde la acera. Llevaban un corte de pelo parecido al de Jill. Una de ellas era muy rubia y la otra tenía el cabello de un extraño tono rojizo, casi púrpura. La noche, el alcohol que había bebido, las luces amarillas y cálidas, las dos punks al otro lado del cristal: todo contribuía a que aquello pareciera un sueño. Y mientras, el viejo se aplicaba a fondo con el tatuaje. En una mano tenía la aguja y en la otra una esponja para ir limpiando la sangre.

Al principio el hombre solo le ardía y le picaba un poco, pero la sensación se fue amplificando y extendiéndose hasta que empezó a notar cómo le corría el sudor por la frente y la espalda. Sintió náuseas y por un momento pensó que iba a vomitar. Le preguntó al tipo si podían parar un segundo, pero no debió de oírle, porque no hizo amago de detenerse. Ike cerró los ojos, preguntándose si sería capaz de forzar un poco la voz y repetir la pregunta más alto, pero al final se limitó a quedarse sentado, haciendo muecas, hasta que el hombre le dio la vuelta en el sillón, como si estuviera en el barbero, para que pudiera verse el tatuaje en un espejo que había junto al fregadero. Le pasó otra vez la esponja por encima y luego se lo cubrió con una gasa y un esparadrapo.

Ike quería un tatuaje grande, pero se había quedado un poco en shock al comprobar lo grande que era aquella mierda: le cubría por completo el maldito hombro. En la pared le había parecido más pequeño. Sin embargo, el susto se diluyó enseguida, dando paso a una sombría sensación de satisfacción. Lo había hecho. Se había unido al club de los fracasados.

Al levantarse del sillón estuvo casi a punto de desmayarse. El viejo tuvo que echarle una mano. «¿Estás bien, socio?», le preguntó. Ike dijo que sí y que solo necesitaba un poco de aire fresco.

Una vez en la calle se sintió mejor. Le llegaba la brisa cargada de olor a mar, y fue entonces cuando se dio cuenta de que aquellas tías seguían allí. Estaban media manzana más abajo, con un par de tipos, delante de una tienda. Oyó que una de ellas decía: «Ese es». Otro le gritó: «Eh, tío, enséñanos tu tatuaje».

Los mandó a la mierda y el grupo echó a andar hacia él; Ike dio media vuelta y salió corriendo, dobló la esquina a la altura del estudio de tatuaje y se perdió por el callejón. Notaba las piernas como si fueran de goma y le ardía el pecho, pero le daba exactamente lo mismo. Tenía una especie de plan que consistía en dejar que lo persiguieran por el callejón, tenderles una emboscada y tirarles encima los cubos de basura. Mientras corría iba medio riéndose, soltando breves carcajadas entre esfuerzos por coger aire. Sin embargo, los otros no lo siguieron durante mucho tiempo, se limitaron a recorrer unos cuantos metros por el callejón y luego se detuvieron. Ike incluso se giró una vez y les gritó, pero el grupo se fue por donde había venido. Lo más seguro era que pensaran que estaba loco o que tenía una pistola. Se acordó de que una vez Gordon le había dicho que si conseguías que la gente creyera que estabas loco, muy, muy loco, casi nunca se meterían contigo. Pensó que a lo mejor era verdad, al menos de vez en cuando.

Meó en el callejón y luego volvió a Main Street. Se le había bajado un poco el pedo y el hombro empezaba a dolerle, pero ni pensó en irse a casa. La temperatura había descendido y el sudor se le heló en la cara. Al final terminó enfrente del dúplex de Preston. Dentro volvía a haber luz, pero no llamó a la puerta. En lugar de eso, se sentó con las piernas cruzadas en el pedazo de césped y se quedó mirando el edificio fijamente. No estaba muy seguro de por qué había ido hasta allí o por qué no llamaba a la puerta. A lo mejor el hecho de haber ido hasta allí tenía algo que ver con el tatuaje. Pero, fuera cual fuese la razón, no tenía intención de moverse. Era como si una especie de fuerza lo mantuviera allí sentado. Permaneció así hasta que las luces se apagaron detrás de las cortinas y solo quedó la luz del porche, como olvidada, atrayendo estúpidamente a las polillas. Y aun así, no se movió de allí.

31

Debió de quedarse dormido sobre la hierba, porque cuando abrió los ojos seguía en el mismo sitio y el sol brillaba y le quemaba la cara. Había tráfico en la calle y los mirlos trinaban posados en las palmeras. Se incorporó despacio y echó un vistazo a su alrededor. Estaba bastante sorprendido de haber dormido allí de verdad, como un borrachín tirado en un bordillo; pero seguía vivo: había escapado de una banda de punks, de unos virtuosos de la violación, y sabía Dios de qué otro tipo de escoria que salía reptando de entre las sombras para vagar por las calles de la llamada Surf City USA una vez que el sol se hundía en el mar. Sintió una punzada de dolor en el hombro; se lo miró y vio una gasa y un esparadrapo asomando por debajo de la manga de la camiseta. Le costó un momento recordar lo que había sucedido la noche anterior, y cuando por fin le vino a la mente lo que ocultaba aquella gasa lo invadieron las náuseas. Luego se disiparon, al pensar que eso era lo que había querido y que, en cierta medida, se había hecho justicia.

Estaba intentando ponerse de pie, tarea nada sencilla, cuando vio que Barbara bajaba por el camino de entrada hacia la acera. Durante un segundo pensó en esconderse, pero no había dónde y ya era demasiado tarde: ella había cruzado la calle y se dirigía hacia él.

—Dios mío —fue lo primero que dijo cuando lo vio, poniéndose la mano en la frente—. Ike, tienes una pinta horrible.

—Estoy bien.

—Ni siquiera sabía que seguías por aquí. En serio, tienes muy mal aspecto.

—Me encuentro bien, de verdad —dijo, tambaleándose un poco—. Pasé por aquí en un par de ocasiones, pero os habíais ido.

Ahora que la tenía más cerca, se dio cuenta de que ella tampoco tenía buen aspecto. Estaba más pálida y delgada de lo que la recordaba, y eso que siempre le había parecido flaca.

—He estado viviendo con mis padres. De hecho, me he mudado otra vez con ellos, aunque estoy buscando un sitio para mí sola. Solo he venido a echar una mano un par de días. Dios mío, Ike, ¿qué te ha pasado en el hombro?

Ike se lo miró, como si fuera la primera vez que le prestaba atención.

—Me he caído.

Ella se inclinó un poco hacia él.

—No te has caído. He visto bastantes vendajes de esos. Te has hecho un tatuaje, Ike.

Volvió a erguirse, negando con la cabeza. A Ike le dio la sensación de que debía disculparse por algo, pero no lo hizo; le hubiera llevado mucho rato explicárselo todo, así que se limitó a quedarse allí de pie, avergonzado, con la mirada gacha clavada en el césped.

—Bueno, mira. No me voy a quedar mucho por aquí y quería hablar contigo. ¿Por qué no me acompañas? Tengo que ir a la farmacia; te invito a desayunar por el camino.

Fueron a la cafetería de la estación. Era el sitio más cutre de la ciudad, pero quedaba justo enfrente de la farmacia. Para cuando entraron en el local, Ike estaba mareado y muy pálido. Le resultaba difícil concentrarse en lo que tenía delante, porque seguía intentando rescatar del olvido los detalles de la noche anterior, y además le dolía el hombro. Pidió un café y esperó a ver qué tenía que decirle Barbara.

—Te llamé un par de veces al Sea View, pero no conseguí dar contigo. Si te digo la verdad, confiaba en que te hubieras marchado de la ciudad.

—¿Por qué?

—Preston me contó por qué estás aquí.

Ike clavó la vista en la astillada superficie de formica. Barbara puso las manos sobre la barra y se miró los dedos. Ike no dijo nada, y entonces ella continuó:

—No es muy propio de Preston hablar de cosas así. Pero mientras estaba en el hospital me contó un montón de cosas, sobre todo los primeros días, después de la operación. Iba bastante colocado.

Una camarera se acercó, les sirvió café y les tomó nota. Ike rodeó la taza con los dedos.

—¿Qué más te contó?

—Muchas cosas. Algunas muy extrañas. Lo que decía no siempre tenía sentido. —Se interrumpió un segundo—. Mencionó a Janet Adams —continuó, despacio—. La llamaba. Y en algunos momentos creo que pensaba que estaba hablando con ella, o que yo era ella o algo así. Pero hizo que me pusiera a darle vueltas a lo que habíamos hablado tú y yo. La cuestión es que un día me pasé por la biblioteca. Tienen un archivo con los periódicos antiguos en microfilm y quería ver qué decían de Janet Adams. Todo lo que sabía del tema eran habladurías; y como te dije, aquello sucedió hace tiempo.

Ike dio un sorbo al café y se quemó la lengua. La camarera regresó con el desayuno. Los platos repicaron contra la barra. El olor grasiento de los huevos fritos le golpeó en la cara.

—Encontré dos artículos, uno en el periódico local y otro en el *L. A. Times*. Había unas cuantas cosas que no sabía o no recordaba. En una ocasión me preguntaste por Milo Trax. Pues bien, el artículo del *Times* se centraba sobre todo en él. Es el dueño del rancho Trax. Por lo que parece, su padre fue uno de los primeros magnates de Hollywood. Fue él quien compró el terreno y construyó la casa. En cualquier caso, el dueño ahora es su hijo, una especie de *playboy* que durante un tiempo se dedicó a hacer documentales de surf. Por supuesto, en eso andaba cuando murió Janet. Milo Trax se había llevado a Preston, a Hound y a Janet a México en su yate. Pero de allí solo volvieron los hombres; ella no. La primera versión fue que se había ahogado. Luego unos pescadores mexicanos encontraron el cuerpo, y entonces fue cuando se descubrió que su muerte estaba relacionada con las drogas. Y también se supo algo más: estaba embarazada.

Ike no había tocado su desayuno. Seguía con la mirada fija en la barra de formica. El sol se filtraba a su espalda, dándole directamente en el cuello, y se oía el zumbido de las moscas golpeando el cristal. Barbara dejó el tenedor. Cogió el bolso y sacó un paquete de cigarrillos.

—He empezado a fumar —le dijo—, qué tonta, ¿no?

Ike se encogió de hombros. En ese momento solo era capaz de pensar en lo mucho que se parecían las dos historias: dos viajes a México, dos chicas que no habían vuelto. Cerró los ojos y se le apareció la descolorida fotografía de la tienda: Janet Adams sonriéndole desde el más pálido de los cielos. Estaba seguro de que a Preston la coincidencia no se le había pasado por alto. ¿Por eso no le había contado nada más, porque decirle que estaba bastante seguro de lo que le había pasado a Ellen hubiera supuesto admitir también cierto grado de implicación en la muerte de Janet Adams? Un montón de preguntas nuevas comenzaban a cobrar forma a una velocidad de vértigo en su dolorida cabeza.

—No sé de qué forma relacionas esto con lo que ha podido pasarle a tu hermana —oyó que decía Barbara—, pero supongo que por eso estabas tan interesado en Hound y en Preston. Preston me dijo que tu hermana había tenido relación con Hound, o eso al menos creías tú. Y que por eso habías venido, para intentar descubrir algo.

—¿Eso es todo lo que te contó?

—Básicamente, sí. Fue más un monólogo que una conversación. Sé que piensa que es mala idea, que vas a acabar metido en algo de lo que a lo mejor no te resulta fácil salir.

—¿Y eso qué se supone que significa? —preguntó, pero lo sabía perfectamente.

Barbara sacudió la cabeza.

—No lo sé. Pero me da la impresión de que, por una vez, puede que esté en lo cierto. Tengo miedo por ti, Ike. Mezclarte con tipos como Hound Adams no puede traerte nada bueno.

El problema era que él ni siquiera la estaba escuchando ya. Un nuevo y terrible pensamiento comenzaba a calarle poco a poco en la mente. Si había habido otros viajes a México, otras chicas que no habían vuelto... ¿qué pasaría en el futuro? ¿Qué pasaría con Michelle? Ya había oído a Hound hablar de otro viaje y Michelle había dicho que quería ir. Dios, se habría largado en ese mismo momento de haber podido. Ike estaba seguro de eso. Y a continuación, lo golpeó otro pensamiento: las chicas, las fiestas, las películas. ¿Era eso lo que Hound estaba tramando? ¿Estaba buscando a un tipo de chica determinada, a la chica adecuada para un final terrible? Notó cómo el pulso le martilleaba las sienes, y cuando recordó su estúpido intento de hablar con ella en casa de Hound tuvo la sensación de que iba a vomitar encima de la barra. Pensó incluso que él era el responsable, él la había arrojado en brazos de Hound Adams con su propia paranoia y su comportamiento errático. Sin embargo, estaba seguro de una cosa: no se quedaría de brazos cruzados en Huntington Beach mientras Michelle se iba con Hound Adams. No esperaría a que él regresara solo. Esta vez no sucedería así. Encontraría la manera de detenerla. Encontraría la manera y haría que funcionase. De repente eso era lo único que importaba.

Apenas recordaba qué más se habían dicho Barbara y él de camino a casa. Solo podía pensar en Michelle y en hablar otra vez con Preston, sin importarle las consecuencias.

Esta vez llegaron al dúplex por la parte de atrás y se detuvieron junto a un pequeño seto que separaba el patio del callejón. En el seto había una verja y Barbara se quedó allí con una mano apoyada en el picaporte.

—Debería entrar —dijo Ike—, debería hablar con él.

Barbara sacó las gafas de sol del bolso y se las puso.

—Ahora no —contestó—. Estoy segura de que está dormido. Se ha tomado la medicación justo antes de que yo me fuera. Siempre lo deja fuera de juego un buen rato. Luego se levanta y empieza a beber.

Ike le contó la escena de Preston delante de la tienda.

—Pasa todo el tiempo —contestó ella.

Se giró un momento y luego se volvió a mirarlo.

—Lo voy a dejar definitivamente, Ike. He mandado solicitudes de admisión a varias universidades. Me lo va a pagar mi padre. Pero me largo.

Ike no sabía qué decir. Esperó.

—Te parece terrible, ¿no?, que salga corriendo, sabiendo que él me necesita. ¿Verdad?

—No lo sé.

—No puedo soportarlo más. Es como si lo que te dije aquella noche en tu habitación me hubiera abierto los ojos. No me voy a quedar más tiempo aquí sentada viendo cómo se desmorona mi vida. Me tengo que poner manos a la obra. Y Preston se está matando, Ike, ahora estoy segura. Es solo una cuestión de tiempo. No puedo quedarme más tiempo viéndolo.

Ike notó el calor del sol en los hombros. Estaba muy cansado y por algún motivo las palabras de Barbara no lo conmovían. Después de todo, era su maldito karma, ¿no? Que le dieran. Lo único que quería era hablar con él una vez más. Que al menos viviera lo suficiente para eso.

—Me paso esta noche —dijo.

—Esta noche, no. En principio a última hora de la tarde vienen sus padres. Y yo tengo que hacer las maletas. Me van a llevar a la ciudad. Y va a ser todo un número.

—Pues vendré más tarde.

Ella se encogió de hombros.

—Como quieras —dijo—. Si te digo la verdad, no sé qué puedes esperar. Está mal, Ike.

Lanzó el cigarrillo al suelo del callejón y lo pisó. Luego rebuscó en el bolso y sacó una caja de cerillas y un bolígrafo. Garabateó un número en el interior de la tapa.

—Llámame si pasa algo. Si sigues por aquí. Adiós, Ike.

Le puso uno mano en el antebrazo, luego dio media vuelta y echó a andar por el camino de entrada sin mirar atrás.

Ike se quedó un momento en el callejón, observándola. Después emprendió el regreso al Sea View; se sentía irritable y un poco mareado, y había momentos en los que le daba la sensación de que iba a terminar desvaneciéndose entre las vaharadas de calor que ascendían desde el pavimento.

Se arrastró escaleras arriba hasta llegar a su habitación. El hombro le palpitaba de dolor y fue al baño a quitarse la gasa que cubría aquel acto de locura todavía sanguinolento. Sintió el aire frío sobre la piel ardiente. Se preguntó qué le había pasado. Se preguntó quién era y se asustó al darse cuenta de que no reconocía el rostro desquiciado y el cuerpo tatuado que se reflejaban en el viejo y descolorido espejo del lavabo.

32

—Esa zorra me ha dejado —le dijo Preston a modo de saludo. Ike había cruzado el callejón y entrado en la casa a través de la destartalada cocina, donde una sola bombilla desnuda constituía el único punto de luz de todo el apartamento. Sorteó media docena de bolsas de basura, entró en el salón a oscuras y se encontró a Preston hundido en el desvencijado sofá y rodeado de latas de cerveza vacías. El olor de las medicinas se mezclaba con el hedor rancio de la basura, el sudor y la cerveza. Ike había esperado hasta tarde para ir a verlo. Estaba cansado y se había metido lo último que le quedaba de coca para mantenerse despierto. Ahora se notaba nervioso; la droga lo había puesto tenso y estaba inquieto.

Varias semanas antes, mientras Preston todavía estaba en el hospital, Ike había empezado a diseñar un «sistema suicida», una nueva disposición de palancas para la Knuckle que permitiera a alguien sin dedos conducir la moto. Había estado a punto de ir a casa de Preston sin los diseños, pero al final los había cogido. Quizá su determinación había flaqueado un poco y había visto en los dibujos una excusa para la visita y un modo de suavizar ligeramente el encuentro entre ellos. Y ahora, de pie en la puerta de aquel salón asfixiante y oscuro, con la cabeza a mil, se alegraba de haberlos traído.

Avanzó unos pasos y dejó los dibujos en una silla cerca de la puerta.

—¿Te importa si enciendo la luz? —preguntó—. Me gustaría enseñarte algo.

—Tú mismo —respondió Preston—. Enciende todas las malditas luces de la casa si eso te hace ilusión. Pero cuando acabes tráeme una birra.

Ike fue a por la cerveza y a la vuelta encendió todas las luces. Preston no tenía buen aspecto. Su cara seguía teniendo esa nueva coloración oscura que Ike le había notado desde la tienda. Y sus ojos azul claro daban la sensación de haberse retraído de alguna forma, como si se hubieran hundido muy al fondo, hasta convertirse en dos diminutas esquirlas de hielo. Sobre el puente de la nariz, tenía las marcas recientes de los puntos, y otra cicatriz rojiza le cruzaba la frente justo por debajo del nacimiento del pelo. Necesitó las dos manos para coger la lata de cerveza, y levantó los brazos hasta casi metérselos a Ike en las narices. Él observó con detenimiento los muñones y, más que verla, sintió la mirada de desprecio de Preston.

—Bonitos, ¿eh? Bah, a tomar por culo. Me importa una mierda. Cada cual recoge lo que siembra, o alguna mierda así, como diría mi viejo. ¿Sabes que el cabrón vino por aquí? ¿Lo sabías?

Ike no contestó. Su decisión de interrogar a Preston y el tenso colocón que lo habían llevado hasta allí comenzaban a disiparse en la pesada atmósfera del cuarto, y recordó lo que había pensado la noche anterior, cuando aquella banda de punks lo había perseguido por el callejón y él los había asustado: la gente no quería meterse con un loco. En ese punto parecía estar él ahora, porque lo que estaba claro era que Preston había cruzado todos los límites y estaba más loco que nadie.

—Pues sí, ese santurrón malnacido estuvo aquí.

Preston se llevó la lata a la boca y Ike vio una Biblia abierta bocabajo sobre la mesilla que Preston tenía delante.

—Pero me enseñó algo —continuó, con la cabeza ligeramente

ladeada y sus gélidos ojos azules brillando desde las profundi-
dades—, ¿qué haces cuando algo se pudre?

Ike le devolvió la mirada, tratando de averiguar qué tipo de
respuesta estaba esperando.

—Venga, ¿qué haces cuando algo no está bien? Lo pone aquí.
Trató de coger la Biblia, pero se le escurrió y cayó al suelo. Ike
hizo el amago de recogerla, pero Preston lo detuvo con un gesto.

—Da igual. A tomar por culo. Sé lo que pone: «¿Qué tienen en
común la luz y las tinieblas?». —Se rio—. No sabías que podía
citar las Escrituras, ¿eh? No sabes una mierda. «Y si tu mano
derecha te hace pecar, córtala.»

Alzó uno de los muñones hacia la luz.

—Arráncate esa pedigüeña. Arráncala de raíz. ¿Lo pillas? Si
está podrida, arráncala. —Se dejó caer de nuevo en el sofá, esperando algún tipo de respuesta.

Ike se había sentado junto a la puerta, y allí seguía, con los
dibujos sobre el regazo. Se daba cuenta del poco sentido que
tenía enseñárselos a Preston. Pero ya estaba allí y se los había
llevado, y ahora tenía que decir algo.

—Quiero que le eches un vistazo a esto.

Preston lo miró con cara de tonto, como si hablaran idiomas
diferentes.

Ike se levantó, cruzó la habitación y se arrodilló junto a la
mesita de café. Luego la despejó de basura hasta hacer hueco
suficiente para los dibujos.

—Todavía puedes conducir tu moto —dijo, y a medida que
las palabras salían de su boca se dio cuenta de lo absurdo
que sonaba aquello.

Dado el estado en el que se encontraba Preston, ya sería mucho si conseguía levantarse del sofá y cruzar la habitación; como
para cruzar la ciudad en moto. Pero ya había empezado y ahora
tenía que continuar:

—He pensado en una forma de modificar el manillar —intentó
imprimir un poco de entusiasmo a su voz, pero tenía la garganta

y la boca secas como el algodón—; con un embrague suicida y una palanca manual podrías cambiar de marcha con la palma de la mano y de la parte superior solo tendrías que manejar el acelerador.

Lo miró para ver cómo se estaba tomando todo aquello. Preston ni siquiera miraba los dibujos. Estaba recostado en el sofá con la lata de cerveza sobre el muslo y los ojos cerrados. Cuando Ike dejó de hablar, abrió un ojo y bizqueó, como mirándose la cicatriz que le cruzaba la nariz.

—Maldito imbécil.

Ike no dijo nada.

—Serás idiota. ¿Te crees que eso sirve de algo ahora? Te pensabas que con esto lo ibas arreglar todo, ¿no? No sabes una mierda. Trabajar para Hound Adams. ¿Pensabas que no me había enterado de lo que está pasando? ¿A qué te dedicas, a hacerle de chulo o a dejar que te folle por el culo?

Ike se puso de pie. Se sentía un poco mareado y había empezado a notar una especie de zumbido extraño en los oídos.

—No sabes una mierda —repitió Preston, mirándolo ahora a los ojos.

El zumbido no cesó, era como una tetera hirviendo. Se agachó para recoger sus dibujos y luego se los lanzó a Preston; las hojas revolotearon en el aire.

—Si no sé una mierda es porque nunca me contaste una mierda.

Por un momento, la cara de despreció de Preston cambió. Parpadeó con fuerza y lo miró.

—¿Y eso qué significa?

—Exactamente lo que he dicho. Nunca me contaste una mierda. No me dijiste que conocías a Hound Adams, que era tu maldito socio. No me dijiste que había habido otro viaje a México y otra chica que no había vuelto. Nunca me hablaste Janet Adams ni de Milo Trax, ni me explicaste por qué fuimos al rancho.

El gesto de Preston se había ido oscureciendo a medida que

Ike hablaba. De pronto hizo un extraño movimiento para tratar de levantarse, se golpeó las rodillas contra la mesilla y volvió a sentarse. Lo único que había conseguido era tirar la lata de cerveza al suelo, donde un reguero de espuma blanca comenzó a extenderse sobre la alfombra.

—Maldito cabrón —graznó—, maldito hijo de puta de los cojones.

Ike no estaba dispuesto a quedarse allí a escucharlo. Quería largarse, alejarse de aquel hedor y del zumbido de su cabeza. Se inclinó y le hizo una peineta a Preston, con el dedo medio muy cerca de su cara. Dios, Preston ni siquiera era capaz de levantarse del maldito sofá; no entendía por qué había tenido tanto miedo.

—Que te jodan —le dijo, y se dispuso a marcharse.

El zumbido de su cabeza había alcanzado un tono ensordecedor, pero por encima de él pudo oír cómo Preston luchaba por incorporarse. Oyó que la mesilla y todo lo que había encima caía al suelo. Oyó maldecir a Preston mientras trastabillaba para abrirse paso. Echó a correr hacia la puerta de la cocina, mientras a su espalda el ruido de las botas de Preston martilleaba el suelo de linóleo.

Consiguió llegar antes que él, pero medio segundo después Preston se abalanzó sobre la puerta y la cerró de un puñetazo; Ike vio cómo el muñón golpeaba la madera con tanta violencia que un rastro de sangre quedó impreso sobre la pintura amarilla. Preston lo miró con sus ojos de loco mientras le bloqueaba el paso con el cuerpo. De pronto se percató de que el zumbido de su cabeza había cesado, que lo único que podía oír ahora era el ruido de su respiración y al propio Preston, que le decía «Maldito cabrón» mientras trataba de recuperar el aliento apoyado contra la puerta. También le pareció que la mirada desquiciada de Preston parecía haberse apaciguado un poco, como si la carrera hasta la puerta lo hubiera serenado.

—Te he dicho que no sabes una mierda porque es así. Hound

Adams. Milo Trax. ¿Qué crees que significa toda esa mierda? Te piensas que estás siguiéndole la pista a algo, ¿no? —Hizo una pausa para coger aire y enjugarse la frente con la manga—. ¿Quieres saber cosas sobre Janet Adams? Yo te las cuento. Se suicidó. Descubrió que estaba embarazada, se metió demasiadas drogas y se cayó del maldito barco. Se quitó la puta vida. —Balanceó su enorme cabeza de un lado a otro—. ¿Qué tiene que ver eso con tu hermana? ¿Qué tiene que ver con nada? Te lo intenté explicar en el rancho, colega. Aquí no vas a encontrar nada —Hizo un gesto amplio con el brazo señalando la habitación, un gesto que pretendía abarcar la ciudad entera—. Tu hermana no está aquí. ¿Y qué has hecho tú? Seguir dando vueltas por aquí, hacer de chulo para Hound Adams. ¿Y qué has conseguido a cambio?

Se interrumpió una vez más para coger aire; más que fuera de sí, ahora parecía derrotado. Su pregunta se quedó sin respuesta.

Preston dejó caer su brazo tatuado, se apartó de la puerta y se acercó dando tumbos hasta la nevera para coger otra cerveza.

—La has cagado, figura. Deberías haberte largado cuando tuviste ocasión. Y ahora, fuera de mi vista.

Ike puso la mano en el picaporte pero no se movió. Sentía que a lo mejor había vuelto a equivocarse, que se le escapaba algo.

—Eh, he dicho que te largues, joder. Más te vale hacerlo mientras puedas.

Por fin, Ike dio media vuelta y salió, enfilando el camino en dirección al callejón.

33

Le resultó muy difícil conciliar el sueño. Seguía dándole vueltas a lo que había dicho Preston, a lo de que la había cagado. A lo mejor llevaba cagándola mucho tiempo, por lo menos desde aquella noche en la llanura, cuando Ellen lo había necesitado y él había permitido que algo dentro de él, una necesidad propia, lo cambiara todo.

Lo que Preston le había dicho en el rancho también parecía tener más sentido ahora: daba lo mismo que su hermana se hubiera ido o que estuviera muerta, él no podía hacer mucho al respecto. En ese momento había pensado que se lo debía, pero ¿qué le debía? A lo mejor el precio que había que pagar por obtener algo de información era demasiado alto e involucraba a demasiadas personas. Ya había muerto un hombre, a otro le habían cortado los dedos. Y además ahora estaba Michelle.

Podría ser que hubiera acabado con Hound Adams de todas las maneras —a fin de cuentas, se conocían desde antes de que Ike apareciera por allí—, pero en ese caso él no se habría enterado. Al margen de lo que Preston tuviera que decir al respecto, la cuestión era que había habido más de un viaje a México y más de una chica que no había regresado, y la promesa que se había hecho a sí mismo aquel día después de hablar con Barbara seguía en pie: no se iba a quedar allí de brazos cruzados viendo cómo le pasaba lo mismo a Michelle. El problema ahora era cómo recuperarla, o al menos, cómo alejarla de Hound Adams. Ya no le importaba nada más. El resto eran cosas del pasado y no podía cambiarlas. Fuera lo que fuese lo que podía suceder con Michelle, todavía no había sucedido. Y a lo mejor eso era lo que le debía a su hermana, pensó, que aquello no volviera a repetirse nunca.

Se pasó todo el día siguiente buscándola por las calles, vagando como un fantasma, pálido y exhausto, con una sensación que excedía el mero cansancio. No obtuvo ningún resultado. A última hora de la tarde llamó a su puerta, y Jill, con una estúpida sonrisa de suficiencia que hubiera querido borrarle de la cara de un tortazo, le informó de que Michelle se estaba quedando en casa de Hound. No era lo que quería oír. Volvió solo a su apartamento y después, más tarde, bajó al centro y se compró un par de camisetas de manga larga para esconder mejor su estúpido tatuaje.

A la mañana siguiente se despertó sobresaltado, y antes incluso de abrir los ojos tuvo la impresión de que algo no iba bien. Cuando los abrió, lo primero que vio fue su tabla de surf apoyada contra la pared.

—La tabla fue un regalo —dijo Hound Adams cuando sus ojos se encontraron—. Un regalo de un amigo.

Ike había dormido con una de las camisetas nuevas de manga larga y unos pantalones cortos. Se levantó y se puso unos vaqueros. Luego se sentó en el borde de la cama, aún sin decir palabra.

Hound lo observó desde su posición, sentado en el suelo con las piernas cruzadas y la espalda apoyada contra la pared.

Ike se frotó los ojos con las manos. La mera presencia de Hound le resultaba opresiva, y la perspectiva de una conversación estúpida, difícil de soportar.

—¿Qué quieres? —le preguntó.

—Devolverte la tabla, hermano. Te ha echado de menos.

—Te la devolví, ¿lo recuerdas?

Hound se encogió de hombros.

—Estás hecho un lío —le dijo—, sobre muchas cosas.

—Dios. —Ike negó con un gesto de cabeza.

—Y te has estado comportando como un auténtico gilipollas, ¿lo sabías?

—¿Por qué le contaste lo de las fiestas?

—Eh, hermano, hazme un favor, no me cargues a mí con tu sentimiento de culpa. ¿Por qué no se lo contaste tú? Yo no tenía la impresión de que hubiera nada que esconder.

Ike no contestó. No estaba de humor para una de las charlas aleccionadoras de Hound. Aun así, había algo en la pregunta que lo molestaba.

—¿No dices nada? Igual te puedo hacer un resumen. Pensabas que lo que sucedía en mi casa estaba mal, que era algo que debías ocultarle a Michelle. Y ahora te piensas que todo el mundo está jugando contigo y engañándote. Crees que te he robado a tu chica o algo parecido.

—¿Y no lo has hecho?

—¿Robar? No sabía que te perteneciera. A lo mejor eres tú el que ha estado jugando a algo.

Ike desvió la mirada. De repente le ardía la cara y la notaba tensa.

—Michelle es joven, hombre, tienes que darle espacio. Vale. Eso es una cosa. La otra, la verdaderamente importante, es que decidiste esconderle todo eso porque pensabas que no estaba bien. Me gustaría saber cómo llegaste a esa conclusión.

Ike se encogió de hombros. Conocía a Hound lo suficiente como para darse cuenta de sus cambios de actitud. Hoy tocaba el Hound gurú. Tocaba charla sobre valores y maneras de enfocar las cosas, una charla que, sin lugar a dudas, terminaría en algún tipo de ofrecimiento de amistad o reconciliación. Así jugaría ese día sus cartas.

—Sigues sin decir nada, ¿eh? Vale, piensa en esto: yo diría que te han estado llenando la cabeza de mierda. Toda tu vida. Y ni siquiera lo sabes. ¿Tienes familia? ¿Os lleváis todos bien? ¿Las cosas funcionan?

Ike no contestó, pero pensó en el desierto, en su abuela recluida en casa y en Gordon en su gasolinera. Pensó en su madre y en el padre que nunca había conocido.

—Bien jodidos todos, ¿no? Pero aun así, seguros por completo de lo que está bien y lo que no, y siempre dispuestos a recordártelo, ¿verdad? Mi familia era así. Cero comunicación, todos aislados unos de otros, tanto que ni siquiera podíamos tocarnos. Pero sabían lo que estaba bien, lo que estaba mal, cuáles eran los comportamientos adecuados. Y una mierda. Me llevó un tiempo, pero pronto empecé a darme cuenta de que lo habían tergiversado todo. Casi todo lo que pensaban que estaba mal era lo correcto, y lo que les parecía aceptable, para mí, era lo peor, el tipo de mal que consume la vida de la gente sin que se den cuenta siquiera, que los convierte en meras cáscaras huecas, en putos zombis.

Ike había bajado la vista al suelo, listo para aguantar el sermón, pero en ese momento la levantó. Algo en el tono de voz de Hound lo impulsó a hacerlo. La luz de la mañana entraba por la ventana y le daba de pleno en la cara, y Ike lo observó con detalle: las patas de gallo, la irregular pigmentación de la piel que revelaba los años de exposición al sol y al agua salada.

—No sé tú, hermano —continuó Hound—, pero yo no he visto que pasara nada malo en la casa. No he visto a nadie recibiendo otra cosa que no fuera lo que había ido a buscar. Y he visto a unas cuantas personas pasándoselo bien, desahogándose un poco y liberando energía, quizá rompiendo alguna que otra barrera. ¿Por qué para ti no ha sido lo mismo? ¿Por el sentimiento de culpa que llevas dentro? Pero ¿de dónde sale toda esa culpa? ¿A lo mejor de toda esa gente, esos zombis que has visto conduciendo arriba y abajo por la Coast Highway los fines de semana, sin dejar de gritar a sus hijos? ¿Empiezas a entender lo que te digo? Creo que a lo mejor has dejado que sean otros los que establezcan tu escala de valores y piensen por ti. Y no es algo raro. La mayoría de la gente vive así toda su vida. Lo que intento es que empieces a ver las cosas por ti mismo. Lo que quiero...

De repente, Hound dejó de hablar. Lo hizo de forma muy abrupta, en mitad de la frase. Se frotó las manos en los pantalones y se levantó.

—¿Quieres decir algo?

Una vez más, Ike guardó silencio, pero le sorprendió que esa vez la lección hubiera terminado tan rápido. Sabía que Hound Adams se podía alargar hasta el infinito, lo escuchara alguien o no.

Hound dio un paso hacia él y le ofreció una mano.

—Haz lo que quieras —le dijo—, pero nada de malos rollos, ¿vale? *Hermanos del mar*, ¿no?

Ike le estrechó la mano, áspera y fuerte.

—Escucha. Michelle y yo vamos a ir a navegar mañana. ¿Por qué no te vienes? Creo que a ella le gustará. Y quiero presentarte a alguien, un viejo amigo mío. ¿Qué dices?

—¿A qué hora? —preguntó Ike.

—Temprano. A las seis. Michelle y yo pasaremos a buscarte.

Hound se dio la vuelta, como para marcharse, pero luego se detuvo y regresó.

—Hay algo más que quiero decirte. Porque sé que no te lo quitas de la cabeza. Frank me contó que Preston se había pasado por la tienda. Sé que piensas que tuve algo que ver en todo eso —hizo una pausa—, pero te equivocas. Hace mucho tiempo que veía venir algo así. Pero no me alegra. No fue culpa mía, sino suya. Preston se ha buscado él solo este final. Es su karma. Estoy seguro de que lo entiendes, ¿verdad? Lo habría salvado de haber podido.

—¿Salvado?

Ike miró a Hound a los ojos. Podía ser que el final abrupto

de la charla lo hubiera desconcertado un poco, pero no se iba a dejar engatusar tan fácilmente.

—Déjame que te pregunte algo —dijo Hound—. ¿Quién crees que le abrió la puerta del rancho?

Ike estaba dispuesto a añadir algo más, pero aquella pregunta lo frenó en seco. Recordó de golpe lo que Preston había dicho aquella noche, cuando le preguntó si sería capaz de encontrar la camioneta, y después la exclamación de sorpresa al ver que la verja estaba abierta.

—Pues sí, esa noche le salvé el culo. Y a ti también. ¿Está claro? Alguno de aquellos vaqueros iba armado. E incluso había un par de ellos que conocían a Preston. Y no todo el mundo le tiene tanto aprecio a ese cabrón como tú y yo.

Ike quiso decir algo, pero Hound lo interrumpió con un gesto de la mano.

—Lo que pasó aquí fue algo entre él y los samoanos. Yo esperaba que fuera lo suficientemente listo como para largarse. Pero no, claro. Si quieres saber la verdad, pienso que a lo mejor ese es el desenlace que quería, salvo porque sigue vivo.

Se detuvo y miró un momento a Ike, sus ojos negros iluminados con una extraña luz. Ike le aguantó la mirada. ¿Qué tenía esa expresión? Algo familiar. Una mezcla entre su frialdad habitual, el efecto de la cocaína y algo ligeramente salvaje o incluso desesperado, y entonces recordó dónde había visto antes esa mirada. Era la misma que tenía Preston Marsh aquella noche en el rancho, mientras estaba acuclillado junto al fuego, y que él había tomado por una expresión de miedo. Hound seguía hablando, repitiéndole que él lo había visto venir, pero no se alegraba por ello.

—Era mi amigo, Ike —escuchó que decía—, y lo quería.

Cuando Hound se marchó, Ike se quedó un rato sentado a solas en su habitación. Aquella historia sobre el rancho era difícil de asimilar, porque abría muchas grietas en las teorías de Ike. A lo mejor todo aquel juego del gato y el ratón era solo fruto de su imaginación. No tenía sentido. También cabía la posibilidad, claro, de que Hound mintiera, y de que lo hiciera por el bien de Ike. Pero ahora Hound tenía a Michelle, ¿por qué iba a seguir queriendo algo de él? Se levantó y deambuló por el cuarto. Al otro lado de la ventana, el sol ascendía rápido y tornaba el cielo ardiente y azul. Era todo muy confuso, pero toda esa confusión estaba relacionada con el pasado y Ike estaba harto de eso. Hound podía tener sus pequeños secretos y sus juegos, y Preston su karma. Lo único que él quería era largarse, pero con Michelle a su lado. Ella era el motivo por el que le había estrechado la mano a Hound y la razón por la que los acompañaría al día siguiente. Además, mientras seguía allí de pie junto a la ventana, con el cielo limpio de nubes extendiéndose sobre los tejados frente a él, era incapaz de dejar de preguntarse quién sería aquel amigo del barco. Un nombre parecía rondarle, como si lo tuviera en la punta de la lengua, pero no llegó a pronunciarlo.

34

Lo recogieron a la mañana siguiente en el Stingray de Hound. Dentro del coche había poco espacio y Michelle y él tuvieron que comprimirse en el mismo asiento. Durante todo el viaje notó el hombro de ella contra el suyo y el contacto de su muslo contra su pierna. Michelle llevaba unos pantalones cortos blancos y una camiseta de tirantes de tonos claros con el dibujo de una gaviota. Nunca le había visto esas prendas, y se preguntó si serían un regalo de Hound Adams. No parecía especialmente contenta de verlo. Se comportaba como si su presencia la incomodara, y Ike dudó si de verdad tenía ganas de que fuera con ellos, como había dicho Hound.

Fue un viaje extraño. Ike se conformó con mirar por la ventanilla, observando las playas deslizarse a su paso. Era la primera vez que estaba en el sur de Huntington Beach y le sorprendió lo rápido que cambiaba el paisaje. Los pozos de petróleo y las casas bajas de ladrillo de Huntington Beach enseguida dieron paso a grandes residencias en primera línea de playa. Sobrepasaron un cartel que decía «Newport Beach», tomaron un desvío a la derecha y luego cruzaron un puente que atravesaba un enorme puerto, ancho y azul. Los extremos estaban delimitados por muelles, playas de arena blanca y edificios altos. Había barcos por todas partes, con sus velas de colores brillando en la extensión azul de la bahía. El tráfico en el puente era denso y avanzaba despacio, y Ike tuvo ocasión de contemplar el paisaje. Le costaba creer que estuvieran a apenas unos minutos del centro de Huntington Beach, que la línea de la costa pudiera cambiar de forma tan espectacular en tan poca distancia. Aquello no se parecía a ninguna de las ciudades del desierto. Esto era el sur de California tal y como él se lo había imaginado: velas blancas bajo el sol y muestras de opulencia por todos lados. De pronto, se acordó de algo que Preston le había dicho una vez, que Hound tenía amigos con pasta.

—¿Habíais visto alguna vez el puerto? —les preguntó Hound mientras estaban detenidos en mitad del tráfico.

Ike y Michelle contestaron a la vez. Por lo visto, ella tampoco había estado nunca tan al sur.

Hound sonrió y asintió en dirección al agua.

—Mucho dinero —dijo.

El Stingray descendió despacio por el puente y se adentró en lo que Hound les dijo que era una península. Recorrieron dos manzanas y después giraron a la izquierda y cruzaron otro puente. Las casas de esta zona no se parecían a nada que Ike hubiera visto antes, salvo, quizá, a la mansión que había divisado encima de la punta. Todo era de hormigón y cristal, madera y piedra; había árboles recortados con esmero, destellos de arena blanca, estrechos caminos de acceso bloqueados por portones y verjas, y carteles que decían «Playa privada». Los caminos de acceso conducían hacia las azules aguas de la bahía.

Hound se metió en un pequeño aparcamiento cerca de una caseta de vigilancia y estacionó el coche. El día era tórrido y luminoso, y el calor levantaba ondas del asfalto en los extremos del aparcamiento. Ike se quedó de pie junto al coche mientras Hound lo cerraba con llave. Sin mirarlo, Michelle se alejó unos metros y se quedó observando a Hound, que, una vez cerradas las puertas, se dirigió al maletero y sacó una caja de cartón. Luego les indicó que lo siguieran.

Dejaron atrás la caseta de vigilancia y bajaron hasta el largo muelle de color gris. Michelle iba delante con Hound y Ike, un poco más rezagado. Ahora estaban en la bahía, en medio de un bosque de mástiles. Las jarcias y los aparejos tintineaban y chocaban unos con otros a su alrededor, y los cascos blancos de los barcos rozaban contra los topes de goma alineados en el muelle. A lo largo de la bahía había más muelles, más barcos, más casas enormes y más playas privadas.

Finalmente, llegaron a la altura de un velero grande de un solo mástil con el casco blanco atravesado por una línea verde y el nombre *Warlock* pintado en un lateral. La cubierta era un amasijo de elementos cromados y brillantes. Habían colocado unos escalones sobre el muelle y Hound fue el primero en subir a bordo. Ike lo hizo el último. Pasó por encima del andarivel y sintió la tarima de la cubierta bajo sus pies. Durante unos momentos estuvieron allí solos con la única compañía del ruido de los aparejos y el suave golpear de las olas contra el casco. Después les llegó una voz desde la parte inferior del barco, y a continuación vieron aparecer la cara de un hombre en la cabina de mando.

Ike observó mientras un cuerpo se materializaba detrás de aquel rostro y, al poco, el hombre estaba sobre la cubierta y se dirigía a saludarlos. Era el mismo hombre que había visto en las fotos de la tienda. Algunos rasgos eran los mismos —reconoció a la primera la boca pequeña y recta y el mentón puntiagudo—, pero otros habían cambiado. Su constitución era mucho más gruesa que en la foto; no estaba gordo, sino muy fuerte, de una forma que no acababa de casar del todo bien con su cara, delicada y casi élfica, con sus rasgos menudos y cincelados y sus diminutos ojos oscuros.

El hombre iba vestido con una camisa azul y unos pantalones cortos de color blanco. Tenía las piernas cortas, broceadas y muy musculadas. Sin embargo, su altura lo había engañado. Hasta que no lo tuvo justo enfrente Ike no se dio cuenta de que el hombre era apenas un par de centímetros más alto que él, aunque lo superaba en al menos veinte kilos de puro músculo.

—Ike, Michelle —oyó que decía Hound—, os presento a mi amigo Milo Trax.

Y aunque él ya había anticipado quién era, oír el nombre le provocó un pequeño escalofrío en la espalda. Recordó el tono amargo con que Frank Baker le había dicho que Hound había sido «quien había metido a Milo» en el negocio, como si aquello hubiera sido el principio del fin.

Ike le estrechó la mano que ofrecía. Era una mano gruesa y firme, como el resto de su cuerpo, y, en contraste, la suya le pareció delgada y frágil. Lo miró a los ojos, muy oscuros y brillantes, casi aniñados, un rasgo que pasaba desapercibido en las fotos.

—Sí —dijo Milo, y pareció que en su voz había un deje de auténtico entusiasmo—, Ike Tucker, he oído hablar mucho de ti. Un placer tenerte a bordo.

Luego se volvió hacia Michelle, dejándolo con la duda de qué le habrían contado.

Salieron del puerto a motor, Milo manejando el plateado timón en la cabina de mando, con Michelle a su lado, mientras Hound y Ike se situaban en cubierta. El puerto parecía no terminar nunca, y avanzaron serpenteando entre canales infinitos. El color del agua variaba entre el verde oscuro y un azul casi negro, y, mirando por la borda, Ike vio pequeños bancos de peces deslizándose a toda velocidad, como monedas de plata arrojadas al agua. Centelleaban y luego, al instante, desaparecían de su vista.

A medida que se acercaban a la desembocadura del puerto, todo parecía aumentar de tamaño —las playas, las casas, los yates—, y Milo Trax sabía a quién pertenecía cada cosa. Señaló varios veleros de regata famosos, y otros barcos y casas cuyos dueños eran estrellas de cine. Como si se tratara de un mundo de fantasía, todo pasó deslizándose a su lado, un universo millonario cuya existencia Ike nunca había llegado a imaginar en el desierto.

Navegaron por el canal, pasaron entre dos grandes embarcaderos y por fin salieron a mar abierto. De inmediato, Milo los puso a trabajar a todos, dándoles órdenes y diciéndoles de qué cabo tirar y cuándo, hasta que, en medio de un estruendo de aparejos y jarcias, la vela se desplegó y el cielo quedó cubierto de blanco y amarillo. El casco del barco parecía brincar bajo sus pies, cabeceando al entrar en contacto con la corriente de fondo. Ike había empezado a sudar y tenía los pulmones henchidos con la fresca y cortante brisa. Navegaban a vela. Gateó hasta la cabina de mando, donde Milo sonreía al timón, y no pudo evitar sonreír él también. El barco se ladeó. Un chorro de espuma empapó la cubierta.

—Puedes ir a donde quieras con un barco así, Ike —le dijo Milo—. Hound me ha contado que te gusta el surf. No te creerías los sitios en los que hemos estado.

Se pasaron el día en mar abierto, la línea de costa convertida en un lejano y titilante espejismo en el horizonte. A mediodía comieron unos sándwiches y bebieron cerveza. Cuando terminaron, Michelle se llevó las cosas abajo y Ike se ofreció a ayudarla y la siguió por las escaleras.

Michelle se había puesto a fregar los platos en el minúsculo fregadero de la cocina. El mar estaba en calma y el barco, fondeado ahora, apenas se movía. Echó un vistazo por encima del hombro al verlo bajar los escalones y luego reanudó su tarea.

Ike se acercó. Michelle se había recogido el pelo en una cola y se fijó en unos pequeños mechones que caracoleaban en su nuca.

—Te he estado buscando toda la semana.

—Estaba en casa de Hound —contestó ella con tono neutro y sin mirarlo.

—Michelle, escucha, lo siento, siento todo lo que ha pasado.

—Pensaba que eras diferente. Pero eres como todos los demás.

—Sé que me he equivocado. Pero creía que así podría descubrir algo.

—Ya, claro. Sobre tu hermana. —Su tono ahora era sarcástico.

—Sí. Al principio eso fue lo que pensé. Supongo que no te lo crees, pero al principio fue así. Y además había aceptado la maldita tabla. Tenía que pagarla.

—¿Con las películas?

Su voz seguía cargada de ironía y no había apartado la vista del fregadero, pero Ike vio que había dejado los platos y sus manos flotaban inmóviles en el agua jabonosa. Le daba miedo decir demasiado y enfadarla y que Hound se enterara de que pasaba algo.

—Michelle, por favor, escúchame un minuto, ¿vale?

Ella no respondió y él continuó:

—Estaba buscando a mi hermana. Quería descubrir qué había pasado, pero también quería enterarme de otras cosas sobre Preston y Hound. Y me perdí por el camino. Ahora soy consciente. Me metí en algo y no supe manejarlo; me he portado como un idiota, lo sé. Pero nunca pensé que tú fueras como esas otras chicas. Lo nuestro era diferente. Y podría volver a serlo. Eso es lo que quiero, que estemos juntos.

Ella lo miró. Tenía los ojos vidriosos y ligeramente enrojecidos.

—¿Lo que quieres?

—Teníamos algo especial, ¿no lo ves? Eso es lo único que importa. Y hay más cosas, pero no puedo contártelas ahora. No podemos hablar aquí. Solo dime que lo pensarás, que me dejarás hablar contigo en otro momento.

Lo dijo todo muy rápido, le preocupaba llevar allí abajo demasiado tiempo. Le puso una mano en el hombro y ella se volvió a mirarlo, con las manos goteando sobre el suelo. Algo en sus ojos lo hizo estremecerse.

—¿Que yo soy lo único que te importa? ¿Y qué pasa con tu hermana? ¿Ella ya no cuenta?

—No es eso. No es tan sencillo. Joder, Michelle, sé que la he cagado, no sabes cuánto. Pero también he aprendido algo. Solo dime que podremos hablar en otro sitio, pronto. Mañana.

Esperó a que respondiera, mirándola a la cara, pero fue otra voz la que rompió el silencio. Milo Trax. Debía de estar tumbado boca abajo sobre la cubierta, porque su cabeza apareció colgando por la escotilla, sonriente.

—Una ballena a estribor —dijo—, venid a verla.

Luego desapareció. Ike se quedó en silencio, mirando a Michelle junto al fregadero.

—Deberíamos subir —fue lo único que dijo ella.

Ike se alejó un paso, todavía a la espera, y entonces se fijó en algo que había encima de una silla, junto a la mesita de la cocina. Era la caja de cartón que Hound había sacado del maletero del coche. Se acercó y levantó un poco una de las tapas: rollos de película. La caja estaba llena de ellos. Se lo señaló a Michelle.

—¿Y qué? —dijo ella mirando la caja.

—No lo sé, pero siempre me he preguntado qué haría con todo esto.

—Yo sí que no tengo ni idea.

Había algo en su tono que lo molestó.

—Como si tú no hubieras participado en ninguna.

—Pues no —contestó ella, acercándose y mirándole con esos ojos que lo hacían encogerse de miedo—. ¿Y quieres saber algo más? Ni siquiera me he acostado con Hound Adams. Simplemente ha sido muy amable conmigo, nada más.

Y lo dejó allí, mientras sus piernas desaparecían por la escotilla y quedaban enmarcadas contra el cielo. Echó otro vistazo a las cajas con los rollos de película y luego la siguió y subió a ver la ballena de Milo.

El sol casi se estaba poniendo cuando regresaron a puerto. Por encima de las enormes casas de la bahía el cielo adquiría tonalidades doradas y rojas. Costaba creer que solo estuvieran a unos pocos kilómetros del centro de Huntington Beach, de los acantilados y los pozos de petróleo, de los círculos de piedra cubiertos de grafitis y de las fiestas de las pandillas del interior.

Después de limpiar a manguerazos el barco y recoger todos los cabos, se quedaron un rato sobre el muelle, contemplando la bahía y las luces de las casas.

—Tengo un trozo de tierra más al norte —dijo Milo mirando a Ike—. Hay buenas olas. Estoy pensando en hacer una fiesta la semana que viene, una especie de ritual de fin de verano con unos amigos. Me vendría bien un poco de ayuda para prepararlo todo. ¿Por qué no os venís a echar una mano, Michelle y tú? Puedes traerte la tabla y coger unas cuantas olas.

Ike asintió y miró a Michelle.

—Claro —respondió, intentando imprimir la cantidad correcta de entusiasmo a su tono de voz—. Suena bien.

—Bien —dijo Milo—. Podéis venir todos juntos.

Por algún motivo, la idea parecía divertirlo, y dio un par de palmaditas mientras se reía.

35

Después de un día expuesto al sol y al viento Ike notaba la piel quemada y tirante. El hombro de Michelle se apretaba de nuevo contra el suyo mientras iban dejando atrás las negras extensiones de las playas. Condujeron en silencio y enseguida llegaron al extremo oeste de Main Street, deteniéndose a causa del tráfico y avanzando luego entre bares, pizzerías y tiendas de surf con las luces apagadas.

Pararon enfrente del Sea View y Hound se bajó para abrir el maletero. Ike abrió la puerta de su lado y puso un pie en el asfalto, pero sin levantarse del asiento.

—Todavía quiero que hablemos —le dijo a Michelle.

—Podemos hablar —contestó ella.

—¿Cuándo?

—No lo sé. ¿Vas a ir a la fiesta de Milo?

—¿Tú?

—Sí.

—Pero tenemos que hablar cuanto antes.

—Solo faltan unos días.

Ike hizo amago de salir del coche. Hound lo esperaba junto al maletero. De pronto, Michelle lo cogió de la mano.

—Ven a la fiesta —le susurró—. Quiero que vengas, ¿vale?

Ike la miró a los ojos y trató de decir algo. Ella le devolvió la mirada y luego se giró hacia el cristal de la parte trasera.

—Está bien, iré. Así podremos hablar.

Salió del coche y fue hasta el maletero. Hound ya había sacado su bolsa de lona con la ropa de recambio y un bañador que no había necesitado, y la había dejado sobre la acera.

—Milo no sabe que ya has estado en su rancho —le dijo—. Mejor dejamos así las cosas.

Ike asintió, sorprendido en cierta manera de que Hound hubiera considerado necesario decirle aquello. De golpe se sentía muy cansado. Se agachó para recoger la bolsa y en ese momento notó que Hound se ponía tenso. Más que verlo lo sintió. Al levantar la vista se dio cuenta de que la expresión de su cara había cambiado y ya no lo miraba a él, sino al viejo edificio que se alzaba en mitad de la oscuridad delante de ellos. Ike se giró también hacia allí y fue entonces cuando distinguió una figura oscura en los escalones de acceso.

No era más que una silueta negra recortada contra el fondo amarillento de la puerta abierta, pero al instante reconoció a Preston. El imponente porte y la postura eran inconfundibles. Parecía ir vestido con la misma guerrera raída y la misma boina que Ike le había visto la otra vez. La altura más elevada a la que se encontraba el patio, los escalones y la forma en la que su silueta se recortaba contra el *hall* iluminado lo hacían parecer aún más grande de lo que era, como una sombra oscura que se cerniera sobre ellos emergiendo entre las sombras del propio edificio. Fue un momento extraño, como congelado en el tiempo. Los dos hombres se miraron sin decir palabra a través de la extensión de descuidado césped. Finalmente, Hound Adams se encargó de romper el hechizo. Se giró para cerrar el maletero y luego fue hasta la puerta del conductor, echándole una última mirada a Preston por encima del capó antes de meterse en el coche y desaparecer.

Ike cruzó el patio sin saber muy bien qué esperar y se detuvo cerca de los escalones. Preston se había apoyado contra el marco de la puerta, con las manos metidas en los bolsillos de la chaqueta. Estaba demasiado oscuro como para distinguir la expresión de su cara.

—Deja eso y vente —le dijo Preston con una voz nítida y sobria—. Quiero enseñarte algo.

Era tarde y las calles de la zona residencial estaban desiertas y en silencio. Preston no volvió a decir palabra. Caminaba con paso rápido, sus pesadas botas resonando sobre el pavimento, y Ike tuvo que esforzarse para seguirlo. Cruzaron por Main Street y se metieron por un callejón, y a partir de ahí no hizo falta que preguntara adónde iban. Distinguió la luz encendida enfrente de la tienda y luego vio la oscura figura de Morris apoyado en un poste de teléfono junto a la entrada de gravilla.

Morris no dijo nada, pero los siguió en cuanto se dirigieron hacia el cobertizo. La noche se llenó del sonido de las botas pisando la grava. Preston empujó la puerta con un pie y entraron, primero él, luego Ike y por último Morris.

Era un espacio pequeño y con el suelo sucio, y en el centro había una moto. No era una chopper. Ni siquiera una Harley, sino una BSA Lightning Rocket. Parecía recién salida de fábrica, pero no del todo. Le habían borrado unas letras y pulido y lacado el depósito hasta dejarlo brillante como una piedra preciosa, y refulgía en tonos grises oscuros bajo la luz del pequeño cobertizo.

—Quería que la vieras —le dijo Preston—. ¿Qué te parece?

—Está bien. Ha hecho un buen trabajo.

—Está bien, dice. Una mierda —dijo Morris desde detrás—, es una maldita bestia.

Y lo era. Era una moto capaz de alcanzar los doscientos kilómetros por hora en carretera. Ike sacudió la cabeza, rodeando la moto para verla mejor y, de paso, observar a Preston. Tenía mejor aspecto que la última vez que lo había visto. Al menos estaba relativamente sobrio y se sostenía de pie. Pero seguía habiendo algo extraño y salvaje en sus ojos, como si se hubieran quedado aislados y retraídos en mitad de su rostro oscurecido. Y había también cierta brusquedad en sus formas, una excitación en la manera de comportarse que Ike no le había visto antes. No se quedaba quieto en un sitio, sino que deambulaba de un lado a otro de la tienda.

—Quiero que oigas cómo suena —dijo—, pruébala.

—Mierda, tío, ya la he probado yo —se quejó Morris—. ¿Qué quieres?

—Quiero que oiga cómo suena, y quiero que sea ahora.

Morris seguía junto a la puerta. Dio un par de pasos hacia Ike.

—Tío, estás loco. Debería cargarme a este cabrón ahora mismo.

Preston dejó de moverse de un lado a otro y miró a Morris por encima de la moto.

—Olvídalo. Quiero que oiga cómo suena.

—Pero está con ellos. Estaba con Hound y los samoanos en el aparcamiento. Quiero patearle el maldito culo, Prez.

Mientras hablaba, Morris clavaba en él una mirada vidriosa y voraz, casi como si estuviera entrando en una especie de trance, y Ike se preguntó si, llegado el caso, Preston sería capaz de detenerlo, teniendo en cuenta lo débil que estaba. Sacó las manos de los bolsillos y dejó caer ambos brazos a los lados, un gesto que a Morris no le pasó desapercibido.

—Oh, mira eso —dijo, en tono de burla—. Esta vez este pedazo de escoria está preparado. Me apuesto lo que quieras a que ya se ha meado en los pantalones. —Soltó una risa—. Venga, mariquita, vamos a ver cómo te mueves.

Morris dio un paso rápido hacia delante y se balanceó, dispuesto a lanzarle un gancho a la altura de la oreja. Pero esta vez Ike estaba preparado, al menos hasta cierto punto. No se había metido en una pelea a puñetazos en su vida, pero en una ocasión, Gordon había traído un par de guantes de boxeo y se había pasado un rato tratando de enseñarle unos cuantos golpes y movimientos en el patio trasero de la tienda. Una de las cosas que le había enseñado era que muchos tipos bajaban demasiado la derecha cuando lanzaban un golpe con la izquierda, y si conseguías agacharte y zafarte podías encajar un buen gancho a tu oponente. Y eso fue lo que hizo, sin tener muy claro por qué. Sabía que no tenía ninguna opción de ganar a Morris en una pelea, que lo más inteligente era dejar que la cosa acabara cuanto antes, pero había algo en aquella cara gorda, grasienta y medio burlona, y en el recuerdo de verse tirado en la acera enfrente de aquel bar, tragándose su propia sangre. Esquivó el puñetazo y lanzó el suyo con todas sus fuerzas, impulsándose con un movimiento de cadera, como le había enseñado Gordon —lo que él llamaba «soltar la hostia desde los tobillos»— y cuando alcanzó su objetivo, un dolor agudo le sacudió todo el brazo hasta el hombro.

Morris se limitó a sonreírle, pero detuvo su ataque y lo miró un momento.

—¿Qué te parece? —dijo—. Por lo visto el mariquita ahora tiene un par de huevos. —Y, metiendo la mano en el bolsillo, sacó unos alicates—. Vamos a ver qué hace cuando se los arranque.

Su risa resonó en todo el cobertizo, pero Preston, que ahora estaba junto a la moto, soltó una especie de gruñido y dijo:

—Te he dicho que lo dejes. No le vas a dar otra paliza.

—Y una mierda, y tanto que sí. Ya ves, si lo está suplicando. Le tengo tantas ganas que lo voy a reventar.

Ike aguantó la posición. Todavía tenía las dos manos levantadas como le había enseñado Gordon y miraba por encima de ellas, con la vista clavada en la sonrisa voraz de Morris.

Parecía que se iba a abalanzar otra vez sobre él cuando, de repente, Preston lanzó un golpe con el brazo que impactó de lleno en el pecho de Morris y lo hizo retroceder, trastabillando, antes de permitirle recuperar el equilibrio. Ike no dejaba de sorprenderse de lo fuerte que era a pesar de todo lo que le había pasado.

—Te lo advierto, Morris, sigue tocándome los cojones y te corto el cuello.

Los dos hombres se miraron un momento, Preston con su mano enguantada todavía sobre el pecho de Morris. Luego Morris dio media vuelta y lanzó los alicates en dirección a Ike, pero se pasó de altura y terminaron golpeando la pared metálica del cobertizo. Se fue hasta la puerta abierta y se quedó mirando la oscuridad de la noche.

—Muy bien —dijo—, pero mantén a ese desgraciado fuera de mi vista.

Preston echó la cabeza hacia atrás y soltó una risotada; había algo enloquecido en ella. Sacó unas llaves del bolsillo, se acercó a la moto, se subió y miró a Ike.

—Vamos —le dijo—, monta.

Ike se quedó de pie mirando aquellos más de mil centímetros cúbicos de muerte y destrucción. No era el tipo de moto en la que uno se atrevería a subir con cualquiera. Y menos con un alcohólico medio loco con dos muñones por manos... Desde la puerta, Morris se giró y sonrió, y Ike se dio cuenta de que sabía exactamente lo que estaba pensando. Tenía dos opciones: o subirse a la moto con Preston o prolongar la conversación con Morris. Se subió a la moto. Notó cierta satisfacción, sin embargo, al observar la hinchazón que comenzaba a asomar por encima del ojo de Morris. Gordon habría estado orgulloso.

Preston arrancó la moto y el rugido fue tal que pareció capaz de volar por los aires las paredes de aluminio del cobertizo y lanzarlas en dirección al mar. Ike rodeó con los brazos la cintura de Preston. Se quedó mirando los anchos hombros cubiertos con la chaqueta militar y notó el mismo aroma ligeramente medicinal que había percibido en su casa. Preston se caló la boina y condujo hacia la puerta, donde Morris seguía esperando.

— «Y vi un caballo amarillo —graznó Preston por encima del ruido del motor— montado por un jinete que se llamaba Muerte, y detrás de él iba el Infierno.»

Luego soltó una carcajada, silbó en dirección a la oscuridad y se adentraron en la noche, hendiendo la retaguardia de la Surf City USA, atravesando las calles desiertas en dirección a la Coast Highway, donde adelantaron a una fila de domingueros como si estuvieran parados.

Debían de estar a medio camino, atravesando los pozos petrolíferos, cuando Preston, después de exprimir al máximo cada marcha, metió la última y aceleró a fondo. Ike no podía hacer nada salvo esperar, pensar en arena y curvas y en que, al menos, a esa velocidad moriría en el acto. Se dirigían a un punto al norte de los pozos que los moteros llamaban «el borde». Por delante de ellos todo estaba oscuro, vacío y en silencio, y el ruido del motor se perdía a su espalda como un eco en el viento.

Encontraron el borde y se detuvieron en un lateral de la carretera; el aire era cálido y la noche estaba cargada de un ligero aroma a alquitrán, maquinaria pesada y salitre procedente del mar. Estaba muy oscuro. Las únicas luces que se veían eran los distantes puntos amarillos de las plataformas petrolíferas, atrapadas entre el negro océano y el cielo sin estrellas. El ruido de las olas que no alcanzaban a ver ascendía desde una playa situada en un espacio indeterminado por debajo de ellos.

Se quedaron de pie en el arcén de tierra compacta y Ike trató de adaptarse a la sensación de quietud total. A Preston parecía haberlo embargado una especie de entusiasmo nervioso, como si el vertiginoso recorrido en moto le hubiera devuelto un chispazo de vitalidad.

—Eh, ¿qué me dices, campeón? Tira como una mula, ¿verdad? Fuera coñas.

La expresión pareció hacerle gracia, porque la repitió otra vez, riéndose mientras pisoteaba el suelo de tierra. Luego sacó una botella del bolsillo de la chaqueta y dio un largo trago. Después le pasó la botella a Ike, que también bebió. Era tequila. El líquido le quemó la garganta, encendiendo aún más la noche, y de alguna forma, aunque no le había hecho gracia ver la botella, ya no estaba asustado. Era como si todo su miedo se hubiera volatilizado junto con el rugido del motor. Incluso notaba una extraña sensación de euforia que, supuso, solo podía ser fruto de una experiencia tan al límite. Se quedaron así, pasándose la botella y hablando de motores y de velocidad, mientras el tequila borraba por completo cualquier resto de temor que le quedara en las entrañas.

Era demasiado tarde para hacer preguntas. Se daba cuenta ahora, de pie en el oscuro arcén de aquella carretera. Supo que ya no le preguntaría nada más sobre el viaje al rancho, sobre Terry Jacobs o Hound Adams. Aquello pertenecía al pasado y Preston, este Preston, no era el mismo que lo había llevado al rancho para tratar de enseñarle cómo podían llegar a ser las cosas. Ike sospechaba que su deterioro venía de lejos, pero que la paliza en la tienda, la operación y la placa de acero habían sido la puntilla, y que, fuera quien fuese el hombre con el que Ike se había sentado junto al fuego después de un día perfecto, ya no existía, estaba muerto, y ahora solo quedaba este extraño y el camino de vuelta en moto a la ciudad.

Preston lo dejó enfrente del Sea View. Costaba creer que solo hubieran transcurrido un par de horas desde la última vez que había estado ahí con Michelle y Hound.

—Quiero decirte algo. El día que Morris te pegó... me equivoqué al permitirlo. Éramos colegas, tío. Y nunca me había quedado de brazos cruzados viendo cómo pegaban a un colega. En cierta manera, esperaba que te acojonaras lo suficiente como para largarte de la ciudad. Pero no tenía que haber dejado que sucediera.

—Hiciste bien —contestó Ike, con un tono demasiado alto y apresurado—. Debería haberme largado. Pero ahora está Michelle.

Pensó que a lo mejor se había equivocado allá arriba, en la carretera, que a lo mejor sí podía hablar con Preston y contarle todo. Necesitaba explicárselo a alguien, pero resultaba complicado saber por dónde empezar.

—Michelle es mi chica —dijo—. Era mi chica. Y ahora se quiere ir a México con Hound Adams y Milo Trax...

Algo lo hizo detenerse. Se dio cuenta de que en realidad Preston no lo estaba escuchando, se limitaba a asentir con esa mirada perdida y distante, como si, de alguna manera, lo que Ike pudiera decirle estuviera fuera de lugar.

Cuando Ike dejó de hablar, Preston lo miró.

—Me equivoqué —repitió—. Te debo una, colega. Y tienes delante a un tipo que paga sus deudas.

Y después de decir esto, desapareció. El motor escupió chispas en mitad de la noche, y Ike se preguntó si alguna vez, incluso en medio del desierto, se había sentido tan solo.

Vio a Preston otra vez esa misma semana. Fue la víspera del día en que supuestamente debía irse al rancho. Incapaz de conciliar el sueño, había salido a dar un paseo. Bajó por la Coast Highway, llegó a la altura del estudio de tatuajes y allí fue donde lo vio. Era muy tarde y todas las demás tiendas estaban cerradas, pero del estudio salía una luz amarillenta que se derramaba sobre la acera. Se acercó a echar un vistazo a través del grasiento escaparate, igual que habían hecho las dos punks con él, y con un sobresalto distinguió las pesadas botas negras y aquellas manos sin dedos colgando a ambos lados del sillón. Preston estaba recostado hacia atrás, mirando el techo, y a su lado, con la corpulenta espalda arqueada sobre él, el viejo trabajaba, muy concentrado. Parecía hacerlo muy despacio, de una forma distinta a como lo había hecho con Ike. No estaba seguro de cuál era la diferencia exactamente, o qué significaba, pero sí sabía que no debía mirar y, retrocediendo, volvió a perderse entre las sombras.

Por un momento pensó en esperarlo fuera, dudando otra vez sobre la impresión que había tenido allí arriba en la carretera. Pero no lo hizo. Por algún extraño motivo le habían empezado a castañetear los dientes y volvió corriendo a su habitación, atravesando las calles de Huntington Beach. La cuidad ya no era para él una maquinaria de movimientos suaves y precisos, sino un auténtico rompecabezas, un oscuro laberinto del que temía no ser capaz de salir.

Cuarta parte

36

El viaje en coche hasta la fiesta de Milo no fue nada agradable.
En cuanto Ike vio a Hound se dio cuenta de que no había dormido mucho en los últimos días. Daba la impresión de ir puesto
de coca, estaba frenético, y conducía de la misma manera, pisán-
dole a fondo. Los lazos de asfalto gris se desplegaban demasiado
rápido bajo las primeras luces del día. Iban en el Stingray. Frank
Baker los seguía detrás, con parte del equipo en una furgoneta.
Hound había metido también allí las tablas y los trajes de neopreno y habían salido a la vez, pero Frank enseguida se había
quedado atrás. En algún momento Michelle le dijo a Hound
que fuera más despacio y él le contestó que no se metiera en sus
cosas, mientras los neumáticos derrapaban en una pronunciada
curva dejando una marca en el suelo. El incidente hizo que Ike
se preguntara hasta qué punto Michelle estaba al tanto de los
hábitos de Hound.

Todavía era muy temprano cuando llegaron a la pequeña casa
de ladrillo que flanqueaba la entrada del rancho Trax. Nada en
ella hacía anticipar el esplendor que aguardaba justo detrás: un
frondoso bosque que parecía brotar de forma repentina desde
las secas laderas. Árboles enormes y de color oscuro; musgo,

como un fantasma pálido, asomando por debajo de las oscuras ramas; pedazos de cielo azul en lo alto, tanto que, para verlos, había que estirar mucho el cuello; el rumor del agua. Y de pronto, emerger al otro lado y ver la extensión circular de césped y el camino de grava; la enorme casa y todos aquellos elementos antiguos ennegrecidos por el tiempo: sus pequeñas ventanas de estilo español, los balcones de hierro forjado, los tejados, la enredadera cubriendo parte de las paredes y formando intrincados dibujos. Y por encima de todo ello, el silencio.

Hound se detuvo cerca de una fuente y una piscina. Unos pájaros de plumaje oscuro que estaban bañándose en el agua salieron volando al oír el motor y luego regresaron, mezclando sus trinos con el sonido de la fuente y el suave crepitar de los engranajes aún calientes.

Subieron unos escalones de piedra, cruzaron una puerta alta de madera y desembocaron en un jardín de rosas. Y fue al llegar allí cuando Ike se dio cuenta por primera vez, como si el impacto inicial del lugar hubiera sido suficiente para impedirle detectar cualquier defecto, que la casa se encontraba en un sorprendente estado de abandono. El jardín de rosas estaba lleno de hierbajos y maleza seca, y entre medias despuntaban los ajados rosales, de cuyas ramas asomaban algunos pétalos de colores brillantes, como minúsculas lenguas de fuego.

Atravesaron otra entrada de piedra y subieron unas escaleras cubiertas con gruesas alfombras. Encontraron a Milo Trax sentado detrás de una mesa, en mitad de una conversación telefónica. Al verlos entrar, los saludó con la cabeza; le brillaron los ojos, pero su voz no delató nada a la persona que estaba al otro lado de la línea. Hound los condujo hasta una ventana desde la que se podían admirar las vistas.

Estaban en el lado oeste de la casa, y si miraban hacia abajo, a través de un cañón densamente cubierto de árboles —el mismo que, ahora se daba cuenta, había visto desde el agua— podían ver el océano. Era una vista impresionante, como si el mundo se extendiera a sus pies. Colinas verdes. Campos amarillos de mostaza silvestre. El lejano entrechocar de azules. A su lado, notó cómo Michelle contenía el aliento.

—Bueno, ¿qué os parece? —les preguntó una voz.

Milo Trax se había levantado de la mesa y caminaba hacia la ventana, los músculos de sus gruesos muslos contrayéndose de una forma extraña.

—Precioso —contestó Michelle—. Es increíble. En mi vida he visto nada parecido.

—Bien —dijo Milo, poniéndole una mano en la espalda—. Tenemos mucho tiempo antes de la fiesta. Vamos a dar una vuelta. Ike, ¿has traído la tabla?

Ike contestó que sí. Miró a Hound, que ahora estaba detrás, junto a la mesa de Milo, con los brazos cruzados sobre el pecho y la cabeza ladeada e inclinada hacia el suelo, como si estuviera perdido en sus propios pensamientos o se hubiera quedado dormido de pie. Desde su posición no podía verle bien la cara, así que era incapaz de decidir cuál de las dos opciones era la correcta.

A media mañana Ike ya estaba en el pico, solo. Frank había llegado con las tablas y luego se había perdido en algún punto de la finca con Hound Adams. Michelle, por su parte, se había quedado en la casa para que Milo se la enseñara. Había accedido a encontrarse más tarde con él en la playa.

La mañana y las olas no podrían haber sido más perfectas. Las series ordenadas procedentes del suroeste alcanzaban el metro o metro y medio. Sus paredes eran suaves y sus pendientes, orientadas hacia el sol, largas y surfeables. Mientras estaba en el agua, un grupo de marsopas se unió a él jugueteando entre las olas, deslizándose a través de ellas de manera ociosa, palmeando el agua con sus cuerpos y llamándose unas a otras con sonidos extraños. Pasaban tan cerca que habría podido tocarlas dando una sola remada. Después, una bandada de pelícanos cruzó en formación a solo unos centímetros de la superficie del agua. Describieron un círculo y luego regresaron, esta vez directamente sobre el pico; sobrevolaron justo por encima de los brazos de las olas y el último de ellos casi rozó la cresta, de forma que parecía que ellos también surfeaban, jugando en la solitaria rompiente. Ike se unió a ellos entre las olas, dejando que sus pulidas secciones pasaran por debajo de la tabla, esculpiendo líneas en la superficie cristalina y acendrada del agua.

No tenía que ir con prisas, ni preocuparse por evitar colisionar con nadie o porque alguien le saltara una ola. Podía remar tranquilamente, disfrutando por igual de contemplar las desiertas masas de agua que de surfearlas. Eso era algo que no había apreciado del todo en su primera visita al rancho: el surf no se trataba solo de coger olas. Esa mañana cobró conciencia de que lo que hacía no era algo segmentado en diferentes partes: remar, coger una ola, remontar al pico. De pronto se daba cuenta de que todo se fusionaba en un mismo acto, una serie fluida de movimientos que en realidad era un único movimiento global, cada elemento agrupado con el resto hasta formar un todo: los pájaros, las marsopas, las algas bajo el agua reflejando la luz del sol, todo era la misma cosa y él se integraba en el todo como un elemento más. Formaba parte de ello. No solo conectaba con la fuente de la que manaba todo, sino que era la propia fuente. No bebía de ella, sino que fluía con ella. Eso era lo que debían haber sentido esos dos hombres antes que él y eso era a lo que habían decidido poner nombre. Se imaginó cómo debían de ser las cosas entonces, playas como esa diseminadas a lo largo de toda la costa como piedras preciosas junto al mar, tan increíbles que debía costar asimilar que fueran de verdad y que no fueran a durar para siempre. Y ahora lo único que quedaba eran los restos de aquel sueño echado a perder. Se dio cuenta de que quienes habían salido derrotados de aquello no eran solo Preston y Hound. Pensó en el muelle, en aquella muchedumbre de surfistas peleándose por coger una ola, en la ciudad encallada en la arena y convertida en un zoo, en todo lo que en un tiempo fue emoción y vitalidad, lastrado ahora por una especie de desesperación, como el bajón después de un puestazo de coca. Habían salido perdiendo todos, todo había sido una gigantesca decepción, una larga caída desde la cima sin posibilidad de volver atrás. Ahora le quedaba claro, mucho más claro que antes, por qué Preston había querido que viera todo aquello. Y lo había hecho, lo había visto. Preston tenía razón: había algo allí, algo en ese preciso momento, a lo que valía la pena aferrarse, algo en torno a lo cual merecía la pena construir una vida entera. Podía verlo, lo tenía al alcance de la mano... si pudiera huir de todo lo demás, si pudiera recuperar a Michelle y llevársela con él.

Cuando salió del agua, Michelle ya estaba en la playa, tumbada boca abajo con los ojos cerrados. Avanzó por la cálida arena blanca y se detuvo a observarla en silencio, porque parecía que estaba dormida.

Llevaba un bikini blanco y se había desabrochado la parte de arriba. Sus piernas y sus brazos le parecieron más delgados y esbeltos de lo que los recordaba. En los muslos le brillaba una fina pelusilla rubia. Lo invadió una oleada de recuerdos de sus días juntos en Huntington Beach, y una mezcla de deseo y autocompasión lo golpeó como una ráfaga de arena del desierto, haciéndolo sentir mareado. Se quitó el traje de neopreno y se tumbó a su lado.

Todavía tenía el cuerpo húmedo y frío. El de ella, en cambio, estaba caliente por efecto del sol. Se estremeció y tembló un poco cuando él la tocó y luego se giró para mirarlo, sonriendo ligeramente.

—Estás mejorando —le dijo—, te he visto.

Tenía algunos granos de arena pegados bajo los pechos, en la zona más fría y blanca, que había estado apoyada contra la toalla. Ike se acercó más a ella y besó uno de sus pezones, notando los diminutos granos de arena en la lengua. Luego recorrió todo su cuerpo, probando cada centímetro de piel. Michelle se arqueó debajo de él; el sol ardía en su espalda. Notó cómo le pasaba los dedos por el pelo mientras él le quitaba la parte de abajo del bikini; ahora los dos estaban desnudos sobre la toalla, sobre la arena blanca de la playa. Pegó la cara a la de ella y con una mano ella lo guio dentro; el ardor de su piel pareció engullirlo por completo. Se corrió enseguida y durante mucho rato, entre temblores, como si todo su cuerpo se estuviera vaciando dentro de ella. Cerró los ojos y enterró la cara en el luminoso mar de su pelo, con la boca abierta, los labios presionados contra su cuello y el corazón martilleando entre los dos. En ese momento notó que seguía moviéndose levemente dentro de ella, todavía empalmado, y sintió también, con una leve molestia, como si algo se le clavara a la altura de la sien. Abrió los ojos y levantó la cabeza. Michelle estaba tumbada, su pelo caía hacia atrás extendiéndose como un arco dorado sobre la toalla, y algo en él captó su atención con un repentino destelló: un prendedor de marfil de color crudo. El material estaba delicadamente tallado con lo que parecía un diseño oriental, un estilizado caimán cuyas enormes mandíbulas abiertas se extendían hasta ocupar dos tercios de su cuerpo y apresaban, con una especie de sonrisa diabólica, el cabello rubio cobrizo de Michelle como en su día habían sujetado el pelo negro carbón de Ellen Tucker.

37

Aquella visión lo paralizó. Seguía dentro de ella, pero inmóvil, consciente de repente de que Michelle también lo miraba, pero no a la cara, sino más abajo, al tatuaje que le cubría el hombro. Su expresión era una mezcla de fascinación y terror; la misma, pensó, que debía tener él en ese momento.

Luego sus ojos se encontraron, pero ninguno de los dos dijo nada. Y un segundo después, el encanto se rompió, interrumpido por el ruido de un pequeño desprendimiento de rocas en algún punto por encima de ellos. Ike levantó la vista y vio un par de tablas brillando al sol y dos figuras descendiendo por la larga y semiderruida escalinata de piedra. Hound Adams y Frank Baker venían a la punta a coger olas.

Antes de que Hound y Frank llegaran a la playa, Ike tuvo tiempo de vestirse. El neopreno de color púrpura y negro todavía estaba húmedo y frío y sintió cómo un escalofrío le calaba los huesos. A su lado, Michelle también se había puesto en movimiento, recolocándose el bikini y enfundándose los pantalones cortos de color blanco. En un instante lo dos estuvieron vestidos y sentados el uno al lado del otro, en silencio, la magia de solo unos momentos antes desvanecida por completo. El prendedor. El tatuaje. Ella se había quedado mirándolo durante unos segundos, desconcertada por el cambio repentino que se había obrado en él. Y él, incapaz de articular palabra, no había dicho nada, mientras notaba cómo lo miraba y le daba la mano, un gesto que no había sido capaz de corresponder, hasta que al poco ella lo soltó.

No le hizo falta volverse para saber que Hound y Frank estaban ya muy cerca y se acercaban a ellos por la arena.

—Ese prendedor… —dijo por fin, con la garganta tensa—, ¿de dónde lo has sacado?

—Me lo dio Milo —contestó ella—; me parece bonito.

Había cierto deje distante y defensivo en su voz, y cuando se giró a mirarla vio que ella tenía la vista clavada en el mar.

—Está bajando la marea —dijo una voz detrás de ellos—, la cosa mejora.

Era Hound el que hablaba. Ike asintió. Vio a Frank Baker, que ya estaba junto a la orilla, empujando la tabla sobre el agua y deslizándose sobre ella para luego ponerse a remar con unas brazadas fuertes y eficaces que enseguida lo alejaron sobre la superficie brillante del mar.

Michelle se incorporó de un salto y durante unos segundos le tapó el sol. La observó limpiarse la arena de las piernas.

—Vuelvo a la casa —dijo, y después añadió—: tendrías que pedirle que te la enseñara, Ike, no he visto una casa así en mi vida. Hay una sala de cine de tamaño real en el piso de abajo.

Ike tuvo la impresión de que había algo mecánico y forzado en su forma de hablar, como si tratara de aparentar normalidad en presencia de Hound. Se preguntó si Hound también lo habría notado. Y también cuánto tiempo llevarían Frank y él en las escaleras.

Observó a Michelle alejándose por la playa y luego se volvió hacia Hound, que también la miraba a ella. Cuando Michelle desapareció, Hound se arrodilló a su lado, sonriendo y derrochando energía. El aspecto cansando que Ike había percibido un rato antes, en el estudio, se había esfumado, y ahora tenía los ojos muy abiertos, como dos piedras negras pulidas y planas. Había algo extraño en aquellos ojos, como si fueran muy nuevos, a estrenar, y no encajaran del todo en aquel rostro pálido y con la piel demasiado tirante sobre los huesos.

—¿Vuelves a entrar, hermano? —le dijo, en un tono plano y uniforme, mientras le ponía una mano en el hombro—, nos vemos ahí dentro.

Hound se incorporó y se alejó hacia la orilla. Ike entrecerró los ojos de cara al sol y observó cómo se desplegaba una blanca extensión de espuma a la altura de la punta. Luego se levantó y, al hacerlo, se dio cuenta de que le flaqueaban las piernas por culpa del sexo. Se quedó un momento allí, viendo cómo Hound remontaba una ola y se perdía al otro lado, y después cogió la tabla y fue detrás de él, como un sonámbulo, como si su cuerpo avanzara por su cuenta mientras su cabeza seguía dándole vueltas al prendedor que había visto en el pelo de Michelle. Y a medida que se adentraba en las aguas poco profundas, con las afiladas rocas arañándole los pies, se dio cuenta de que, en realidad, iba hablando en voz alta y que sus palabras se desvanecían en el aire: «Ellen estuvo aquí. Y ellos lo sabían, lo han sabido todo este tiempo». Era una afirmación sorprendente y la repitió una vez más, como si fuera lo único que supiera decir, mientras comenzaba a remar y la primera línea de espuma le pasaba por encima.

Surfearon durante una hora más. Hound le explicó que el rancho era igual que México, allí el ritmo era diferente y costaba un poco adaptarse a él, ajustar la energía a su cadencia. También le dijo un montón de cosas más, pero, por extraño que pareciera, Ike ya había pensado en casi todas ellas. Dichas en voz alta, sin embargo, no sonaban bien, quizá porque trascendían el lenguaje y las palabras o quizá porque la voz de Hound era demasiado vacía y plana. Aquello le recordaba al parloteo hueco al que lo tenía acostumbrado en su casa, cuando se sentaba en el suelo con las piernas cruzadas y soltaba uno de sus sermones, ya fuera un refrito de sabiduría popular o alguna charla sobre su último hallazgo, mientras la gente iba y venía y hasta las chicas más estúpidas, colocadas hasta las cejas, se daban cuenta de que todo aquello no eran más que chorradas. Ike vio que Frank Baker no se sumaba a ellos, sino que seguía surfeando por su cuenta un poco más hacia la orilla, y al final él también le dio la espalda a Hound, cortándolo en mitad de una frase, y comenzó a remar hacia su izquierda, hacia el punto donde una vez había estado con Preston Marsh. Allí podría pensar tranquilo y a solas.

Un rato después salieron del agua y treparon por las escaleras de piedra. Iban en fila, Hound delante, Ike cerrando el grupo; el suelo estaba frío y húmedo y desde los jardines les llegaba el aroma de las flores.

Encontraron a Milo Trax y a Michelle sentados en la primera terraza ajardinada. Milo iba vestido con ropa de tenis, llevaba unas gafas de sol de montura metálica y tenía las piernas, gruesas y cortas, apoyadas en una silla. Michelle se había puesto un vestido blanco que Ike no le había visto antes. Tenía una bebida delante, apoyada en la mesa de hierro forjado. Sus dedos reposaban cerca del vaso y estaba absorta, con la mirada perdida a lo lejos, entre los árboles, de forma que Ike podía distinguir bien su perfil, la nariz pequeña y recta y las arqueadas cejas, un rasgo que siempre había relacionado con su aspecto ligeramente arrogante. Se fijó en que llevaba el pelo recogido hacia atrás y sujeto con los prendedores de marfil. Ella evitó girarse y mirarlo a los ojos.

—Recién llegados del mar —dijo Milo.

Debajo de sus gafas de sol se dibujó una sonrisa, mientras con una mano alzaba el vaso en dirección a ellos, como si brindara.

—¿Qué tal las olas?

—Bien —contestó Hound.

Ike no dijo nada y siguió observando a Michelle. Frank Baker, por su parte, ni siquiera se detuvo, sino que siguió andando y enseguida desapareció entre los árboles. En ese momento Ike se dio cuenta de que le hablaban a él.

—Me alegro de que hayas disfrutado —le estaba diciendo Milo—. Y de que haya buenas olas. ¿Listo para trabajar un poco?

Ike asintió. Lanzó una última mirada a Michelle y luego a los dos agujeros negros que eran las gafas de Milo.

—Tengo una lista en casa —continuó Milo—. Unas cuantas cosas que me gustaría dejar preparadas antes de que lleguen los invitados. Y también la ropa que me gustaría que os pusierais esta noche. Hound se encargará de enseñároslo todo.

Ike dio media vuelta y siguió a Hound por el camino en dirección a la casa.

38

Pasó el resto de la tarde limpiando con una manguera los caminos de acceso y los patios, rastrillando hojas y barriendo suelos. «Milo ha estado en Europa», le explicó Hound, «necesita todo un buen repaso».

Completó las tareas de manera mecánica, pero su cabeza seguía en otro lado. ¿De verdad Ellen había estado allí, como había supuesto en un primer momento? ¿O quizá los prendedores habían aparecido en otro sitio, en el barco o en México, por ejemplo? ¿Y por qué se los habían dado a Michelle? ¿Era solo una extraña coincidencia? ¿O quizá una especie de cebo? En un momento dado, Ike levantó la vista y vio a Frank Baker y a uno de los samoanos de Huntington Beach metiendo unas cajas en una camioneta. Luego se alejaron de la casa por los jardines, en dirección a la punta. Ike dejó de barrer y se apoyó en la escoba. Por un momento pensó en seguirlos, y echó un vistazo por encima del hombro para comprobar si había alguien más en los alrededores. Lo que vio fue a Milo asomado a uno de los pequeños balcones de la casa, apoyado contra la barandilla de hierro. Cuando se dio cuenta de que Ike lo miraba, levantó una mano. Ike le devolvió el saludo y retomó su tarea, barriendo el espacio próximo a las blancas paredes de la casa y la vieja enredadera de hojas oscuras y gruesos tallos.

Cuando terminó con los jardines, entró y fue al estudio de Milo, donde encontró la ropa que habían preparado para él: una camisa blanca de manga larga con volantes en el pecho, unos pantalones negros, y calcetines y zapatos negros. Se dio una ducha y se probó la ropa, que, sorprendentemente, le quedaba perfecta. Era lo más elegante que se había puesto nunca. Se acercó hasta la ventana del estudio y contempló el ocaso sobre el océano. El sol, convertido en una enorme esfera roja, descendía muy rápido, deshaciéndose y fundiéndose con el mar. Había algo hipnótico en aquellos cambios de luz, y se quedó absorto, hasta que unos golpes en la puerta lo sacaron de su ensoñación. Deseó que fuera Michelle, pero quien abrió y entró en la habitación fue Hound. De forma instintiva, Ike tensó una mano sobre el alfeizar.

La única luz que iluminaba la estancia era el carrusel de tonos pálidos de la casi extinta puesta de sol, y Hound no hizo nada por alterar aquella atmósfera. Cerró la puerta a sus espaldas, caminó sobre el suelo enmoquetado en dirección a la ventana y al llegar a su altura se lo quedó mirando.

—No están mal las vistas, ¿eh?

Aguardó un momento, pero no parecía estar esperando una respuesta, sino más bien que Ike se volviera y mirara una vez más los árboles teñidos de púrpura del jardín y, más allá, el mar, iluminado por el último y sanguinolento rayo de sol. Ike se vio obligado a hacerlo, mientras Hound continuaba:

—Cuando Preston y yo estábamos en el instituto solíamos colarnos aquí para hacer surf. Lo descubrí yo primero. Deberías haber visto su cara la primera vez que vino. Acampamos ahí abajo, al pie de la colina, casi en el mismo sitio donde encontramos las tablas, vuestras tablas.

Hizo otra pausa. Ike no dijo nada y siguió absorto en las últimas luces del día.

—Solíamos sentarnos y hablar de los sitios a los que queríamos ir, y nos imaginábamos cómo sería ser dueños de un lugar como este. No se puede pedir más, ¿no te parece?

Ike recordó su primera visita al rancho, la primera vez que había visto el pico desierto. Había pensado lo mismo.

—Resulta que no tardamos mucho en conocer a Milo —continuó Hound—. Te voy a contar lo que pasó. Preston y yo teníamos identificada una buena ruta de escape. Habíamos encontrado una especie de barranco que atravesaba los acantilados más o menos a la altura de la punta y que luego continuaba casi en línea recta hasta la verja y el camino de tierra que utilizaban los vaqueros. Estaba lleno de arbustos y maleza, y en uno de nuestros viajes nos trajimos unos machetes y lo limpiamos un poco, pero sin tocar la zona más próxima a la playa, porque pensábamos que así a los vaqueros les pasaría desapercibido.

Ike se acordó otra vez de Preston, agachado al pie del acantilado, preguntándole si iba a ser capaz de encontrar la camioneta.

—Y lo usasteis esa noche.

Hound asintió.

—Funcionó de coña. Pero te estaba contando cómo conocimos a Milo. Era un día que había unas olas enormes. En serio, el pico debía de tener sus buenos cuatro metros y medio, las olas eran prácticamente todas cerronas. Estábamos los dos en el agua y, llegado un momento, los dos levantamos la vista y vimos a unos cuantos vaqueros en la cima de la colina, observándonos. Luego se metieron en una camioneta y empezaron a bajar hacia nosotros. Nos pusimos a hablar de qué hacer. El camino hasta abajo es bastante largo y sinuoso, y nos pareció que si pillábamos un par de olas y alcanzábamos rápido la orilla nos daría tiempo de escabullirnos por el barranco. El problema era que las olas eran cada vez más grandes y resultaba muy complicado cogerlas. Al ponerte de pie, los descensos eran bestiales.

Hizo una pausa, como si los estuviera rememorando. Ike trató de imaginárselos también: Hound y Preston allí fuera, juntos, tal y como los había visto en la foto de la tienda.

—Preston siempre fue un poco mejor que yo. En esa época no me gustaba admitirlo, pero lo era. Y ese día también lo fue, claro. Cogió aquella maldita ola y yo no me lo podía creer. Eran unas olas enormes, imposibles. Tenías que aferrarte a la tabla con uñas y dientes. La cuestión es que Preston cogió una, al poco lo vi aparecer sobre el labio y supe que lo había conseguido. Nos estábamos quedando sin tiempo y yo tenía que pillar lo que fuera, así que me lancé y cogí lo primero que pude.

Se detuvo e hizo un breve gesto, como tratando de sacudirse aquel recuerdo.

—La ola me revolcó —dijo—, comí de lo lindo, pero conseguí que me arrastrara un buen trecho hacia la orilla. Cuando alcancé la playa, allí estaban la camioneta y tres vaqueros esperándome. Uno de ellos llevaba en la mano el mango de un hacha. Nosotros nunca habíamos tenido ningún problema en el rancho, pero habíamos oído historias de gente a la que habían pillado, les habían robado la tabla y les habían dado una paliza. Estaba tan agotado después de nadar hasta la orilla que lo más que pude hacer fue arrastrar el culo fuera del agua. No había ni rastro de Preston, así que me imaginé que había conseguido llegar hasta el barranco y que iba a tener que apañármelas solo. Recuerdo que al intentar ponerme de pie, aquel capullo del hacha me tiró otra vez al suelo y me dio una patada en la cara con su maldita bota. Y entonces, de repente, allí estaba Prez. Había ido hasta la camioneta, había dejado la tabla y había vuelto con una llave inglesa.

Hound sonrió y Ike tuvo la misma sensación que había tenido solo un par de veces antes: que Hound Adams no le estaba tomando el pelo ni interpretando un papel. En momentos así, había algo en él que hacía que a uno todavía pudiera gustarle, como si, a pesar de todo lo demás, de todas sus artimañas y disfraces, hubiera algo ahí, una sombra quizá, del viejo amigo de Preston.

—Por entonces no tenía el aspecto de cabrón medio tarado que tiene ahora —continuó—, pero era un tipo enorme, un auténtico atleta. Aplastó al tipo del hacha antes de que el otro se diera cuenta siquiera de lo que estaba pasando. Durante un instante, hasta pensé que lo había matado. No fue así, pero en ese momento nadie estaba seguro de eso, y de repente ninguno de los otros dos tenía agallas para venir a por nosotros. Yo cogí el mango de hacha del otro tipo, y entre los dos conseguimos que se largaran. Después nos metimos en su camioneta y nos marchamos, pero cuando llegamos a la verja nos encontramos con un tipo bajito y fornido vestido de tenis que nos esperaba con una escopeta de dos cañones cruzada sobre los brazos, y media docena de hombres detrás.

»Así fue como conocimos a Milo Trax. Lo gracioso fue que lo habíamos impresionado. Según parecía, había estado observándolo todo con sus prismáticos. No estaba acostumbrado a ver salir corriendo a sus hombres de esa forma, pero tampoco estaba acostumbrado a que en el rancho hubiera olas de cuatro metros y medio ni a ver a nadie cogiéndolas como lo había hecho Preston. Así que nos invitó a su casa, tío, a su choza, aquí mismo, a esta habitación. Nos sentamos aquí mientras veíamos la punta a lo lejos y nos fumábamos la hierba que Prez había subido de la camioneta y, después, la que Milo tenía en la casa. —Hound señaló hacia la ventana—. Una cosa llevó a la otra —continuó—. Esa noche nos fuimos del rancho con nuestra propia llave. Nuestra puta llave, Ike. Creíamos que habíamos muerto y habíamos ido al cielo.

Ike se volvió hacia la ventana. El sol había desaparecido ya. Un resplandor rojizo cubría la fina franja del horizonte bajo un cielo cada vez más oscuro. Los árboles también eran ahora un conjunto de siluetas negras recortadas contra el mar púrpura, y por debajo de sus ramas había empezado a elevarse una ligera neblina. No tenía ni idea de por qué Hound le estaba contando todo eso. Y las cosas siempre tenían un motivo. Pero ya estaba cansado de los juegos de Hound y también de los suyos propios.

—Y a tu hermana, Janet —dijo, muy despacio—, ¿también la trajiste aquí?

Hound Adams tardó un momento en contestar, como si, por una vez, Ike lo hubiera pillado completamente por sorpresa.

—Sí —contestó al fin.

—¿Y después la llevaste a México?

—Sí.

—Y a Ellen Tucker, ¿también la trajiste aquí o solo a México?

Mientras hablaba, la sensación que sentía no era diferente a la que había tenido en la moto con Preston; la adrenalina se le había disparado a mil.

Hound se limitó a mirarlo, pero la expresión de sorpresa inicial enseguida comenzó a desvanecerse. Ahora sus ojos transmitían algo más parecido a la burla.

—Me parece que lo has entendido todo mal, hermano. Yo no me llevé a tu hermana a ningún sitio, aunque puede que se fuera a México por sus propios medios. Hasta puede que esté allí ahora mismo.

Sonrió y extendió las manos.

—Y durante todo este tiempo has sabido que era mi hermana.

—No, al principio no. La oí mencionar a un hermano, pero me dio la impresión de que tú eras mayor. Luego te vi una mañana en aquel café y merodeando por la playa, dando la nota. Y después en mi fiesta. Con tu mala onda de paleto. Mucha paranoia. Empecé a pensar que Ellen me había mentido, o que había exagerado o que tenía otro hermano. Las preguntas que te hice aquella noche fueron al azar, pero me diste las respuestas correctas. Luego me enteré de lo de tu tabla, que alguien te la había robado, e hice unas cuantas comprobaciones con la que nos habíamos encontrado en el rancho, hasta que di con el chaval que te la había vendido. —Se detuvo y soltó una carcajada—. Preston debió de acojonarlo bien, el chaval todavía estaba temblando por si aquel motero desquiciado volvía por él.

—¿Y por qué no dijiste nada?

Hound seguía sonriendo, con una sonrisa odiosa y cómplice.

—Una buena partida siempre vuelve la vida un poco más interesante. Y me di cuenta de que tú estabas jugando una, así que dejé que jugaras tus cartas. Pero ¿qué te hace pensar que yo me llevé a tu hermana a México?

Ike se giró y se quedó mirando aquella sonrisa, pensando en qué contestar. ¿Debía mencionar lo de los prendedores? ¿O a lo mejor al chico del Camaro blanco? El juego del gato y el ratón, una vez más. De pronto, sin embargo, lo invadió la poderosa certeza de que no debía decir nada de los prendedores, al menos de momento.

—Nos lo dijo alguien —contestó—. Un chico vino a vernos al desierto y nos contó que Ellen se había ido a México con unos tipos de Huntington Beach y que no había vuelto.

—¿Dijo que yo me la había llevado?

Ike trató de elegir las palabras con mucho cuidado.

—Solo que se había ido y que tú a lo mejor sabías lo que había pasado.

—¿Quién era?

—No lo sé.

Por un momento, Hound dio la impresión de estar verdaderamente desconcertado.

—Me parece que os engañaron, hermano. No sé por qué. Tu hermana se largó, Ike, salió huyendo del desierto, de la gente que la había criado, de ti.

Dejó que esta última palabra quedara colgando en el aire, entre ellos, y luego continuó:

—Nos cruzamos por aquí y nos echamos unas risas.

—¿Igual que con Janet?

Ike notó la oleada de adrenalina disparándose otra vez. No le gustaba el rumbo que estaba tomando la conversación. Hound estaba tratando de confundirlo, soltando mierda, como Ike siempre había sabido que haría. Lo único que quería era borrarle esa maldita sonrisa de la cara una vez más.

Funcionó. Hound se acercó un poco más, de forma que su pecho casi tocaba el suyo, pero su sonrisa se había esfumado.

—Estás apretando demasiado, ¿no crees? No tengo ni idea de qué te piensas que sabes sobre Janet y de quién te lo ha podido contar, pero te voy a decir algo sobre ella y sobre tu hermana. Y sobre Preston también, ya que estamos. Tomaron sus decisiones, tío. Todos ellos eligieron su propio camino. Eligieron lo que quisieron. Tu hermana podría haberse quedado. Me gustaba. Pero eligió otra cosa. Y Janet también.

—¿Y qué fue lo que eligió?

Nada más hacer la pregunta se dio cuenta de que no había especificado a quién se refería, si a Janet o a Ellen. Esperó a que Hound contestara.

—Eligió morir —dijo Hound.

Su voz se había suavizado y, cuando se extinguió, la habitación quedó en silencio.

—Eligió la muerte porque le daba miedo vivir —añadió—. Las cosas se le complicaron en México. Aunque no era real, estaba todo en su cabeza.

Hizo una pausa y se dio unos golpecitos en la sien.

—Las cosas no eran complicadas, eran nuevas. Y lo eran para todos. Fue un viaje de descubrimiento, hermano, lo digo en serio. Y Janet estaba allí con nosotros. Al principio todo era libertad y amor, pero cometió el error de pararse y dejarse guiar por lo que pensaban los demás. Dejó de escuchar a su corazón —se encogió de hombros— y eso la mató.

Desvió la vista y su mirada se perdió en la oscuridad de la ventana.

—A lo mejor ahora entiendes un poco mejor lo que trataba de decirte aquel día en tu habitación, lo de dejar que otros piensen por ti. Está todo aquí —dijo, y lo golpeó en el pecho, lo suficientemente fuerte para que resultara incómodo—. Mira, la mayoría de la gente nunca hace un viaje como del que te estoy hablando. Ni siquiera lo empiezan. En lugar de eso, se pasan la vida escondiéndose de sí mismos. Y por eso, porque ellos son la norma, este es un viaje solitario, amigo. Estás solo ahí fuera y las cosas pueden ponerse raras, y he visto a gente volviéndose loca por eso. Se quedan a mitad de camino, tío, y pierden la fe. No son capaces de manejarlo. Janet no fue capaz de manejarlo. Y Preston tampoco, desde luego. Con Janet, las complicaciones empezaron con algo tan sencillo como no saber quién era el padre de su hijo. —Hizo una pausa y se encogió de hombros otra vez—. Pero es lo que he intentado explicarte, es tu viaje, hermano. Y la elección es tuya.

Ike esperó a que continuara, que dijera algo más sobre aquella elección, pero no lo hizo. Se apartó de la ventana en silencio y retrocedió unos pasos hasta colocarse en el centro de la habitación. Cuando se volvió a mirarlo, su voz adoptó un tono más relajado.

—¿Sabes? A Milo le caes bien —dijo—. Y este verano lo has hecho bien, salvo por un pequeño detalle que no es necesario mencionar. Lo has hecho todo lo bien que cabía esperar. O sea, que hemos trabajado bastante bien juntos, ¿no te parece? Y necesito a alguien en la tienda. No me refiero solo a trabajar allí, sino a encargarse de verdad de las cosas. Quiero viajar un poco más, pero necesito asegurarme de que las cosas están en buenas manos cuando yo no estoy.

—¿Y qué pasa con Frank?

Hound hizo el mismo gesto con los hombros. Su respuesta fue toda una sorpresa.

—Frank es un inútil. A ver, siempre anda por aquí. Eso es todo. Mierda, siempre ha estado por aquí. Pero ¿quieres saber algo? Frank Baker ni siquiera tiene su propia llave para abrir esa maldita verja. Eso te lo puedo garantizar, tío. No es broma. Tener tu propia llave, te la puedo conseguir, tío, puedes tenerlo todo.

Y asintió en dirección a la oscuridad de la ventana. Al otro lado, el bosque y el mar eran ahora invisibles, y daba la impresión de que solo le hablaba a la oscuridad.

—Pero acuérdate de lo que te digo, hermano. Tendrás que elegir. Piensa en ello.

Y después de decir esto se fue. Salió al pasillo y lo dejó allí solo, en el estudio de Milo Trax. La puerta quedó entreabierta, y Ike contempló un fino rayo de luz que se extendía por la moqueta hasta terminar quebrándose contra la piel reluciente de sus zapatos.

39

Se acercó hasta la mesa de Milo y encendió una lámpara. La luz convirtió en espejos los altos cristales ojivales de las ventanas orientadas al mar y Ike se vio reflejado en ellas, como un extraño vestido con ropa cara. ¿Qué pasaría si decidiera tomar la decisión justo en ese momento?, pensó. ¿Si Milo volviera y se encontrara los dos conjuntos de ropa cara tirados en el suelo de su estudio? ¿Si para entonces Michelle y él ya se hubieran ido? Bajarían hasta la playa y escaparían por el barranco. Tenía algo de dinero en Huntington Beach, el suficiente para comprar dos billetes de autobús. Por la mañana podrían estar camino de otro sitio. El que fuera. Daba lo mismo. Se lo contaría a Preston, seguirían en contacto y si alguna vez se descubría algo, Preston le avisaría. Sería como él había dicho. Salió de la habitación.

En el pasillo se oían ruidos que dentro del estudio le habían pasado desapercibidos. Se oía música procedente de uno de los patios y también voces, las de los invitados de Milo, supuso. La fiesta había empezado.

La mayoría de las voces eran indistinguibles y le llegaban desde partes lejanas de la casa. Una de ellas, sin embargo, se destacó sobre las demás y la reconoció de inmediato: era la voz de

Milo. Estaba cada vez más cerca, casi bajo sus pies. Se acercó a la barandilla que delimitaba el balcón y miró hacia abajo.

Los localizó junto a la misma entrada de piedra donde habían estado con Michelle y Hound unas horas antes. En total eran cuatro: Hound, Milo y dos hombres más, a los que no había visto nunca. Uno de ellos era de tez oscura y espalda ancha. Se mantenía un poco al margen y tenía los brazos en jarras. El otro, muy bronceado, era alto y bastante delgado, aunque muy fibroso. Llevaba pantalones blancos y una americana azul. Tenía el pelo canoso, de un tono casi plateado bajo las luces de la entrada. Daba la impresión de que los dos desconocidos acababan de llegar y Milo y Hound los conducían al interior de la casa. El grupo pasó prácticamente por debajo de Ike y de nuevo le llegó la voz de Milo, lo suficientemente clara como para distinguir sus palabras.

—Sí —iba diciendo—, tengo a unos cuantos hombres trabajando en ello ahora mismo. Estará listo.

El hombre de cabello plateado asintió. Cuando habló, su voz sonó más suave y seria que la de Milo.

—¿Esta gente? —preguntó—. ¿Son buenos?

—Oh, sí. Algunos, al menos.

—¿Y puedes manejarlos?

Los hombres comenzaban a desaparecer por debajo del balcón, fuera de la vista de Ike.

—Confío plenamente en Hound —dijo Milo—, no te preocupes. Creo que lo encontrarás interesante.

El hombre de cabello plateado dijo algo más, pero Ike fue incapaz de entenderlo. Se quedó un poco más en el balcón y, cuando estaba a punto de irse, vio otra vez a Milo y a Hound. Deshacían de nuevo el camino de piedra que tenía a sus pies. Milo le había puesto la mano en la espalda a Hound. Era un gesto extraño, como si lo guiara hacia la puerta de entrada que había al otro lado, como si condujera a un niño o a un amante.

Se apartó rápido y entró en la casa por la puerta que había en
uno de los extremos del balcón. Dentro estaba oscuro y esperó
unos instantes hasta que se le acostumbró la vista. No sabía qué
pensar de lo que acababa de escuchar y no se quitaba de la cabeza
esa escena final, la de Hound y Milo caminando en dirección a
la puerta, la mano de Milo sobre la espalda de Hound. Aquello
parecía guardar relación con otras cosas —los mensajes que había visto escritos en los separadores metálicos de unos baños en
Huntington Beach, lo que le había contado Michelle en el barco,
la abstinencia de Hound en sus propias fiestas— y se preguntó
qué diría el propio Hound al respecto. Cualquier mierda, seguro,
una parada más, quizá, en el camino del descubrimiento. O a
lo mejor Ike estaba equivocado y aquello no explicaba nada.

Había una ventana abierta en algún sitio. Notaba la corriente
húmeda en la cara, el olor a mar y un ligero aroma a buganvilla.
A lo largo del pasillo había varias puertas. Una de ellas estaba
parcialmente abierta y Ike se detuvo junto a ella. Susurró algo
y, al no obtener respuesta, la abrió del todo y entró.

Era una habitación grande y dentro no había nadie; al fondo,
dos grandes puertas acristaladas que desembocaban en un pequeño balcón evitaban que el cuarto estuviera completamente
a oscuras. Fuera, la neblina parecía haberse disipado un poco y
por los cristales se filtraba un pálido resplandor que le permitió
distinguir la silueta de unos cuantos muebles: una cama, una
cómoda, una pequeña mesilla de noche y un par de butacones.
El aroma procedente de los jardines era más intenso allí dentro.
Dio media vuelta, dispuesto a irse, pero justo en ese momento
se fijó en lo que parecía un vestido blanco colgado contra la madera oscura de un armario. Al principio pensó que era el mismo
que le había visto a Michelle aquella tarde, pero al acercarse
vio que no, y al instante descubrió un segundo vestido desplegado sobre uno de los butacones. También era blanco y muy parecido al de Michelle. Apartó el que colgaba de la puerta y miró
dentro del armario: estaba lleno de ropa de mujer, o de chica,

más bien, porque algo en el corte y los colores de las prendas sugería juventud. Pasó la mano por encima y notó la textura fría de las telas en la yema de los dedos.

Dejó el armario y se acercó a la cómoda. Sobre ella descansaban varios artículos de higiene, un cepillo y un espejo de mano. Abrió un cajón y vio que estaba lleno de joyas, incluidos varios brazaletes y adornos para el pelo. Los tocó con los dedos, atento al suave tintineo que emitían al rozar contra la madera, y de pronto se imaginó a Milo haciendo lo mismo, en el mismo lugar, buscando alguna fruslería y escogiendo los prendedores de marfil, que, en apariencia, por lo que veía en el cajón, eran las piezas más bonitas y caras de todas. Debía de haber sido así de sencillo. A Michelle no le habían dado los prendedores a modo de cebo. Hound Adams probablemente ni sabía que existían y Ike había hecho bien al no pillarlo en su mentira. Al menos aquella intuición le había permitido ganar algo de tiempo. Aun así, había algo en aquello que lo afectaba más que si fuera una mera broma macabra. Había caído en la trampa y ahora era incapaz de entender por qué no se había dado cuenta antes, por qué no había percibido el aura maligna de ese lugar desde el principio. Supuso que durante todo ese tiempo lo habían ido distrayendo otras cosas. En esa visita en particular, había concentrado todo su interés en hablar con Michelle, en salvarla de un viaje mortal a México. Salvarla. Dios. Ellen Tucker no había hecho ningún viaje a México. Preston tenía razón: el chico del coche blanco mentía. O simplemente estaba equivocado, pensó. Ahora ya daba lo mismo. Lo que había pensado en la playa era cierto: Ellen había estado allí y eso era todo lo que había. Una fiesta en el rancho. Y el rancho era el final de la historia.

40

Dejó la habitación tal y como la había encontrado, iluminada solo por la pálida luz que se filtraba a través de las puertas acristaladas. Aquel espacio le parecía ahora más una tumba que otra cosa: en cuanto cerró la puerta a su espalda sintió como si algo en él se hubiera desvanecido, como si un pedazo de sí mismo hubiera quedado abandonado allí dentro.

Se topó con otra serie de escalones en el extremo más alejado del pasillo y con una puerta que daba al exterior. Salió y sintió el aire frío y húmedo en el rostro. Le ardía la cara, casi como si tuviera fiebre; atravesó un jardín a oscuras, bordeó la casa por un lateral y desembocó en uno de los patios donde se congregaban los invitados.

Era un grupo bastante grande. Unos se habían sentado en tumbonas y otros en el suelo. Ike se quedó un momento en el extremo del patio, buscando a Michelle y haciéndose cargo de la situación. Había invitados de todas las edades, aunque la mayoría parecían más jóvenes que Milo, más bien de la edad de Hound, y Ike recordó la conversación que acababa de escuchar desde el balcón: la pregunta del hombre de pelo plateado sobre el control y la respuesta de Milo de que en eso dependía de Hound.

Muchos de los invitados iban vestidos de manera informal,

con tejanos, ponchos mexicanos o cazadoras vaqueras. Otros, sin embargo, llevaban atuendos mucho más sofisticados, con llamativos trajes de noche que a Ike le parecieron más un disfraz que otra cosa. El tipo de ropa que llevaban parecía tener algo que ver con cómo estaban agrupados. Aquellos que iban vestidos de forma más normal se habían sentado en círculo en el suelo de cemento del patio, y cuando se fijó mejor vio que Hound Adams estaba entre ellos, sentado en el centro del grupo, en apariencia enfrascado en una conversación o debate con un hombre calvo y grueso que Ike no había visto antes. Estaba demasiado lejos como para entender lo que decían, pero sí vio que ambos movían la cabeza y de vez en cuando gesticulaban con las manos. El resto de los integrantes del círculo parecía seguir la conversación con cierto interés. Y aunque una parte de los invitados que iban más elegantemente vestidos se había acercado al círculo, la mayoría estaban desperdigados por el jardín, formando, ellos mismos, pequeños grupos.

A través de una puerta medio abierta, Ike acertó a distinguir a los dos hombres que había visto antes con Milo y Hound en la entrada. Podía ver el breve destello del cabello plateado del más alto. Lo que era incapaz de precisar era si Milo estaba con ellos o no. La música salía de la casa y se perdía por los brumosos jardines, y allí donde incidía la luz, las hojas devolvían un aspecto resbaladizo y húmedo. Ike se quedó en el mismo sitio un poco más, hasta estar seguro de que Michelle no se encontraba entre los invitados, y luego retrocedió, perdiéndose entre las sombras.

Ahora estaba desesperado por encontrarla. No quería atravesar el patio para volver a entrar en la casa. No quería arriesgarse a otro enfrentamiento con Hound o Milo, dado que aún no sabía qué se esperaba de él. Empezaba a sentirse bastante estúpido con aquella ropa. Le daba la impresión de que sus prendas se parecían un poco a esa especie de disfraces que llevaban algunos de los invitados. Pero también había algo más, se sentía como si ya hubiera cedido, como si ahora fuera el chico de Milo.

Retrocedió hasta la parte delantera de la casa para tratar de encontrar la puerta por la que había salido y de repente oyó el sonido de un motor poniéndose en marcha en mitad de la noche. Echó a correr por un estrecho camino y subió de un salto varios escalones de piedra que desembocaban en una gran extensión circular de césped justo en el momento en que los faros delanteros de un coche empezaban a acercarse entre la niebla. Las luces se desviaron cuando el vehículo describió la curva y entonces vio que se trataba de la furgoneta amarilla de Frank Baker. Frank debía de haberlo visto subiendo los escalones, porque aminoró la velocidad al pasar a su lado y Ike distinguió su rostro mirándolo a través de la ventanilla. No los separaba una gran distancia, quizá unos tres o cuatro metros, pero aun así estaba demasiado oscuro como para ver bien la expresión de su cara. El rostro se perdía entre las sombras, y lo único que vio bien fue el pelo rubio y rizado engominado hacia atrás, igual que la noche que lo había visto hablando con Preston Marsh en aquel callejón de Huntington Beach.

La furgoneta no llegó a detenerse. Frank se giró para mirar otra vez al frente y desapareció, y lo único que quedó fue el resplandor rojizo de los faros traseros desvaneciéndose entre los árboles y el sonido del motor atenuándose hasta quedar engullido también por el bosque y el silencio del rancho.

Al final encontró a Michelle en la sala de proyecciones de la que le había hablado. Era un cine pequeño, pero un cine a fin de cuentas. Tenía unas tres docenas de asientos, una pantalla y un pequeño escenario. Las paredes estaban cubiertas por gruesas cortinas de terciopelo, y en los espacios que quedaban al descubierto se veían piezas ornamentales de escayola que reproducían volutas, gatos al acecho y cabezas de leones que escupían una suave luz azul por sus mandíbulas abiertas. Michelle estaba sola. Se había sentado en una butaca de las primeras filas, junto al pasillo, y tenía una pierna levantada y apoyada sobre el reposabrazos, de forma que el vestido blanco dejaba al descubierto su muslo. Tenía una bebida en la mano, apoyada contra la rodilla, y cuando se volvió a mirarlo, a Ike le pareció que le costaba fijar la vista y parecía un poco amodorrada.

—¿No te encanta? —le preguntó cuando él se agachó a su lado—. Esta sala es increíble.

—Michelle, tenemos que irnos ahora mismo.

Ella parpadeó con un gesto un tanto ebrio.

—Me ha dicho que lo espere aquí. ¿De qué estás hablando?

De forma instintiva, Ike se volvió a mirar las pesadas puertas de madera que había al final del pasillo.

—Te digo que tenemos que irnos ahora mismo. —Le puso una mano en el hombro—. Mira, confía en mí, ¿vale? Te lo puedo explicar todo por el camino. Pero ahora tenemos que ponernos en marcha.

Michelle pareció hundirse un poco más en la butaca.

—Pero ¿por qué?

—Porque aquí está pasando algo muy turbio. —Hablaba muy deprisa, casi sin aliento—. ¿Te acuerdas de que pensábamos que mi hermana se había ido a México, porque eso era lo que nos había contado aquel chico? Vale, pues yo he venido hasta aquí porque tenía miedo de que tú te fueras a ir también. Y no quería que lo hicieras. Quería hablar contigo y convencerte, explicarte todo lo que sé. Pero no se trata de México, Michelle. Ellen nunca fue a México. La trajeron aquí, al rancho, y le hicieron algo.

Le estaba apretando el brazo con fuerza y Michelle trató de soltarse. Ike la sujetó con más firmeza aún, hasta que ella terminó gritándole que parara, y eso hizo. Le soltó el brazo y Michelle se lo frotó con la otra mano.

—Dios —dijo—, para un poco. Hound sabe por qué estás aquí y que eres hermano de Ellen. Y no he sido yo quien se lo ha contado.

—Lo sabe desde aquella fiesta en su casa. Acabo de hablar con él.

—Dice que estaba en Huntington Beach, pero que se fue, que se largó y que no quería que nadie la siguiera. Que no quería que tú la siguieras. Pero que no has sabido manejarlo bien y por eso te has inventado cosas.

—¿Y tú lo crees?

Michelle seguía frotándose el brazo, con la mirada gacha y fija en el suelo.

—No lo sé —contestó—. No sé muy bien qué creer. Tenías razón en una cosa. ¿Te acuerdas de aquella tienda de ropa en la que Ellen trabajó con Marsha? Yo quería que fuéramos, pero tú dijiste que no serviría de nada. Vale, pues estabas casi en lo cierto. La dueña, una señora mayor, me dijo que no sabía a dónde se había marchado Ellen, pero que había dejado un dinero pendiente de cobrar y que, aunque no era mucho, si yo le proporcionaba una dirección se lo mandaría. Iba a contártelo, pero nunca tuve la ocasión.

Ike se quedó callado un momento, pensando en lo que acababa de decirle e imaginándosela en la tienda comprobando aquello.

—Pero no sé, Ike —continuó ella—, te empezaste a comportar como un gilipollas y...

Ike se incorporó de repente y le arrancó del pelo uno de los prendedores de marfil. Ella soltó un grito agudo y breve y se llevó una mano a la cabeza mientras él le ponía el prendedor delante de la cara.

—¿Ves esto? —dijo—. Era suyo, Michelle. Era el maldito prendedor de Ellen. Se lo dio nuestra madre. Nunca se habría marchado sin él. Escúchame. Vi una foto. Hound se la había vendido a esos tipos que le pillaban droga. No pude verla bien, pero parecía una tía cortada en pedazos. —Negó con un gesto de cabeza—. No sé muy bien cómo. Pero toda esta mierda está conectada. Las películas de Hound y las chicas que busca, que siempre han salido huyendo de sus casas. Y lo que pasó en el barco. Hound llevaba una entrega de películas. Creo que se pasa el verano filmando esas mierdas y después se las enseña a Milo. Buscan algo, la gente adecuada, algo. Y luego vienen aquí. La fiesta de verano de Milo. ¿Te has fijado bien en este sitio? Podrían hacer cualquier cosa que quisieran aquí arriba y nadie se enteraría. Solo sé que va a suceder algo malo, Michelle. Justo aquí. Hound está muy raro, que tampoco es algo fuera de lo normal, pero ha intentado colarme todo ese rollo sobre que tengo que elegir, que si tomo la decisión correcta puedo convertirme en su socio o una mierda parecida. Pero yo no quiero ser su socio, Michelle. Yo ya he hecho mi elección, y a Hound no le va a gustar nada cuando la descubra. Por eso tenemos que largarnos ahora mismo.

Michelle por fin lo miraba en serio. Ike no estaba del todo seguro de que se creyera lo que acababa de contarle, pero no tenían tiempo para más. Se puso de pie y la levantó de la butaca. Al bajar la pierna del asiento, Michelle tiró al suelo la bebida y el vaso de cristal se hizo añicos.

—Ike... —trató de decir algo, pero no pudo acabar la frase, que quedó interrumpida por el sonido sibilante de la puerta al abrirse.

—¿No os estaréis yendo?

Las palabras les llegaron desde el fondo de la sala. Ike se giró y vio a Milo Trax y a Hound Adams de pie en el extremo del pasillo. Milo tenía algo en las manos, probablemente un rollo de película. Detrás de ellos estaban los dos hombres que Ike había visto antes, el tipo alto de pelo plateado y su corpulento amigo moreno.

—Hacen buena pareja, ¿no? —preguntó Milo; nadie le respondió.

Ike notó la opresión atenazándole el pecho. Miró a Michelle. Ella también lo miraba, con los ojos muy abiertos y la mirada clara. Pero ya era demasiado tarde.

Los cuatro hombres bajaron por el pasillo. Hound también llevaba algo en las manos, una bolsa de piel oscura. El tipo de pelo cano tenía las manos metidas en los bolsillos de la americana. Sonreía. Ike miró a los otros tres y luego miró a Hound Adams. Hound le sostuvo la mirada, pero no cambió el gesto, una expresión por completo vacía, hasta que finalmente la desvió hacia la pantalla y las gruesas cortinas. Y con ese simple movimiento pareció sugerir algo, que él se desentendía de todo el asunto, quizá. Hound ya había tenido su pequeña charla con Ike. Había hecho lo que había podido. Lo que sucediera a continuación era algo entre Ike y Milo Trax, o eso parecía.

—Os iba a proponer que nos drogáramos y grabáramos una película —dijo Milo—. «Deberíais hacer películas», como decía aquella canción. Y lo haréis, los dos.

Ike vio que el tipo del pelo gris observaba a Milo y sonreía.

—Siempre me he preguntado cómo manejabas estas cosas —dijo.

Hound Adams abrió la cremallera de la pequeña bolsa de piel y sacó una aguja y una jeringuilla, y también una goma de colores vivos.

—¿Qué es eso? —preguntó Michelle—. ¿Cocaína?

—Lo que ha prescrito el médico —dijo Milo, mirando a Ike—. ¿Verdad?

Ike no contestó. Miró a Milo y después se volvió hacia Hound Adams. Lo hizo de forma deliberada, dándole la espalda a Milo y a su amigo mientras esperaba a que Hound levantara la vista de lo que se traía entre manos. Cuando lo hizo, seguía teniendo una expresión vacía, como si Ike fuera un perfecto desconocido. Pero Ike había aprendido la lección. Sabía qué iba a decir a continuación; solo esperaba que no se le quebrara la voz. El corazón le latía con fuerza y le costaba respirar.

—No. No queremos —dijo—. Ninguno de los dos. Y basta de películas. —Seguía mirando fijamente a Hound Adams—. Y ahora nos vamos a ir.

Por supuesto sabía que eso no era verdad, pero aun así había querido decirlo, para que quedara constancia o algo parecido. Incluso estiró un brazo, como si fuera a darle la mano a Michelle y ambos fueran a salir de allí para irse a casa.

En algún punto a su lado, oyó que Milo soltaba una risita. Creyó intuir que también sacudía un poco la cabeza, con gesto decepcionado, pero no estaba seguro del todo. No quería apartar la vista de Hound, que poco a poco pareció cambiar ligeramente de expresión, o eso creyó. Empezaba a tener otra vez ese aspecto cansado que le había visto en el estudio de Milo. Pero seguía sin mirarlo. Estaba devolviendo con cuidado todo el material al interior de la bolsa y colocándola en una butaca frente a Ike y Michelle. Después, durante un segundo, sus ojos se encontraron. Y entonces Hound lo golpeó.

Fue todo tan rápido y el impacto, tan fuerte, que en un primer momento Ike ni siquiera supo dónde le había dado, solo que algo iba mal, muy mal, porque no podía hablar y comenzaba a ahogarse. Cayó de rodillas y Hound le agarró un brazo, aprisionándoselo entre su propio bíceps y el torso, mientras Milo comenzaba a remangarle la camisa. Ike miró a Milo, que tenía la vista clavada en la aguja y la boca fruncida en un gesto de desaprobación. Vio cómo le apretaban la goma en torno al brazo y cómo la aguja se le clavaba en la piel. No sabía muy bien qué esperar. Aguardó a sentir el subidón, pero no llegó. En lugar de eso, las cosas empezaron a perder nitidez, a ralentizarse y a extinguirse en la oscuridad. La sensación no era muy distinta de la que había notado cuando el médico lo había anestesiado en King City para curarle la pierna. Y en algún momento, mientras iba perdiendo la conciencia, le pareció oír a Michelle gritando y trató de volver en sí, pero fue inútil. Definitivamente se iba, se apagaba. Aun así, todavía podía distinguir sus caras: Hound y Milo observándolo detenidamente desde las alturas, casi mejilla con mejilla, como un par de cirujanos a punto de perder a un paciente. Pero había algo extraño en aquellas caras, la de Milo

totalmente contraída y sombría, con la diminuta boca fruncida como un niño malcriado a punto de soltar una pataleta. Y,
teniendo en cuenta el cuerpo de levantador de pesas que acompañaba esa cara, Ike sintió cierto alivio por la distancia que los
separaba. Hound, por su parte, no parecía enfadado, sino otra
cosa, preocupado, tal vez, o incluso asustado. Pero Ike estaba
confuso de una forma distante y despegada, y le sorprendía ser
el objeto de tanta preocupación. Y entonces —y ese sería el último detalle que sería capaz de recordar— se dio cuenta de que
en realidad no lo estaban mirando a la cara, sino más bien al
hombro, al tatuaje que había aparecido serpenteando por debajo de la manga de su camisa. Milo se agachó y Ike pudo notar
sus dedos pequeños y gruesos como dos hierros helados sobre
la piel antes de sentir cómo le arrancaba la camisa del todo para
poder ver bien el dibujo completo. Pero, al parecer, no les gustaba nada. Sorpresa. Ike sonrió. Sonrió a los pucheros de Milo.
Sonrió a la cara de miedo de Hound. Harley puto Davidson. Las
caras se desvanecieron.

41

Pensó que era una película, aunque también podría haber sido un sueño. Cuando la droga dejó de hacer efecto y abrió los ojos, lo primero que vio fue fuego. Había una hoguera justo enfrente de él y otras dos a los lados, y más luces prendidas sobre las llamas, unas luces distintas, como agujeros blancos en mitad de la noche. Le hacían daño a la vista. También se oía música, un sonido de percusión monótono y rítmico, similar al propio latido de su corazón, y por encima, un agudo lamento. Eran demasiadas cosas a la vez. Tenía náuseas y estaba desorientado, perdido en mitad de tanto ruido y tanto movimiento; todo parecía vibrar y acompasarse a aquel rítmico latido. Cerró los ojos y una suave brisa le acarició la cara. El humo de las hogueras se elevó en el aire y le quemó los párpados. El viento traía el aroma de los matorrales y de la salvia mezclado con el olor húmedo y ligeramente putrefacto de la lejana orilla del mar. Y luego empezó a notar otra cosa también, un fuerte y dulzón olor a incienso mezclándose con el humo, invadiéndolo todo poco a poco, hasta que anuló el resto de los aromas y se adueñó de toda la atmósfera. Se sintió al borde de la náusea y abrió los ojos.

Había un poste junto a cada hoguera, y de cada uno de ellos colgaba un animal sacrificado. Sobre el fuego que tenía más cerca vio que pendía una masa peluda y ensangrentada de color pálido, unas mandíbulas negras abiertas, unos dientes blancos y una lengua oscura. Había más sangre en el poste. Apartó la mirada. Ahora era capaz de distinguir más cosas, pero era como si lo hiciera a cámara lenta, al compás de ese extraño sonido rítmico y lento y de la rara mezcla de luces, humo e incienso. También cobró conciencia de un dolor sordo en la base del cráneo y de lo increíblemente débiles que notaba las extremidades. Vio que estaba sentado en el suelo, junto a otras personas, y que entre todos formaban un gran círculo. Dentro de ese primer círculo había otro, en cuyo centro reposaba un enorme círculo de piedras con una roca plana justo en el medio, y entonces por fin se dio cuenta de dónde estaba: era el mismo sitio al borde del acantilado desde donde había divisado la casa por primera vez, el mismo sitio donde Preston se había peleado con Terry Jacobs y donde también había visto un animal muerto; los dientes blancos, la lengua negra, los ojos vacíos.

Las hogueras —ahora era capaz de ver que eran cuatro— ardían colocadas en lo que parecían cada uno de los puntos cardinales: una en el borde del círculo más próximo al mar, otro en la parte que daba al bosque, y las otros dos entre medias y a la misma distancia. También se fijó en las líneas que había dibujadas en el suelo y que partían del centro y conectaban con la circunferencia de piedra, que estaba rodeada por las cuatro hogueras, colocadas entre el círculo de personas y el de piedras. Las líneas parecían haber sido escarbadas en la tierra y, después, salpicadas con sangre.

Más allá del círculo de personas, del que él mismo formaba parte, solo fue capaz de distinguir las tenues siluetas de lo que parecían ser más personas. Estas, sin embargo, llevaban túnicas oscuras y capuchas, y resultaba muy difícil precisar cuántas eran, porque se confundían fácilmente con la noche. En varios puntos, la luz de las hogueras iluminaba trozos de carne —pechos desnudos y caras como la suya—, aunque muchas otras estaban pintadas con una pasta de color oscuro. Trató de localizar de dónde salía la música; no parecía venir de nadie que tuviera al alcance de la vista, sino más bien del bosque, como si todo el lugar estuviera equipado con hilo musical. En el extremo más alejado del claro parecía haber algún tipo de estructura a la que iban enganchadas las brillantes luces blancas, tan intensas que resultaba difícil mirar en esa dirección, por lo que apenas pudo ver nada. Tampoco había rastro de Milo Trax o de Hound Adams, pero justo en ese momento fue cuando vio a Michelle.

La transportaba hacia el claro una de las figuras vestidas con una túnica y con capucha. Debía de ser un hombre, porque era alto y lo suficientemente fuerte como para llevarla sin esfuerzo sobre los brazos extendidos. El hombre atravesó los distintos círculos hasta llegar al centro y allí se detuvo y la depositó tendida sobre la espalda encima de la roca rectangular que marcaba el punto exacto en mitad de los círculos. Inmediatamente, un rayo directo de luz iluminó su cuerpo.

La figura que la había portado se quedó de pie y se quitó la capucha, y Ike pudo comprobar que se trataba del hombre calvo que había visto hablando con Hound Adams en el jardín. Era difícil adivinar la edad que tenía. Una corona de pelo claro le bordeaba la parte baja del cráneo, pero no pudo precisar si era rubio o plateado. El hombre se quedó inmóvil, absorto en los árboles y la música, y a Ike le dio la impresión de que tenía la cara lisa y sin arrugas. Michelle no se movía. Seguía llevando el vestido blanco. Después de permanecer inmóvil unos cuantos segundos, el hombre se inclinó de repente sobre ella y con un solo y rápido movimiento le rasgó el vestido, dejando que la pieza de tela blanca quedara extendida a ambos lados de la piedra. La superficie era ligeramente convexa, de forma que el cuerpo de Michelle quedaba arqueado, las piernas hacia abajo, la cabeza echada hacia atrás y el torso elevado hacia la noche. Ahora estaba desnuda, y con la roca oscura debajo y el negro cielo encima, su cuerpo, con los brazos estirados hacia atrás como en un esfuerzo por alcanzar el suelo y los dos pechos planos, parecía un esbelto arco blanco. Había algo terriblemente bello en aquello, pensó, y algo que lo hacía estremecerse de horror. No podía dejar de mirarla. La recordó en la playa, la piel cálida al sol, ardiendo bajo sus dedos.

Alguien le pasó al hombre un recipiente grande de cerámica y él comenzó a ungirla, salpicándola por encima con lo que parecía sangre de los animales sacrificados. Se centró sobre todo en el abdomen, hasta que finalmente inclinó el recipiente y lo vació sobre sus genitales. Michelle seguía sin moverse. El hombre dejó la vasija en el suelo y colocó su cara entre las piernas de ella.

A Ike lo invadió una gélida náusea. Quería moverse, pero el malestar seguía recorriéndolo en oleadas. Era como si una corriente de plomo hirviendo circulara por su cuerpo y lo volviera demasiado pesado como para permitirle moverse. Se inclinó hacia delante, haciendo lo posible por avanzar, por levantarse e ir hacia ella, pero una mano surgió de la nada y lo fijó en el sitio.

—Mira —ordenó una voz, y la reconoció: era Hound Adams.

Pensó en la foto que había entrevisto en los acantilados de Huntington Beach. ¿Era sangre de animal o la sangre de la propia chica lo que se veía en la imagen? ¿Quién era esa gente y hasta dónde pretendían llegar?

Nunca llegaría a saberlo. Fuera lo que fuese lo que Milo Trax había planeado para su fiesta de fin de verano, seguro que no incluía el poderoso rugido que de pronto sacudió el suelo como un trueno sordo procedente de algún punto por debajo de ellos. El estruendo se elevó en el cielo nocturno acompañado de un vibrante resplandor rojizo que se extendió muy por encima de la luz que proyectaban las hogueras. Ike notó que la mano que tenía en el hombro lo soltaba y que Hound Adams se dirigía hacia el claro. Hound no iba vestido con aquellos ropajes oscuros, sino con unos pantalones de algodón blanco y un poncho mexicano, y destacaba poderosamente en contraste con el resto de las figuras oscuras que lo rodeaban. En ese momento, Ike vio a Milo Trax desmarcándose desde el lado opuesto del círculo y entrando también en el claro. Era cierto que Hound, a pesar de llamar la atención con sus pantalones blancos y su poncho, podría haber sido parte de la escenografía por el contraste del blanco y el negro de su ropa, pero Milo, sin embargo, llevaba unas bermudas azules y una colorida camisa hawaiana. Se había puesto una gorra de capitán hacia atrás y, a pesar de la oscuridad, seguía llevando las pequeñas gafas de sol de montura metálica.

· El hombre que estaba arrodillado delante de Michelle había levantado la cabeza y miraba a su alrededor, a Hound y a Milo, con la cara embadurnada de aquel líquido oscuro. Tenía la túnica abierta y Ike distinguió por primera vez el collar de calaveras sobre su pecho y el destello de un objeto metálico sujeto a su cintura. Varios de los demás habían empezado a revolverse también, inquietos, y miraban en dirección al bosque, donde la música había dejado de sonar.

Fue un momento muy extraño, como un fotograma congelado en el tiempo. Ike aguardó, esperando a que se produjera algún movimiento, pero no sucedió nada. Todos los demás, Milo, Hound, el hombre que estaba junto a Michelle, parecían petrificados en el sitio, a la espera, también, de que ocurriera algo. Y entonces Milo se llevó la mano a la cara y se quitó las gafas. Las sostuvo en el aire unos segundos y luego las tiró al suelo con un gesto de disgusto. Se giró levemente y dijo algo por encima del hombro. «No, esto no forma parte de ello», le pareció oír que decía, y entonces vio que su interlocutor era el hombre de pelo plateado y chaqueta americana. Estaba en el borde del claro, debajo de las luces blancas, y apenas se lo veía.

Milo se volvió a mirar la casa, en la dirección de la que procedía el rugido, transformado ahora en una especie de chisporroteo distante, y Ike vio que tenía un pequeño bastón en la mano, como una especie de fusta. Lo observó darse unos golpecitos en la pierna con ella y luego ejecutar un extraño movimiento:

levantó la fusta y la blandió en lo alto, agitándola en dirección al bosque, casi como si con ese gesto pudiera alterar el curso de los acontecimientos, pensó Ike, como si se tratara de una varita mágica. Había algo cómico en todo aquello, en la absurda figura de Milo Trax, su cuerpo menudo y compacto, la camisa chillona, la pequeña fusta. Pero entonces el movimiento cesó y la escena comenzó a desvanecerse.

A Ike le costó un momento relacionar los sordos estallidos procedentes del bosque con los movimientos de Milo. En un segundo pasó de estar de pie en el claro con el brazo levantado, a estar tirado de espaldas en el suelo, y luego de lado, con varios agujeros en el pecho, oscuros y desagradables, allí donde la camisa empapada se le pegaba a la carne. Y oyó también ese extraño gorgoteo, un sonido que supo que le costaría olvidar, como si los agujeros estuvieran succionando el aire y expulsando, a su vez, una sustancia oscura. Pero ese momento de silencio y quietud en el que el estertor fue audible duró muy poco, porque de repente toda la escena dejó de ser un plano fijo e inmóvil. La descarga de adrenalina desatada por el terror sacudió finalmente el nervio colectivo y la noche se convirtió en un enorme circo de movimiento y gritos, pánico y muerte. Y si aquel grupo de figuras encapuchadas, de mentes trastornadas y colocadas con cualquiera que fuera la retorcida combinación de sustancias que se habían metido, se había congregado allí para llevar a cabo algún tipo de rito satánico o para invocar a algún demonio, les debió de parecer que lo habían logrado. Porque seguramente hubo quienes pensaron que el gigante semidesnudo que descendió entre los árboles con el cuerpo cubierto de un laberinto de símbolos oscuros y las manos envueltas en llamas era el mismísimo Lucifer.

Después todo fue una enorme confusión. Muchos se quitaron la capucha, tratando de localizar una vía de escape. Otros corrieron a ciegas en mitad de la oscuridad y desaparecieron por el borde del acantilado. Los gritos quedaban ahogados y anulados por el rítmico martilleo del rifle automático. El principal recuerdo que Ike conservaría de todo aquello sería su increíble esfuerzo por moverse, por forzarse a sí mismo a ponerse a cuatro patas y reptar hasta donde Michelle seguía tumbada —ahora con las manos en la cara, llorando— para arrastrarla consigo. La operación consumió todas sus fuerzas y no hubo margen para nada más, aunque sí se llevó con él todo un collage de imágenes: caras retorcidas y borrosas en mitad del frenesí o congeladas en un rictus de muerte; el propio Preston, con el pecho desnudo, pantalones negros y boina, varios cables cruzándole el pecho, como si fuera enchufado a algo, la caja oscura debajo de un brazo, el arma automática escupiendo fuego y un extraño detalle: su mano no estaba fijada exactamente en el punto donde hubiera debido estar el gatillo, sino un poco desplazada hacia un lado. Llevaba acoplada una palanca de embrague suicida y la usaba para disparar en lugar de para cambiar las marchas, como Ike le había dicho que podía hacer. Y había más, fragmentos que no recordaría hasta más tarde, como la imagen del amigo moreno del hombre de pelo plateado, de pie junto al círculo de piedra, disparando una pistola. La sujetaba con las dos manos y apuntaba entre los árboles. El arma hacía un ruido cómico, como si estuviera disparando chapas. Y entonces, en el suelo, a los pies del hombre que sostenía la pistola, Ike vio al tipo que había traído a Michelle, lo suficientemente cerca del círculo de piedra como para darse cuenta de que prácticamente debía de haberse arrastrado por encima de él para llegar hasta ella, aunque no lo había visto hasta ese momento, cuando ya se disponían a huir en dirección a la playa. El hombre ya no era calvo, porque no quedaba nada donde antes había estado la cabeza, volada de un disparo. Estaba tendido de espaldas, pero con las piernas dobladas por debajo en un ángulo imposible. La túnica le caía, abierta, a los lados del cuerpo, y Ike pudo ver con detalle lo que antes solo había adivinado, el objeto metálico ceñido a su cintura. Era un puñal muy largo, con la empuñadura tallada y refulgente aún, bajo las brillantes luces blancas.

En cuanto a Hound Adams, fue la última persona que vio antes de desaparecer al otro lado del acantilado. Estaba de espaldas al mar, orientado en dirección a los disparos, con los pies ligeramente separados y las manos colgando a los lados, y a Ike su postura le recordó al día que le había salvado el culo enfrentándose a los moteros en el aparcamiento. Esa fue la última vez que lo vio. A Hound Adams y al tipo de pelo negro con la pistola, los únicos que no estaban aterrorizados de miedo. Después, a menudo se preguntaría cómo habría terminado aquello, cómo habría sido la escena final. ¿Se habrían encontrado finalmente Hound Adams y Preston Marsh cara a cara en el claro? ¿Se habría producido ese momento de silencio, cargado de tensión y solo alterado por el ruido de las olas a lo lejos, como el último latido de un sueño que se torna pesadilla? «¿Qué haces cuando algo se pudre?», le había preguntado Preston una vez, y Ike no había contestado, pero Preston sí, y seguía contestando cuando una última explosión sacudió el acantilado por encima de ellos, lanzándoles encima una lluvia de rocas y tierra que los obligó a detenerse y ponerse a cubierto. Y después, reanudaron el descenso en dirección a la playa, las piernas blandas y flojas como si fueran de goma, prácticamente sin aliento, el pecho ardiendo, moviéndose como en sueños, y por momentos, mientras resbalaba y se deslizaba entre la maleza y la tierra, tuvo la sensación de que sí, de que todo aquello tenía que ser un sueño, o al menos algún tipo de retorcida alucinación provocada por la droga, de la que, al final, terminaría despertando.

42

Michelle empezó a recobrar la conciencia cuando llegaron a la playa, pero aun así, todavía no era capaz de caminar sin ayuda. Se quedaron agazapados entre las sombras del acantilado y Ike no dejó de hablarle ni de moverla para tratar de que siguiera despierta. Después se desvistieron —Michelle se desprendió de los ensangrentados restos de tela blanca— y se metieron en el agua helada. Por encima de ellos, sobre la dentada y oscura cresta de los acantilados, todavía podían distinguir un resplandor naranja en el cielo. Sin embargo, ya no se oían voces y la música había cesado. Una quietud total se había adueñado de la noche. Estaban solos en la playa y el único sonido que oían era el de las olas, y luego, finalmente, como llegado de otro mundo, el distante ulular de las sirenas.

Mientras seguían el camino de la vía férrea en dirección a la ciudad no hablaron de lo sucedido. En lugar de eso, se centraron en pequeños detalles: cuánto dinero les costaría el viaje de regreso, cuánto se alargaría el camino. Michelle había perdido los zapatos y Ike le dejó los suyos. Seguía bastante atontada y le costaba mantener el equilibrio sobre las traviesas de la vía. En un momento dado, se detuvo y vomitó.

Ike era incapaz de precisar si el camino era largo o corto. A veces le parecía que llevaban horas caminando y otras, que acababan de echar a andar. Contó traviesas, perdió la cuenta y empezó de nuevo, los pies desnudos golpeando contra la áspera madera, hasta que por fin las luces que en un principio no habían sido más que un débil resplandor en el horizonte fueron creciendo y concretándose hasta anunciar la ciudad.

Entraron en los baños de una estación de autobuses y trataron de adecentarse un poco. Aun así, Ike se preguntó qué impresión debían de causar. Michelle iba envuelta en una de las túnicas negras que Ike había encontrado al pie de los acantilados y él llevaba los pantalones completamente manchados de tierra y la camisa rasgada (había terminado por arrancarse también la otra manga, pensando que quedaría mejor). Vio que algunas personas se detenían y se quedaban mirándolos, y tuvo un momento casi de pánico cuando se planteó si los dejarían subir a un autobús en ese estado. En Huntington Beach podrían haber pasado por punks. No tenía ni idea de por qué los tomarían allí, pero trató de ser lo más educado posible cuando se acercó a la ventanilla a comprar los billetes, donde una mujer mexicana gorda apenas le dedicó una segunda mirada.

Cogieron un autobús Greyhound hasta Los Ángeles y allí cambiaron a un Freeway Flyer. En la ciudad ya no llamaban tanto la atención, pensó. Tenía la impresión de que el autobús interurbano que habían cogido en Los Ángeles era el mismo en el que había llegado la primera vez, la noche que había escapado del desierto. No sabía por qué, ni siquiera era capaz de recordar el número de la línea, pero esa era la sensación que le daba. Michelle consiguió dormirse; él no. Pensó en lo del autobús. Pensó en lo que harían cuando llegaran a Huntington Beach. Acercó a Michelle hacia él, de forma que su cabeza reposara en su pecho, y le acarició el pelo mientras ella dormía.

El autobús atravesaba con un zumbido la carretera desierta. La noche se deslizaba, rauda a su paso. Notaba la vibración del motor en las piernas y en la columna vertebral, pero aquello no lo ayudó a conciliar el sueño. Se sentía atrapado en aquel espacio vertiginoso donde no lo vencía el sueño, pero donde sí podía soñar sin estar dormido, con los ojos muy abiertos, y soñó con el desierto, con unas piernas morenas y delgadas manchadas de polvo. Analizó a la gente que lo rodeaba, observándolos desde dentro del sueño, y se preguntó si serían como él, si sus vidas serían tan confusas. Se preguntó si cada uno de sus corazones albergaba un oscuro secreto. Observó sus caras dormidas, las bocas abiertas, los ojos firmemente cerrados. Observó a un hombre mayor vestido con uniforme de trabajo gris fumando despacio y mirando desde una ventana. ¿Qué sabía del mundo esta gente? ¿Sabían que todavía existían humanos que mataban animales y bebían su sangre, que oficiaban ritos sacrificiales frente al mar, en lo alto de un acantilado? Y si llegaran a saberlo, ¿les importaría? ¿O esas caras eran tan solo unas ingeniosas máscaras tras las cuales se escondía una sonriente calavera que miraba lascivamente, con los dientes manchados de sangre? Sacudió la cabeza. Estaba agotado, se dijo; cómo iba a saber nunca qué pensaba cualquiera de ellos. Observó a Michelle, su rostro redondeado y suave, y se preguntó qué había llegado a ver y cuánto recordaría. Lo único que le había contado, mientras esperaban en la estación de autobuses, era que, después de que él perdiera la conciencia en la sala de cine, Milo se había puesto furioso, había dicho algo sobre el tatuaje, sobre que todo estaba mal y que aquello lo estropeaba todo, y luego la habían drogado también a ella, y lo último que recordaba era a Milo Trax lanzándole a Hound Adams una lata con un rollo de película y a Hound dándose media vuelta y marchándose. Ike se quedó dándole vueltas a aquello durante mucho rato. ¿Había sido el tatuaje lo que había hecho que él acabara sentado en el círculo en lugar de en el centro, junto a Michelle? Se volvió de nuevo hacia ella y la miró mientras dormía, pensando en todas las cosas por las que había tenido que pasar, pero su rostro no delataba nada, estaba tan vacío como el de la gente que la rodeaba, tan vacío como el suyo propio, que le devolvía la mirada desde el espejo negro en que se había convertido la ventanilla. Su cara parecía estar ahí colgada, en un ángulo extraño: una imagen de sí mismo observándolo mientras se observaba, una imagen colgada del oscuro cielo nocturno, suspendida sobre la nada.

Cuando llegaron a Huntington Beach pasó muy mal rato tratando de despertarla. Al final, como eran los últimos pasajeros que quedaban dentro, el conductor se acercó a ellos y se produjo otro momento terrible, casi de puro pánico, cuando los dos trataron de reanimarla. Después de un rato, Michelle por fin comenzó a despertarse y consiguieron ponerla de pie.

—¿Qué se ha tomado, tío? —le preguntó el conductor.

Había retrocedido unos pasos y los miraba a los dos. Ike dijo que no lo sabía.

—A lo mejor debería verla un médico —añadió.

—No, no hace falta. Está bien, solo es cansancio.

El conductor entornó los ojos y les lanzó otra mirada. Era un tipo alto y fibroso, y llevaba una enorme hebilla de vaquero en el cinturón. Ike vio que le miraba el tatuaje. Finalmente se hizo a un lado y los dejó pasar, pero pudo sentir sus ojos perforándole la espalda mientras bajaban los escalones del autobús. Estaba claro que sabía distinguir algo turbio en cuanto lo veía.

43

Por la mañana decidieron que Michelle regresaría a casa de su madre, al menos por un tiempo, y esperaría allí hasta que Ike se pusiera en contacto con ella. La decisión fue más bien de Ike, pero Michelle estuvo de acuerdo. Era curioso cómo funcionaban las cosas. Hacía no mucho había estado dispuesto a escaparse con ella, a huir a donde fuera mientras lo hicieran juntos. Pero lo sucedido esa noche lo había cambiado todo. A lo mejor era porque quizá ahora tenía una idea más clara de lo que le debía a Preston. O porque no le gustaban los cabos sueltos. A fin de cuentas, en el papel había tres nombres: Terry Jacobs, Hound Adams y Frank Baker.

Acompañó a Michelle de vuelta a la estación y esperó con ella a que llegara el autobús. Habían pasado la noche en el Sea View, en la habitación de Michelle. Por la mañana, ella había estado mucho rato en la ducha y luego, para regresar a casa, se había vestido con una sencilla blusa blanca y una falda verde claro. La falda era una de sus prendas antiguas, la había comprado en una tienda de segunda mano antes de conocer a Ike. No cogió ninguna maleta. Todo lo demás —la ropa nueva que le había comprado Hound, los artículos de aseo, las fotos, las plantas—

lo dejó allí. «Porquerías», dijo cuando Ike le preguntó por ello, y salieron por la puerta sin mirar atrás.

Ahora estaban sentados en un banco de madera con la espalda apoyada en una pared de ladrillo y las caras vueltas hacia el pálido sol. Se habían cogido de la mano, pero a Ike le pareció que había algo triste, incluso distante, en el rostro de ella, y también en el silencio que se interponía entre ambos. Quería decirle muchas cosas, pero no sabía cómo empezar, y entonces fue Michelle la que se adelantó y habló. Lo hizo con tono suave, y la pregunta sonó dubitativa, como si quisiera hacerla pero le resultara difícil pronunciar las palabras.

—Ike —dijo—, ¿qué crees que habría pasado?

—No lo sé.

Ella quiso añadir algo más, Ike lo intuyó en su rostro, pero al final no lo hizo. Supuso que tendría que ver con Ellen. Vieron que el autobús aparecía a lo lejos y se detenía en el cruce entre Walnut y Main. En unos minutos llegaría el momento de despedirse.

—Quiero decirte algo —empezó Ike—. No estoy seguro de por qué. Pero quiero que lo sepas. Esa noche en tu habitación, después del cine. Fue mi primera vez.

Ella se giró y lo miró. El sol le iluminaba un lado de la cara, mientras el otro quedaba en sombra.

—¿Y tu chica del desierto?

—Nunca hubo ninguna. Solo Ellen.

Michelle se volvió a mirar la calle.

—¿Ellen era la chica?

—No. No de la forma en que te lo conté. Tú fuiste la primera.

Se detuvo y echó otro vistazo al autobús. Siguió hablando con la vista puesta en la calle:

—Ellen y yo estuvimos cerca una vez, y creo que lo habríamos hecho si ella no hubiera parado. Yo quería, o pensaba que quería. En realidad no sé muy bien el qué. Se me mezclaba todo. Pero lo que está claro es que me volvía loco pensándolo. Y un día la vieja nos pilló juntos en el sótano. Ellen estaba desnuda porque se había quitado el vestido para lavarlo después de pasar la noche con algún tío, pero eso no fue lo que interpretó nuestra abuela. Se pensó que el tipo en cuestión era yo y que estábamos allí abajo follando o cualquier mierda así, y mientras permanecí allí tuve que aguantar que se pasara el día diciéndome lo depravado que era. Lo gracioso es que nunca traté de llevarle la contraria. Creo que era como en aquel pasaje de la Biblia, ¿sabes?, cuando Jesús dice que si un hombre mira a una mujer con lujuria es como si en su corazón ya hubieran pecado. Creo que me pasaba algo así. Lo había deseado y solo por eso era culpable.

Michelle lo había estado observando mientras hablaba, sin que su expresión manifestara nada. Cuando él terminó, esperó un momento y luego dijo:

—Durante un tiempo fui al colegio con una chica que se liaba con su hermano. A ella le parecía como de broma. A los dos, de hecho. Quiero decir, los dos se lo contaban a sus amigos, como si fuera gracioso o algo así. A mí me parecía un poco raro, pero tampoco le veía mayor problema. Creo que sí lo habría sido si se hubiera quedado embarazada. O a lo mejor yo era demasiado tonta como para saber qué pensar.

Se encogió de hombros y se volvió a mirar la calle, pero luego se giró otra vez hacia él y sonrió levemente. Era la primera vez en mucho tiempo que la veía sonreír.

—Pero te imagino ahí en el desierto, volviéndote loco por algo que ni siquiera había sucedido.

—Ya, pues sí. —Ike sacudió la cabeza y soltó el aire muy despacio—. La verdad es que ahora parece que hace una eternidad de todo eso. A veces hasta me cuesta creer que aquel fuera yo y no algún estúpido paleto.

—No creo que fueras estúpido. Lo que pasa es que te criaste entre imbéciles, gente con la que no podías hablar. Igual que yo.

—Sí, eso es parte del problema. Pero creo que tampoco puedes echar toda la culpa a los demás.

El autobús estaba entrando en la estación y Ike se dio prisa.

—Creo que parte de lo que ha pasado este verano, toda esa mierda con Hound, tiene algo que ver con la imagen que tenía de mí mismo cuando llegué aquí. Si no dejan de repetirte todo el tiempo que estás jodido es como si al final acabaras creyéndotelo. ¿Sabes a lo que me refiero? Y entonces, de pronto te das cuenta de que efectivamente la estás cagando pero bien y tienes la tentación de decirte, «vale, pues que le den a todo. ¿Te piensas que soy mal tipo? Pues no has visto una mierda aún, tío. Ahora verás de lo que soy capaz», ¿me entiendes?

Hizo una pausa, desesperado por encontrar la forma de terminar de explicar aquello, mientras Michelle miraba el autobús.

—Pero eso es solo una parte, Michelle. O sea, una parte de mí quería que pasara lo que pasó. Pero sin asumir ninguna responsabilidad por ello. Pensaba que me podría librar si echaba la culpa a otras cosas: que me había criado entre gilipollas, que mi vieja me había jodido la vida, lo que fuera.

Ahora que había arrancado le resultaba difícil parar. Michelle se levantó.

—Me tengo que ir, Ike. El autobús.

Ike se levantó también. Cogió aire y cuando volvió a hablar lo hizo más calmado.

—Nada, es que he estado pensando en estas cosas últimamente. Solo quería que lo entendieras.

—Lo entiendo —dijo ella, y le puso una mano en el brazo—. Todo el mundo la puede cagar.

La acompañó hasta la puerta del autobús. Su pelo, suave y dorado bajo la luz del sol, se mecía bajo la leve brisa. Nunca la había visto tan pálida.

—También fue culpa mía. Pensé que lo de Hound iba a ser un viaje de verdad. Hasta me dijo que podría tener un caballo en el rancho y que alguno de los vaqueros me enseñaría a entrenarlo.

Se encogió de hombros y luego subió al autobús. Ike se quedó allí hasta que se hubo marchado. Primero la siguió a través de los cristales hasta que ella encontró un asiento y después esperó hasta que el autobús arrancó y se perdió en la distancia. Luego regresó al Sea View. Su habitación estaba fría y a oscuras, con las persianas bajadas. Se metió otra vez en la cama y durmió muchas horas. Y ningún sueño vino a perturbarlo.

44

La noticia empezó a aparecer en los periódicos al día siguiente. La mayoría de los artículos se centraban en la historia de Milo Trax, hijo único de un famoso director de Hollywood. Destacaban sus prometedores inicios como director y su posterior caída en desgracia, su relación con las drogas y la pornografía, su posible implicación en un asesinato ritual que seguía siendo investigado y, por último, su muerte violenta en la propiedad de su padre.

Ike leyó alguno de los artículos, pero la descripción del incidente en sí no acabó de cuadrarle en ningún caso. Solo mencionaban a Preston Marsh y a Hound Adams de pasada. Preston aparecía retratado como un motero trastornado y drogata, una víctima psicótica de Vietnam. Se creía que los asesinatos estaban relacionados con las drogas y que Preston podía haber sido víctima de alguna estafa. Ike dejó de leer los periódicos. En realidad, solo un único detalle había llamado su atención: por lo visto, tras el fallecimiento de su hermana y de su padre, a Hound Adams solo lo sobrevivía su madre, la señora Hazel Adams, de Huntington Beach. Leyó esa noticia muchas veces. Y un día incluso bajó hasta Ocean Avenue y se sentó en el muro de piedra que rodeaba el colegio. Era el mismo sitio donde se había sentado al principio del verano, y no dejaba de resultarle un misterio por qué volvía allí ahora. Era como una pieza más de algo, un patrón que ni siquiera conseguía entender.

Aquel día no vio a la anciana. Se quedó mirando las desvaídas paredes de estuco, los setos cuidadosamente recortados, las ventanas vacías, y se la imaginó allí dentro, murmurando por lo bajo, horneando pan para las visitas que nunca llegaban, esperando llamadas de teléfono que nunca se producirían. Se quedó allí sentado hasta que una tristeza casi inaguantable se apoderó de él. Y entonces se levantó y se fue.

Quinta parte

45

Enterraron los restos que habían podido recuperar de Preston Marsh el 25 de septiembre. El funeral se celebró en un lugar desolado más allá de Long Beach, la tierra baldía que Preston había dejado atrás hacía mucho tiempo. Ike hizo el viaje solo, en autobús. Se bajó en la parada correspondiente y desde allí caminó el trecho que lo separaba del cementerio. Cuando el servicio terminó, deshizo el mismo camino, cogió otro autobús y se marchó, sin llegar a tener muy claro dónde había estado. Le daba la impresión de que los pueblos se sucedían uno tras otro, conformando un laberinto de casas de paredes de estuco, estaciones de mercancías y solares desangelados. Aquel territorio de vallas publicitarias y centros comerciales era un lugar tan monótono y desolado que se preguntó si alguna vez el desierto le había parecido tan aburrido.

Había sido Barbara quien lo había llamado para avisarle del funeral. Lo hizo el mismo día de su visita a casa de la señora Adams. Su voz tenía un tono metálico y sonaba muy distante. Llevaban mucho tiempo sin hablar. Ella seguía en contacto con los padres de Preston y había pensado que a Ike le gustaría saberlo. Cuando él le preguntó si iba a ir se produjo un silencio y después ella contestó que no lo sabía. El día del funeral la buscó al llegar al cementerio, pero no la vio. No fue algo que lo sorprendiera.

El funeral no se celebró en una iglesia, sino que consistió en una sencilla ceremonia en el propio cementerio. Ike se sentía asfixiado e incómodo embutido en un traje de doce dólares que había comprado en una tienda de segunda mano de Huntington Beach. Había muy poca sombra entre las pulidas lápidas y la hierba desnuda. El sol se alzaba en lo alto de un cielo gris y el silencio tan solo se veía alterado por el paso ocasional de algún avión, algo que parecía suceder a intervalos regulares, como si el cementerio reposara justo debajo de las rutas aéreas de algún aeropuerto cercano.

Ike se había preguntado qué podía esperar de aquello. Había menos gente de la que se había imaginado. La gran popularidad de la que le había hablado Barbara y de la que había visto constancia en las revistas se había desvanecido con el tiempo. Entre los asistentes solo había unos pocos tipos de la edad de Preston, menos de media docena, que probablemente lo recordaran de otros tiempos, de la época en que, siendo un chaval, había dejado atrás esa tierra yerma para labrarse un nombre a la sombra del viejo muelle de Huntington Beach. También había unas cuantas personas mayores, amigos de los padres de Preston, supuso. El resto eran moteros, unos doce en total. Entre ellos estaba Morris, pero no cruzaron ni una sola mirada en todo el servicio. Habían venido con sus mejores galas y sus motos estaban aparcadas justo detrás de ellos, en el estrecho camino de grava que discurría entre la hierba. El metal cromado de las carrocerías refulgía bajo el sol del mediodía y era casi imposible mirarlas.

El padre de Preston fue el encargado de decir unas palabras. A Ike lo primero que le sorprendió fue su voz: no era la voz de un predicador, o al menos no se parecía en nada a las voces de los predicadores de la radio que escuchaba su abuela, los únicos que él había oído en su vida. Tenía una voz normal y corriente, y sonaba cansado. Era un hombre ya mayor, muy alto, más que Preston, aunque no tan corpulento, y había algo en él, en su voz, que transmitía dureza; cuando lo miraba, Ike podía ver reflejado en él a su hijo.

Iba vestido con un traje azul de aspecto barato y llevaba corbata y zapatos negros. Tenía el pelo canoso y fino, y de vez en cuando se lo levantaba una de las breves ráfagas de viento que barrían los ardientes rectángulos de hierba. Sostenía una Biblia en una mano y los dos brazos le colgaban rectos junto al cuerpo. Encaraba a su desastrado rebaño desde el otro lado de la tumba abierta de su hijo; junto a él, la brillante y pulida superficie del ataúd refulgía igual que las motos aparcadas en el camino.

—Creo que es mi deber ante Dios —comenzó, y su voz rasgó el aire gris y cálido— decir unas palabras. No seré yo quien juzgue a mi hijo. Eso solo le compete a Aquel que es capaz de leer los corazones. Pero no puedo presentarme hoy aquí, delante de todos vosotros, sus amigos, sin decir unas palabras.

Fijó la vista en los ojos ebrios de los presentes y ellos le devolvieron la mirada, sus pendientes brillando al sol, las barbudas caras goteando sudor, y Ike se imaginó que hacía bastante tiempo que la mayoría de ellos no aguantaba de pie un sermón.

—No tengo intención de alargarme mucho —continuó.

La suave brisa le levantó el pelo; sobre su cabeza, una avioneta retumbó en el cielo. Hizo una pausa, mientras esperaba a que el ruido se extinguiera.

—Solo me gustaría recordaros las palabras de Juan: «Porque tanto amó Dios al mundo que entregó a su único Hijo, para que ninguno de los que creen en él perezca, sino que tenga vida eterna». «Y esta es la condena, que la Luz vino al mundo, pero los hombres amaron más las tinieblas.» —Miró a los sudorosos hijos de Satanás al otro lado de la tumba abierta—. Se nos ha dado la opción de elegir, «pongo delante de vosotros la vida y la muerte, la bendición y la maldición».

Por primera vez, pareció vacilar. Agachó la cabeza y miró la fosa que se abría a sus pies. Ike se retorció dentro del traje. El sudor se le colaba por el cuello de la camisa y le corría por la espalda. Sentía lástima por aquel hombre. Preston era su único hijo, y se preguntó si el viejo sabría que existía una diferencia entre su hijo y aquella desastrada recua que tenía delante, si sabría que el rastro de destrucción que Preston había dejado a su paso antes de morir no tenía su origen en un deseo simplón de ir en contra de lo establecido, en una suerte de todo o nada, sino que nacía de una insatisfacción mucho más profunda, de un deseo más próximo a la contrición. Preston había llevado esos colores y esos tatuajes como el cilicio y el traje de arpillera de un penitente. Y Ike también se preguntó si no habría en Preston más rasgos del padre de los que ninguno de ellos había llegado a imaginar.

El viejo pronunció las últimas palabras con la cabeza gacha, y resultó difícil entenderlas.

—Señor, tú has sido nuestro refugio. Tú has puesto nuestras culpas a la vista, nuestros secretos a la luz de tu presencia. Nuestros días se van todos y en tu enojo... —Siguió algo más, pero las palabras se perdieron con el ruido de otro avión y los graznidos de una bandada de cuervos persiguiéndose entre los árboles.

Cuando el servicio terminó, nadie supo muy bien qué hacer. El padre de Preston se quedó junto a la fosa abierta. Los demás permanecieron allí, paseando sin rumbo fijo por la hierba. Había un tipo al que Ike había visto antes, debía de tener poco más de veinte años. Llevaba una funda colgada al hombro y una cámara en la mano; estaba solo y parecía darle un poco de vergüenza hacer fotos. Ike supuso que era de alguno de los periódicos que habían estado cubriendo la historia. Cuando el viejo terminó su sermón y se hizo otra vez el silencio en el cielo, se oyó el suave clic de la cámara. Aquel sonido tenía algo incómodo y embarazoso, y uno de los moteros le lanzó una cerveza. La lata brilló momentáneamente en el aire despidiendo un silbido y una estela de espuma antes de errar el blanco por unos escasos centímetros. Ike vio al fotógrafo guardar la cámara en la funda y desaparecer a toda prisa por el camino que cruzaba el césped. Hizo un esfuerzo por aflojarse un poco el apretado cuello de la camisa y estirar la cabeza para ver mejor a los moteros. Tenía la impresión de que había sido Morris quien había tirado la lata, pero no podía estar seguro. Quería pensar que había sido así y, de haber estado en mejores términos, se lo habría agradecido.

Se quedó allí de pie con los demás, entre el sudor y los picores, hasta que consiguió reunir el valor suficiente para acercarse al padre de Preston. Era algo que quería hacer, por Preston. Quería contarle al viejo lo que había estado pensando, ponerlo en palabras. Sin embargo, no le salió demasiado bien. No era algo fácil de decir y empezó a tartamudear mientras el hombre lo miraba con un gesto de ligero desconcierto en sus ojos de color gris. No supo muy bien qué le dijo, algo de que Preston era diferente a los otros y de cómo había hecho algunas cosas buenas y había llegado a salvar una vida o quizá dos. Tampoco le quedó muy claro el resultado, ni siquiera si se alegraba de habérselo dicho o no. Al final decidió que sí. El padre de Preston no dijo nada. Se quedó allí, esperando pacientemente a que terminara y luego asintió y se marchó. Lo último que Ike vio de él fue su silueta alejándose por la hierba, con la Biblia en una mano y el otro brazo encima de los hombros de una mujer bajita de pelo gris que, se imaginó, debía de ser la madre de Preston. En ese momento se levantó una racha fuerte de viento y vio cómo el bajo de los pantalones se le pegaba a los tobillos y los mechones de pelo gris revoloteaban en el aire. Se quedó allí, junto a la tumba, solo, y lo observó marcharse. Otro avión surcó el cielo. Este, sin embargo, lo hizo en silencio, el sonido lejano de los motores enmascarado por el rugir de una docena de motos enormes poniéndose en marcha en mitad de aquel cementerio azotado por el viento.

46

Volvió a Huntington Beach a principios de octubre. Michelle se había ido. Había una carta suya esperándolo en el Sea View. Su padre le había enviado algo de dinero y se había ido a vivir con él en algún sitio más al norte, en la costa. Le anotaba el nombre de un pueblo y una dirección. Podía ir a visitarla si quería. Dobló la carta y se la guardó en el bolsillo de los vaqueros. Después de todo, Michelle era una de las razones por las que había vuelto. Y estaba, también, ese asunto de los cabos sueltos. Encontraría a Frank Baker y tendría con él una última conversación.

Se mudó del Sea View a una pequeña habitación en un motel cerca de Main y la Coast Highway. Era un edificio bajo de estuco blanco, más nuevo que el Sea View, con habitaciones pequeñas y cuadradas decoradas en turquesa y naranja. También tenía una pequeña piscina con forma arriñonada, pero estaba vacía, tristemente hundida en un estéril rectángulo de hormigón. Desde una de las ventanas de la habitación podía ver la carretera y, más allá, la playa. La temporada de verano había terminado, los estudiantes habían vuelto a sus clases y aunque seguía habiendo muchos surfistas a primera hora y última hora, el ambiente de la playa era completamente diferente. Estaba más limpia y vacía, en ocasiones, casi desierta, sobre todo por las tardes, cuando solía levantarse un viento de mar que barría la arena y echaba a perder las olas.

No tenía tabla y no se molestó en conseguir una. Sabía que tendría tiempo de hacer surf más adelante, en otros lugares, pero no allí. En cuanto terminara lo que había ido a hacer podría marcharse. Dejaría Huntington Beach como había dejado San Arco. Después del funeral había vuelto allí, al desierto. Según lo veía él, en su familia todos los que se habían marchado de allí lo habían hecho huyendo, sin tomarse la molestia de despedirse. Él quería ser el primero en hacerlo. Y por eso había vuelto. Habló con Gordon en el siempre tórrido aparcamiento de grava y le contó todo lo que sabía, y Gordon encajó las noticias con su acostumbrada actitud estoica. Luego se estrecharon la mano y Ike le dio las gracias y se giró una vez, solo una, a mirar la casa, con su destartalado porche y la asfixiada y polvorienta hiedra, y no encontró motivo alguno para acercarse hasta ella.

Se quedó en San Arco un par de días más, durmiendo en la trastienda y poniendo a punto la Harley. Luego empezó a cogerla para practicar, subiendo y bajando por el camino principal y pasando por delante de la casa de la vieja como una exhalación, igual que un tren de mercancías vacío precipitándose a toda velocidad desde King City. Y luego, cuando le pareció que ya la tenía suficientemente dominada como para conducir por King City, fue a la tienda, cogió un par de tijeras y le cortó las mangas a una de aquellas malditas camisetas de manga larga. Había ganado casi siete kilos durante el verano, y de tanto nadar y remar casi todo el peso extra parecía haberse concentrado en sus hombros y brazos. Todavía no podía decirse que fuera corpulento, pero ya no era un «tirillas» como antes. Después salió y condujo la Knuckle hasta King City, con sus nuevas gafas de sol de tipo aviador despidiendo destellos. Fue hasta la tienda de Jerry y le dijo que la moto estaba en venta. Jerry le había preguntado muchas veces si no quería vendérsela; le dijo el precio, Jerry estuvo de acuerdo y cerraron el trato.

Vio San Arco por última vez cuando el autobús con destino a Los Ángeles enfiló la autovía. Desde allí, el pueblo no era más que un reflejo, como un pedacito de vidrio o de metal reflejando el sol desde algún lugar en mitad de las desérticas colinas. Luego cerró los ojos y recostó la cabeza en el asiento, pensando en la cara que había puesto Gordon al verle el maldito tatuaje y en cómo se lo había quedado mirando cuando pasó por delante de él por última vez, a toda velocidad, con las deshilachadas mangas de la camiseta batiendo al viento.

47

Se quedó una semana en el motel de estuco blanco. Pasó tiempo recorriendo las calles, e incluso llegó a preguntar por Frank Baker. Nadie lo había visto, o al menos nadie le confesó haberlo hecho. Pero la tienda seguía allí, cerrada y a oscuras, y supuso que antes o después tendría que volver y hacerse cargo de ella. Por las tardes se acercaba a la playa y daba largos paseos desde el muelle hasta los acantilados y los pozos de petróleo, y luego volvía por la orilla, caminando sobre la arena mojada.

Le resultaba extraño hablar con la gente. Se daba cuenta de que allí, igual que en el desierto, tampoco había hecho demasiados amigos. Michelle, Preston y Barbara ya no estaban. Hasta Morris, según le contaron, había hecho las maletas y se había mudado al interior, a San Bernardino o un lugar parecido. Y los demás, los chicos de su edad con los que había coincidido suficientes veces en el agua como para saludarlos, no parecían muy interesados en hablar con él o en cruzar siquiera una mirada. Porque a fin de cuentas, pensó, él había sido el chico de Hound Adams, o al menos así debían de verlo ellos, y no los culpaba por ello.

Una tarde se le acercó una chica en el muelle. No la reconoció. Era bajita y morena, de un atractivo algo deslucido. Le dijo que se acordaba de haberlo visto en alguna fiesta y le preguntó si tenía hierba. Ike se quedó mirándola durante lo que le pareció un rato demasiado largo, hasta que ella soltó una risita nerviosa. Sin embargo, cuando le dijo que no tenía hierba y que no sabía quién podía tener, su sonrisa se transformó en un gesto cínico y desconfiado que dejaba claro que no le creía. Pero tampoco le insistió, un pequeño detalle que Ike agradeció. Luego cruzó los brazos sobre el pecho y se giró de cara al viento, como si acabara de notarlo por primera vez, antes de encogerse de hombros y marcharse. Ike la observó alejarse por la pasarela desierta, con el viento soplando a su espalda y agitándole el vestido sobre las piernas. La miró hasta que su silueta se difuminó a lo lejos, en el punto donde confluían el muelle y la ciudad.

Pasó un día y luego otro. Fue a última hora de la tarde del segundo día cuando vio a Frank Baker. Estaba hablando con dos hombres en el aparcamiento de uno de los escasos bares caros de Huntington Beach, una estructura grande de cristal y hormigón construida hacía poco cerca del muelle. Los tres se encontraban parados junto a un coche deportivo de color amarillo.

Ike estaba en la acera que discurría paralela a la carretera. Por debajo, los aparcamientos se extendían hasta la arena, y no muy lejos de allí estaba el solar donde Hound Adams se había peleado con los moteros. Se acercó a una de las palmeras que jalonaban la acera y se escondió ligeramente detrás de ella. Se quedó allí durante lo que a él le pareció un rato muy largo, aunque probablemente no hubieran transcurrido más de cuatro o cinco minutos. Al final vio que los tres hombres se daban la mano y dos de ellos se subían al coche. Frank esperó hasta que se fueron y luego él también se marchó, solo y a pie.

Ike lo siguió. Estaba seguro de que iba a la tienda, y Frank no lo decepcionó. Subieron por Main Street, giraron a la izquierda por Walnut y luego a la derecha al llegar al callejón.

Desde la entrada del callejón Ike vio la camioneta de Frank y por un momento temió que solo hubiera aparcado allí por conveniencia y ahora fuera a largarse sin darle ocasión de alcanzarlo. Pero no, Frank pasó de largo el vehículo y siguió hasta llegar a la puerta trasera del edificio.

Ike recorrió el callejón con paso cauteloso, pegándose a las paredes del edificio, mientras en el cielo comenzaba a asomar una luna rechoncha y plana. Oyó a Frank en el camino de grava y luego el ruido de unas llaves golpeando un candado. Una cuña de luz amarilla se proyectó por debajo de la camioneta y Ike supo que Frank por fin estaba dentro, solo, y eso era lo que él había estado esperando. Se movió deprisa y, prácticamente de un salto, se plantó delante de la puerta, dispuesto a encararse con Frank Baker por primera vez desde el rancho.

La tienda tenía prácticamente el mismo aspecto que la última vez que la había visto. En la parte delantera faltaban algunas de las tablas que solían colgar de la pared y habían dado una mano de pintura blanca al viejo muro de ladrillo, pero salvo eso, todo seguía igual, y había algo extraño, casi inquietante, en aquella inmutabilidad, algo con lo que no había contado. Casi todas las fotografías seguían colgadas en las paredes, aunque habían descolgado algunas y ahora estaban esparcidas encima del mostrador de cristal. Frank estaba ahí, junto al mostrador, con la cabeza inclinada sobre las fotos, y al oír el ruido de las botas de Ike sobre el suelo de hormigón dio un respingo.

Parecía más delgado de lo que lo recordaba, y el moreno de su piel se había desvanecido. Aun así, tenía un aspecto limpio y aseado e iba vestido con lo que parecía un conjunto de ropa nueva: pantalones blancos, jersey a rayas y unos zapatos náuticos relucientes. Ike cobró conciencia entonces de su propio aspecto: los vaqueros llenos de manchas de grasa de la Harley, el grueso par de botas negras que lo había estado esperando en el desierto y que ahora eran las únicas que tenía, y la sucia camiseta sin mangas, más la barba de una semana y el pelo largo hasta los hombros. Las botas lo elevaban unos buenos tres centímetros por encima de Frank, y por un momento se imaginó qué habría pensado al levantar la vista del mostrador y verlo, como si fuera una versión reducida de Preston Marsh que hubiera regresado para cazarlo.

Durante unos segundos se limitaron a quedarse allí mirándose. Luego Frank se volvió de nuevo hacia las fotografías antes de decir:

—¿Fuiste al funeral?

Hablaba bajito, y su voz apenas era audible a pesar del silencio que reinaba en la tienda. Ike contestó que sí. Frank asintió, con la vista clavada en el mostrador.

—¿Había mucha gente?

—No. Sus colegas. Unos cuantos moteros.

Frank se volvió a mirarlo por segunda vez.

—Hubo una época en la que la mitad de esta ciudad hubiera ido. ¿Su viejo dijo unas palabras?

Ike dijo que sí y después recorrió el trecho que lo separaba del mostrador. Llevaba dándole vueltas a la misma idea desde que había visto a Frank marchándose del rancho en su furgoneta, porque también era a él a quien había visto hablando con Preston antes del primer viaje al rancho y de que todo se complicara.

—Le tendiste una trampa —dijo—. La primera vez. Lo mandaste al rancho y luego avisaste a los otros.

Frank negó con la cabeza, pero sin dejar de mirarlo.

—No —contestó—, no lo hice.

—Y una mierda.

Frank se encogió de hombros.

—Bastante suerte tienes de estar vivo, campeón, a lo mejor debería bastarte con eso.

Hizo amago de moverse y salir de detrás del mostrador, pero Ike le bloqueó el paso.

—Eres un puto mentiroso.

Se le tensó el cuello y notó cómo la sangre le subía a la cabeza. Por un momento, los ojos de Frank brillaron de rabia, pero luego la rabia desapareció y su mirada volvió a ser la misma de antes, una mirada más cansada que enfadada, con un halo de derrota que Ike nunca le había visto antes. Y a lo mejor por eso le pilló tan de sorpresa que Frank lo golpeara de repente. Había venido dispuesto a pelear, si al final todo se reducía a eso, pero por algún motivo había esperado que las cosas se desarrollaran de otra forma. Sin embargo, lo que sucedió fue que Frank dio medio paso a un lado y le lanzó un poderoso gancho de izquierdas. Fue un buen golpe, pero Ike los había recibido mucho más fuertes desde que había llegado a Huntington Beach. Salió despedido hacia atrás y sintió el impacto de su espalda contra el mostrador antes de recuperar a duras penas el equilibrio y abalanzarse con furia hacia delante, con la cabeza gacha, de la forma en que Gordon había tratado de enseñarle que no hiciera. Pero era como si estuviera soltando algo; frustración, rabia, algo que llevaba reteniendo dentro durante demasiado tiempo. Notó que su golpe impactaba sólidamente en el blanco y una oleada de dolor le subió por la mano hasta el hombro, pero Frank volvió a la carga con golpes bajos, con otro puñetazo en la base del cráneo, con un rodillazo en la cara, hasta que Ike logró agarrarle la pierna y alzarla con fuerza, con un movimiento giratorio que fue suficiente para que el otro perdiera el equilibrio y se fuera directo contra la pared. Oyó cómo la espalda y la cabeza de Frank se estampaban contra el muro de ladrillo recién pintado, pero aun así no se detuvo, fue a por él y se empleó a fondo con sus costillas, mientras Frank se esforzaba por coger aire.

Ike siguió soltando un puñetazo tras otro y Frank trató de recomponerse, golpeándolo a su vez y luego protegiéndose de su ataque, hasta que al final tropezaron con el estante de los trajes de neopreno y cayeron juntos y enmarañados al suelo. Ike se revolvió y consiguió dominar a su contrincante y ponerlo de espaldas, inmovilizándolo, y en ese momento notó que Frank agotaba las últimas fuerzas que le quedaban. Lo soltó, se desembarazó del lío de trajes y después se sentó en cuclillas, con las manos sobre los muslos. Todo había sido más rápido de lo que había esperado, breve e intenso, aunque aquella intensidad había traído también algo de alivio. Aguardó, a la espera de ver si Frank quería continuar con aquello.

Frank se quedó un rato más tirado en el suelo, luego rodó en la dirección opuesta y finalmente consiguió sentarse con los brazos extendidos a los lados. Lo gracioso era que seguía sin parecer enfadado. Se llevó una mano a la cara y se tocó el labio; lo tenía cortado y comenzaba a inflamarse.

—Mierda, sigues siendo un maldito macarra.

Le costaba respirar y hablaba entre jadeos.

—Y sí, le conté unas cuantas cosas sobre el rancho. —Se interrumpió para coger aire y sacudió la cabeza—. Pero no lo engañé. Hasta que no sucedió todo no tenía ni idea de que iba a ir hasta allí. —Se detuvo para escupir un poco de sangre en el suelo.

A Ike también le costaba respirar. Se puso de rodillas sobre la fina capa de polvo gris del suelo, con las manos todavía apoyadas en las piernas.

—Y entonces ¿qué le dijiste?

—Venga, hombre, ¿qué mierdas es esto? ¿Pretendes decirme que no lo sabes? Estabas con él, según he oído.

—Dime qué le contaste.

—Mierda. Pues digamos que intercambiamos historias. Se presentó aquí una noche, ahí fuera, en el callejón. —Señaló con la cabeza en dirección a la parte de atrás de la tienda—. Dios, llevaba años sin hablar con él. Me dio un susto de muerte, si te digo la verdad. Me contó que estaba tratando de averiguar algo sobre esa chica, Ellen, y quería intercambiar información. Lo que le había pasado a Ellen a cambio de su versión sobre lo que le había pasado a Janet Adams.

Ike se quedó un momento en silencio.

—Pero tú estabas con ellos —dijo—, eso me contaste. Fuiste tú quien hizo la maldita foto, ¿te acuerdas?

—El día antes de largarme.

Frank hizo una pausa y lo miró, y Ike se dio cuenta de que trataba de decidirse sobre algo. Giró la cabeza y echó un vistazo a la pared del fondo de la tienda, y cuando se volvió de nuevo hacia él, su expresión era ligeramente diferente, como si ya hubiera decidido qué hacer.

—Yo era el más joven —continuó—, más joven que Hound y Preston y un año más joven que Janet. Nunca me gustó Milo. El viaje empezó a volverse muy raro. Muchas drogas y movidas muy sucias. Yo me asusté y me largué. Fingí que había recibido una llamada de mi casa. Preston sabía que no era verdad, pero lo dejó correr e incluso les contó a los otros que estaba conmigo en tierra firme cuando me habían llamado. Luego intenté que Janet se viniera conmigo. Pero se quedó. Regresé aquí y esperé. Y los vi volver sin ella.

Hizo una pausa.

—No la conociste, era especial. Nunca llegué a saber qué había pasado. Me enteré de la versión de Hound, pero por algún motivo siempre supe que, si alguna vez llegaba a contármela, la de Preston sería diferente. Sin embargo, después del viaje hizo las maletas, se alistó en el Cuerpo de Marines y se piró.

A Ike le costaba prestar atención a lo que le estaba contando. Había algo más, y cuando se dio cuenta de qué era, un hondo y lento escalofrío le recorrió el cuerpo: ahora entendía por qué Preston había puesto esa cara tan extraña la primera vez que le había contado lo que les había dicho el chico del Camaro blanco, por qué nunca se había creído esa historia y por qué había ido a hablar con Frank Baker. No era solo que las dos historias se parecieran, como había pensado en un primer momento, sino que eran exactamente iguales.

—Era tu historia —dijo Ike.

Por un momento, Frank pareció desconcertado. Luego sonrió con una especie de mueca torcida por culpa del labio roto.

—Preston fue a hablar contigo porque quería saber por qué un chaval recién llegado del desierto iba contando tu historia.

Frank se tocó otra vez el labio.

—Es curioso que aquello funcionara, ¿no? Pero en realidad no era mi historia. Solo dio la impresión de que lo era.

—¿Y el chaval?

Frank se encogió de hombros.

—Estaba loco por tu hermana. Cuando ella se largó un fin de semana con Hound y no volvió, se cabreó mucho. Hound le contó que la chica se había largado sola y zanjó el asunto. El chaval no se lo creyó y en un ramalazo decidió ir a buscar al hermano de Ellen. Yo fui quien le contó que se habían ido a México. También le dije que lo que quería hacer era una estupidez, pero que si seguía adelante, mejor se planteara desaparecer luego una temporada.

—¿Le dijiste eso?

Frank extendió las manos.

—¿Qué iba a hacer? Ese gilipollas era mi hermano.

—Pero nos contó que tú eras uno de los tipos con los que se había ido.

—Ya te lo he dicho, es un gilipollas. Y estaba enamorado. ¿Sabes a lo que me refiero? Pensó que yo trataba de persuadirlo como todos los demás.

—Pero ¿por qué decirle que habías ido tú y no Milo?

—Dios, ¿no lo ves? No sabía una puta mierda sobre Milo, el rancho ni todo lo demás. Y mejor que fuera así. Mejor que pensara que era cosa de Terry y de Hound, incluso mía. Y que se fuera a buscar al hermano de Ellen. ¿A quién le importaba eso? Hound habría podido manejarlo.

Vale, pensó Ike, pero no habían hecho sino regresar al punto de partida, a lo que Frank le había dicho a Preston. Aun así, notó una punzada seca en el estómago cuando le preguntó de nuevo qué sabía sobre Ellen.

Él le sostuvo la mirada.

—Tú has estado allí —le dijo.

—Dime qué le dijiste.

—Le dije que en el rancho había varias tumbas.

—Tumbas. —Ike repitió la palabra despacio, su voz poco más que un susurro.

—Rumores —puntualizó Frank, pero ahora, por primera vez, parecía enfadado—. ¿Cómo va a saber uno qué creerse sobre toda esa mierda? Nunca he sabido qué pasaba exactamente allí arriba y nunca he querido saberlo. Simplemente he oído cosas.

—¿Como cuáles?

—Como que Milo se traía algo entre manos con una especie de secta de putos ricos, gente que estaba metida en una mierda muy rara y que estaba dispuesta a darle lo que fuera por usar sus tierras. A Milo no le quedaba mucha pasta, ¿sabes? Había estado en la cárcel una temporada. Y había malgastado casi todo el dinero de su padre.

—¿Y qué hay de las películas?

—¿Las de Hound? —Frank se encogió de hombros—. Hound grababa esas cosas en casa para vendérselas a los sudacas, pero de paso aprovechaba para buscar gente que pudiera serle útil a Milo y a sus amigos, hasta donde yo sé.

—Pero Milo también grababa esas mierdas en el rancho.

—Ya te lo he dicho, tío, yo no tenía ni idea de eso. No quería saber nada. A lo mejor sus amigos las usaban para cascársela entre sesión y sesión. O a lo mejor Milo había encontrado a algún depravado que se las compraba. ¿Quién sabe? Pero ya está, ahora todo ha terminado.

Ike se quedó en silencio un momento.

—Y se lo contaste a Preston.

—Sí —dijo Frank—. Se lo conté a Preston. —Se había puesto a la defensiva—. Se lo conté a ese idiota y exageré todo lo que pude, y no lo hice porque tuviera miedo, ni tampoco porque quisiera enterarme de lo de Janet. Solo quería que lo supiera, tío. Que lo supiera.

Se detuvo y sacudió la cabeza, y cuando siguió hablando había un tono de urgencia en su voz que Ike no le había notado antes.

—Yo estaba aquí. Al principio. —Y señaló el suelo de hormigón con un gesto enérgico—. Esos dos tenían algo, tío. No solo pasta. Era un puto estilo de vida, y de eso iba todo entonces. Y esos dos idiotas lo tenían. No necesitaban a Milo Trax. Pero la cagaron, y eso Preston lo sabía mejor que nadie. Joder, nunca fue capaz de manejar lo de Janet. Solo quería que supiera lo lejos que habían llegado las cosas. No se lo conté para tenderle una trampa. Se lo conté porque se merecía saberlo. Ni siquiera estaba seguro de que fuera a creerme. —Hizo otra pausa—. Pero eso fue antes de oír su versión sobre lo que había pasado en México.

Ike esperó. No sabía si también tendría que preguntarle por aquello, pero no hizo falta, Frank continuó; estaba largándolo todo.

—Me contó que Milo mató a una puta allá abajo. Alguna zorra mexicana que se habían llevado a una playa con ellos. Estaban todos colocados, y de repente Milo sacó un cuchillo y la mató antes de que nadie se diera cuenta de lo que estaba pasando. Janet sí lo vio. Esa misma noche murió de una sobredosis. —Frank se detuvo—. Pero nunca te contó nada de esta mierda, ¿no? Entonces, dime algo, ¿qué diablos te pensabas que ibais a hacer en el rancho la vez que te fuiste con él?

De pronto Ike empezó a sentirse exhausto. Se notaba la cabeza hinchada y ligeramente deformada.

—Surf —contestó.

La palabra sonó extraña en mitad de la tienda vacía.

—¿Surf? ¿En serio hicisteis surf allí arriba? ¿Preston surfeó?

—Eran los últimos días de aquella marejada tan buena. Nunca dijo una maldita palabra sobre ninguna tumba. Me dijo que quería enseñarme cómo podían llegar a ser las cosas. Y convencerme de que me largara de Huntington Beach.

Frank sacudió la cabeza otra vez. Se tanteó el labio con un dedo.

—Cómo podían llegar a ser las cosas, ¿eh? Conectar con la vieja fuente, ¿era eso? —Pero siguió hablando antes de que Ike pudiera decir nada—. Ya, pues sí, eso está muy bien. Muy bien, sí. Pero ¿sabes lo más gracioso de todo, de toda esa mierda de conectar con la fuente? No fue cosa de Hound ni de Preston, no se les ocurrió a ellos. Se le ocurrió a Janet. Y se refería a la droga. Esa era la única fuente que tenía en mente, hermano. Hierba de la buena, setas y cocaína pura. Buena mierda. Y con Milo manejando los hilos, además, la fuente de suministro era infinita. Estaban metidos en ello hasta las trancas. Mira, Hound y Preston ya habían empezado por su cuenta pasando pequeñas cantidades de hierba en los coches a través de la frontera, era su pequeño negocio bajo manga. Fue Milo el que lo convirtió en una operación a lo grande. Y fue Janet la que acuñó la frase. Conectar con la fuente. A Hound y a Preston les moló. Sabían en qué sentido espiritual lo interpretaría la gente y aquella podía ser su broma privada. Solo la usaron en las tablas durante un año. Luego Janet murió, Preston se largó y supongo que incluso a Hound dejó de hacerle gracia la frase.

Se detuvo un momento y luego continuó con un tono de voz un poco más suave.

—No te engañes, hombre. Hound podía ser un bocazas y un mentiroso, pero también sabía que la habían cagado. Me da igual lo que dijera. Los dos lo sabían. Simplemente se volvieron locos de maneras diferentes.

Después de eso, se quedaron mirándose en silencio durante un rato muy largo. Ike tenía la impresión de que no había mucho más que añadir. A lo que seguía dándole vueltas era a la imagen de Hound Adams subiendo por aquel maldito barranco para abrirle la verja a Preston.

—¿Y cómo se enteró Preston de lo de la fiesta de Milo? —preguntó por fin—. ¿También se lo contaste tú?

Frank sonrió.

—Le mandé una invitación.

—¿Y por eso te largaste?

El labio tumefacto de Frank finalmente se abrió y comenzó a sangrar. No hizo nada por detener la hemorragia y la sangre le coloreó la sonrisa.

—Ya te lo he dicho, tío. Yo siempre me largo. Pero esa noche tenía un presentimiento.

No habría sabido decir cuánto tiempo más se quedaron en la tienda, solo que tenía la impresión de que los dos compartían algo, de que formaban parte de algo que había llegado a su fin y que cuando aquella conversación terminara todo habría acabado y ninguno de los dos volvería a hablar de aquello de la misma forma. Y por algún extraño motivo, tenía la impresión de que Frank sentía lo mismo. No había necesitado sacárselo a golpes. Lo tenía todo ahí, listo para soltarlo desde hacía mucho tiempo. Simplemente, eran cosas difíciles de decir y, de alguna forma, la pelea había ayudado a que salieran. ¿Y a quién se lo iba a contar sino a Ike, que era el único que estaba allí?

Al final, fue Frank el primero que se levantó del suelo. Hizo un intento poco entusiasta por limpiarse parte de la suciedad de los pantalones y después se acercó al mostrador y cogió una de las fotos. La sostuvo en alto y Ike vio que era la foto de Hound, Preston y Janet.

—Los nuevos dueños llegan mañana —le dijo—. Unos malditos punks de esta misma calle. No quiero que se queden con esta.

—¿Y qué pasa con las demás?

Frank se encogió de hombros.

—Fantasmas —dijo—. Si te interesa algo, llévatelo. Pero cierra la puerta con llave cuando te vayas.

Ike se había puesto de pie y trataba de liberarse de los calambres moviendo las piernas. Cuando Frank pasó a su lado en dirección a la puerta, Ike le preguntó una última cosa:

—¿Le contarás a alguien más lo de las tumbas?

—No lo sé. Dejando a un lado a la Policía, y eso para mí ya no significa una mierda, no estoy seguro de que la gente quiera saber estas cosas. Puede que tu hermana esté allá arriba. ¿De verdad quieres saberlo?

—No lo sé.

—Ahí lo tienes. —Llegó hasta la puerta y se detuvo—. ¿Nos veremos por aquí?

—Lo dudo.

—¿Tienes planes?

—No muchos, solo largarme de aquí.

Fran asintió.

—Eso es lo que yo debería haber hecho hace mucho tiempo —dijo, e hizo un gesto con los hombros—. El tiempo vuela.

Luego le dio la espalda y salió al callejón. Ike oyó cómo se cerraba la puerta de la furgoneta, cómo se encendía el motor y el sonido se perdía en la noche. Estaba solo en la tienda vacía; no se oía nada más que el ruido de un coche pasando de vez en cuando, y el murmullo sordo de las olas rompiendo a lo lejos.

Se quedó allí mucho rato, deambulando por la tienda y pensando, observando los recuerdos que aún colgaban de las paredes. Las tablas que Preston y él habían usado en el rancho seguían colocadas en los estantes. Las bajó y las apoyó en el suelo. Resultaba curioso hasta qué punto había estado convencido de que podía dejar algo atrás, ya fuera el desierto o Huntington Beach. Se acordó de las verdes colinas situadas encima de la punta, tan silenciosas como el desierto a primera hora. Pensó en Frank Baker, aguantando allí durante tanto tiempo. Quizá debería haberle preguntado más cosas. Aunque a fin de cuentas, pensó, ya sabía lo suficiente.

Por una parte le habría gustado llevarse una de las tablas. Por otra, le parecía mejor no hacerlo. Al final decidió llevarse solo una cosa: la fotografía de Preston Marsh que tan a menudo había admirado, esa en la que se lo veía clavando un primer *bottom turn* sobre una enorme ola de Huntington Beach. Sin embargo, al ir a descolgar el marco se fijó en otra foto que colgaba debajo; ya la había visto antes, pero hasta ese momento nunca le había prestado demasiada atención. En la foto se veía una ola oscura y solitaria, sin nadie surfeándola. Lo más interesante de la imagen era la forma en que la luz del sol incidía en el labio, quedándose allí suspendida y arrancando brillantes destellos al fino espray de agua que se desprendía de la cresta. Lo que le llamó la atención fue que el marco de la foto estaba ligeramente desencajado y que, entre el marco y el paspartú, asomaba un pedazo de papel. Se colocó la foto de Preston debajo del brazo y, con cuidado, sacó el pequeño trozo de papel, amarillento y frágil, de detrás de la imagen.

Había varios bocetos hechos con tinta negra y unas palabras escritas debajo. Le pareció que los dibujos tenían algo elegante y claramente femenino, y el corazón le dio un vuelco al darse cuenta de que sin duda los había hecho ella. Se la imaginó como debía haber sido en aquel día en México, con un brazo por encima del hombro de cada uno de ellos, y el fino y claro cabello ondeando al viento, y recordó cómo se había sentido la primera vez que había visto aquella foto, solo y al margen, como si el hecho de tener que conformarse con mirarla lo excluyera de algo. Y de pronto, se dio cuenta de que todo estaba allí, de que esa foto lo contenía todo. La promesa de algo. La excitación. Y creyó entender por qué Frank Baker había aguantado tanto, porque en realidad no había otro sitio adonde ir. Y en mitad del silencio de la tienda tuvo la impresión de que una fantasmagórica corriente de aire golpeaba la puerta del callejón, una corriente que no procedía del mar, sino de las salinas de San Arco, porque era cálida y seca, y venía entreverada de arena. Y había nombres escritos en el viento. Janet Adams. Ellen Tucker. ¿Y cuántos más entremedias? Vio las verdes y frescas colinas del rancho precipitándose sobre el Pacífico, hundiendo sus secretos en la tierra. El amarillento trozo de papel tembló ligeramente entre sus dedos mientras estudiaba los dibujos, unos minúsculos bocetos de olas que a medida que avanzaban por la hoja se volvían más estilizadas, hasta llegar a la última, rodeada por un círculo y con la cresta transformada en una llama.

Iba a llevarse el papel, pero entonces, respondiendo a un repentino impulso, se puso a buscar unas cerillas, y las encontró en el cajón que había debajo de la caja registradora. Sostuvo la frágil hoja de papel mientras ardía, hasta que la llama le alcanzó los dedos. Lo que quedaba terminó de arder sobre el cristal del mostrador, hasta quedar convertido en un pequeño montón de cenizas; sopló y las cenizas cayeron al suelo. Luego cogió la foto de Preston y salió de la tienda.

Debía de llevar mucho más tiempo del que pensaba dentro del local, porque cuando llegó a la boca del callejón vio que las calles estaban vacías y oscuras, con esa quietud propia de las horas previas al alba. A lo lejos, en la otra punta de Main Street, aún se distinguían las pequeñas luces amarillas del muelle. El resto de la ciudad estaba a oscuras, incluido el neón púrpura del Club Tahiti, cuya silueta fría y negra se recortaba contra el cielo. Fue un momento extraño y a la vez familiar, dominado por una quietud sobrecogedora impregnada ya no por el olor del desierto, sino por el aroma del mar, y entonces pudo discernir de qué se trataba, sentir cómo todo convergía de algún modo en aquella hora especial, amasando un silencio tan absoluto que solo la propia tierra podría quebrarlo para hablar con voz secreta de algo aún más secreto. O quizá ya lo había hecho muchas veces antes, pensó, ya había desvelado antes sus secretos, pero la gente había olvidado cuál era la manera correcta de escucharlos.

Y por primera vez no sintió el impulso de echar a correr y salir huyendo. Porque ese secreto era todo lo que había, pensó. Y perseguirlo era lo único que importaba.

Se colocó la foto debajo del brazo, deshizo el camino por el callejón y entró por última vez en la tienda. Se acordaba del diseño original del local por las fotos que había visto en el álbum de recortes de Barbara; la pared de ladrillo que ahora separaba los dos espacios había sido, en tiempos, la fachada del edificio, y recordaba perfectamente lo que había pintado en ella. Encontró unos cuantos tacos de parafina de colores debajo del mostrador y se puso a trabajar sobre la pared de ladrillo blanco, preguntándose cuántas capas de pintura lo separaban del original. Era consciente de que él no conseguiría ser tan pulcro y preciso como lo había sido ella, pero aun así no se detuvo, sino que continuó con su propio estilo crudo y descarnado. Quería que los nuevos dueños tuvieran algo en lo que pensar. Necesitó mucha fuerza para conseguir el tipo de línea que quería, y las manos le temblaron del esfuerzo. Dibujó un áspero círculo y, en su interior, la silueta de una ola hueca a punto de romper, con la cresta en llamas, y debajo escribió las palabras «Conectar con la fuente».

«En ningún sitio se sumergen en el pasado los días, las semanas y los meses más rápidamente que en el mar.»
JOSEPH CONRAD

Desde LIBROS DEL ASTEROIDE queremos agradecerle el tiempo que ha dedicado a la lectura de *Huntington Beach*. Esperamos que el libro le haya gustado y le animamos a que, si así ha sido, lo recomiende a otro lector.

Al final de este volumen nos permitimos proponerle otros títulos de nuestra colección.

Queremos animarle también a que nos visite en www.librosdelasteroide.com y en nuestros perfiles de Facebook, Twitter e Instagram, donde encontrará información completa y detallada sobre todas nuestras publicaciones y podrá ponerse en contacto con nosotros para hacernos llegar sus opiniones y sugerencias. Le esperamos.

✻